LA DAME AU SARI BLEU

DU MÊME AUTEUR

La Reine des pluies, Belfond, 2003 et Pocket, 2004

KATHERINE SCHOLES

LA DAME AU SARI BLEU

Traduit de l'anglais (Australie)
par Florence Hertz

belfond
12, avenue d'Italie
75013 Paris

Titre original :
MAKE ME AN IDOL
publié par Pan Macmillan Australia Pty Limited.

Tous les événements et les personnages de cet ouvrage sont fictifs. Toute ressemblance avec des événements ou des personnes réels serait pure coïncidence.

Si vous souhaitez recevoir notre catalogue
et être tenu au courant de nos publications,
vous pouvez consulter notre site internet :
www.belfond.fr
ou envoyer vos nom et adresse, en citant ce livre,
aux Éditions Belfond,
12, avenue d'Italie, 75013 Paris.
Et, pour le Canada,
à Interforum Canada Inc.,
1050, bd René-Lévesque-Est,
Bureau 100,
Montréal, Québec, H2L 2L6.

ISBN 2-7144-4129-7

Pour Brian C. Robinson,
qui m'a si bien appris à aimer la vie.

PREMIÈRE PARTIE

1

1993, île Flinders, Tasmanie

À l'avant du bateau de pêche, Zelda débitait des carcasses de wallaby à coups de tranchoir de boucher. Elle levait haut la lame épaisse et l'abattait comme une hache pour tailler net la peau, la chair et l'os. Tout autour d'elle étaient éparpillés des morceaux découpés : têtes et oreilles, quartiers avant avec les petits bras, quartiers arrière aux longues pattes d'animal sauteur, et queues. Cet étalage ressemblait aux cubes d'un jeu d'enfant répandus par terre.

Quand elle eut terminé, elle jeta la viande dans le seau à appâts et le porta à l'arrière, où son père amorçait les casiers à langoustes.

— Hé, tu te souviens que je veux être rentrée pour six heures ? demanda-t-elle en le rejoignant. Je sors, ce soir.

James lui lança un rapide coup d'œil tout en continuant son travail.

— Si tu es pressée, tu n'as qu'à te dépêcher de ranger.

Zelda eut besoin de quelques secondes pour ravaler sa colère, puis elle enroula les cordages et plia les filets qui encombraient le pont. Elle serrait les dents. Quoi qu'elle dise, quoi qu'elle fasse, James s'arrangerait pour la mettre en retard.

Les rayons du soleil, bas à l'horizon, venaient caresser les vagues. Les oiseaux de mer planaient autour du pont : de grands albatros aux ailes lentes et aux yeux gris enfoncés sous des arcades proéminentes. Ils volaient bec en bas pour chercher le poisson. Zelda s'en méfiait ; quelques semaines plus tôt, l'un d'entre eux avait happé un morceau de thon piqué dans un hameçon et était reparti, entraînant avec lui le fil de nylon. Les mains tremblantes, elle l'avait ramené comme un poisson et tenté de le libérer. Elle s'était escrimée sur le crochet tout au fond du gosier rouge tandis que l'oiseau poussait des cris stridents et se débattait à grands coups de pattes. Ce jour-là, elle était seule sur le bateau et n'avait pu appeler à l'aide. Finalement, elle n'avait pas eu le choix : elle avait dû couper la ligne pour le libérer. Il était allé se poser sur l'eau, cou plié, regard fixe. Zelda ne se souvenait que trop de son expression enfantine, surprise, apeurée.

— Tu aurais mieux fait de l'achever d'un coup de carabine tout de suite, avait commenté James lorsqu'elle lui avait raconté sa mésaventure. De toute façon, il va crever, un oiseau qui a avalé un hameçon, ça ne peut pas survivre.

Enfin, James entra dans la cabine de pilotage et remit le moteur en marche. Ils firent lentement le tour d'un long récif corallien. James, à la barre, avançait au ralenti pendant que Zelda jetait les casiers par-dessus bord. Les nasses en osier s'enfonçaient vite et disparaissaient au milieu des algues. À la surface, les bouées surmontées de drapeaux noirs indiquaient leur emplacement. Quand le dernier casier fut lancé, James tourna la barre vers leur baie, une crique de sable blanc en forme de croissant, encadrée par deux pointes rocheuses.

Zelda le rejoignit dans la cabine et referma la porte pour se protéger des embruns. C'était un habitacle étroit, où il fallait se serrer. Elle se plaqua à la paroi pour s'éloigner de lui le plus possible. Ils naviguèrent en silence, secoués par le bateau qui sautait sur les crêtes blanches.

Zelda revint à la charge.

— Tu as fais exprès de nous mettre en retard !

Elle attendit une réponse qui ne vint pas.

— J'ai quand même le droit d'aller où je veux ! Je ne suis plus une gamine !

— Tu connais ce boulot. Ça prend le temps que ça prend. C'est comme ça.

Elle se tut, ses yeux de charbon tournés vers l'horizon. La masse sombre de la montagne, qui jaillissait de la mer, se découpait sur le ciel rosé du couchant.

— Tu peux me dire ce que tu as contre Dana ? reprit-elle après un silence.

James vérifia la jauge de carburant, ce qui l'obligea à se pencher tout contre Zelda.

— C'est à cause de mes cours de danse, c'est ça ? Tu n'aimes pas Dana parce qu'elle m'apprend à danser ?

James fronça les sourcils sans rien répondre.

— Je ne vois pas où est le mal, insista Zelda.

— Ça te fait perdre ton temps.

Elle hésita.

— Je sais pourquoi tu n'aimes pas ça : ça te fait penser à... à Ellen...

Après avoir prononcé le prénom de sa mère, elle s'arrêta. Ellen... Le mot vibrait encore, un son étranglé.

James ne quittait pas la mer des yeux. Zelda étudia son visage avec angoisse, redoutant sa réaction. Or, quand il reprit la parole, sa voix était calme, presque désinvolte.

— Non, ça n'a rien à voir. Je n'ai pas envie que tu te laisses influencer, c'est tout.

— J'apprends à danser parce que ça m'amuse ! Je ne me laisse influencer par personne.

— Et ce soir, alors ?

— Dana a invité des amis du continent. C'est une bonne occasion de rencontrer du monde.

— Je comprends ! Rencontrer des gens du continent, quelle merveille !

Excédée, Zelda remua le bout de sa botte dans le sang séché et les écailles de poisson qui maculaient le plancher.

Elle sentit James approcher. Sa main lourde et chaude se posa sur son épaule.

— Tu peux me croire, Zel, dit-il en s'adoucissant. Tu n'as rien à attendre de ces gens. Contente-toi de ce que tu connais, c'est mieux, je t'assure.

Zelda lui jeta un coup d'œil, rencontra son regard et détourna la tête. Le nez collé à la vitre latérale, elle contempla l'eau à travers le verre blanchi par le sel.

Dès qu'ils accostèrent, elle sauta sur la jetée et attacha les amarres.

— Je prends la Jeep ! cria-t-elle. Je risque de rentrer tard !

Il avait déjà commencé à plier son ciré, lent et méthodique quand il s'agissait de remiser son matériel. Zelda voyait bien qu'il l'ignorait pour la punir. Elle regarda sa montre avec un soupir puis partit en courant. Arrivée au bout de la jetée, elle sauta sur la plage blanche et douce. Ses bottes en caoutchouc, en s'enfonçant dans le sable, rendirent sa course plus difficile.

Elle se dirigeait vers un cabanon bâti en bord de plage, derrière des rochers. Sans ralentir, elle arracha l'élastique qui retenait sa queue-de-cheval, libérant ses longs cheveux noirs. Ensuite, elle fit passer sa chemise de travail par-dessus sa tête. En dessous, elle portait un maillot d'homme très échancré, aux emmanchures larges, qui lui couvrait à peine les seins. Elle jeta la chemise sur la corde à linge distendue, devant le cabanon.

Par terre, un rectangle blanc attira son attention : une lettre posée contre la porte. Lizzie avait dû passer avec le courrier, pensa-t-elle en se baissant pour ramasser l'enveloppe. Elle était adressée à James et portait le sceau de la région de Tasmanie dans un angle. Sans doute des documents concernant les élections, ou les impôts, ou la réglementation de la pêche, sans aucun intérêt.

Zelda coinça la lettre sous son bras et appuya l'épaule à la porte pour l'ouvrir. Une odeur de cendres de bois et de lampe à pétrole l'accueillit. Elle laissa tomber la lettre sur la table puis attrapa une serviette qui séchait sur le rebord de la cheminée. Elle prépara ses affaires, puis traversa le jardin pour entrer dans la cabane de douche.

Les rais de lumière qui passaient à travers les planches strièrent sa peau nue quand elle fut déshabillée. Elle avait remonté ses cheveux pour ne pas les mouiller et se contracta avant de verser le seau d'eau froide sur ses épaules. De fins ruisselets glissèrent jusqu'à ses hanches, éclaboussèrent ses pieds. Elle se savonna avec un reste de savon jaune, puis frotta fort avec une poignée de petites éponges de mer. Elle voulait se débarrasser de toute trace de transpiration et de sel, ne pas laisser subsister la moindre odeur de poisson.

Elle se demanda si James était rentré du bateau – s'il allait falloir l'affronter avant de partir. La colère la reprit. J'ai vingt et un ans tout de même ! Ça ne te regarde pas, où je vais et qui je vois ! Mais aussitôt elle songea à la souffrance qui le rendait si souvent taciturne.

« Il t'aime trop, commentaient ses amis. C'est normal, il t'a élevée seul. Il a dû à la fois jouer le rôle de ton père et de ta mère. Il ne vit que pour toi… »

Mais c'était un peu plus compliqué. Un lien différent les unissait, qu'elle avait senti se renforcer au fil du temps. Une proximité qui avait grandi quand elle avait quitté l'enfance pour devenir une femme – une jeune femme si semblable à sa mère… à maintes reprises, elle avait entendu dire qu'elles auraient pu être jumelles. James ne soufflait mot, mais Zelda devinait combien cette ressemblance lui était douloureuse. Il vivait avec le portrait d'Ellen sous les yeux. Elle le savait, mais n'avait compris que tardivement la portée de cette similitude. Un beau jour, il avait pénétré par erreur dans la cabane de douche, cette même cahute avec son baquet et le plancher en caillebotis.

— Oh, pardon ! s'était-il exclamé. Je te croyais en vadrouille.

Au lieu de sortir, il était resté figé, les yeux sur elle. Zelda avait vu son expression changer, avait suivi le chemin que prenait son regard, de la tête aux pieds, le long de son corps nu. Ses cheveux longs lui couvraient presque la poitrine ; seuls pointaient les bouts roses de ses seins. Plus bas, le triangle sombre ressortait, très noir sur sa peau blanche. Elle avait constaté au passage que la marque de son bikini avait presque disparu avec son bronzage. Lorsqu'elle avait relevé la tête, les yeux de James étaient emplis de larmes, ses lèvres, comprimées par le chagrin.

Embarrassée par ce souvenir, Zelda s'aspergea le visage et le frotta avec vigueur.

Elle ne ressortit de la cabane qu'au bout d'un long moment, propre et habillée. Le soleil avait disparu et le ciel s'assombrissait vite. James n'était toujours pas rentré de la jetée. Après un dernier coup d'œil en direction de la mer, elle courut à la vieille Jeep de l'armée, garée près de la citerne. Elle sauta sur le siège du conducteur, fit ronfler le moteur, puis partit sur la piste cahoteuse.

Zelda conduisit avec prudence sur la voie étroite, évitant les ornières, à l'affût des animaux qui pourraient surgir devant ses phares. Elle essaya de ne plus penser à James ni à ses reproches, mais cela ne servit qu'à lui rappeler Drew. Il passerait certainement au cabanon plus tard, et lui aussi s'inquiéterait qu'elle soit allée chez Dana sans lui demander de l'accompagner. Ils boiraient un verre ensemble, son père et son fiancé, critiques, perplexes, mécontents. À une certaine époque, quelques années plus tôt, ils avaient été rivaux, s'étaient presque déclaré la guerre. Mais, avec le temps – elle ne savait plus trop quand –, ils avaient décidé de se la partager. Dans sa colère, Zelda prit un tournant un peu trop vite. Une rage infantile dont elle eut honte et qu'elle tâcha de réprimer.

Lorsqu'elle rejoignit la route principale, ses réflexions se reportèrent vers la soirée à laquelle elle se rendait. Elle s'en réjouissait depuis longtemps ; plus d'une fois, elle avait contemplé la maison de Dana, perchée sur les hauteurs, mais n'y avait encore jamais été invitée. Elle ne voyait Dana qu'aux cours de danse qui avaient lieu une fois par semaine dans la salle communale. Dana attendait que tout le monde fût parti pour fermer à clé. Drew, qui venait chercher Zelda en voiture, arrivait en général en retard, aussi restaient-elles seules à discuter dans la mauvaise lumière bleutée du néon de la façade.

Elles provenaient d'univers très différents. Zelda n'avait jamais quitté son île, et Dana était voyageuse dans l'âme. Elle partait sur des coups de tête, et quittait ses amants, ses emplois, ses maisons, quand l'envie lui prenait de changer d'air. Dana disait d'elle-même, en riant, qu'elle était une navigatrice solitaire. Zelda lui enviait sa vie qu'elle imaginait variée et intéressante, mais était persuadée qu'elle devait se sentir très seule, et souvent déracinée. « Pas du tout », affirmait Dana qui, de toute évidence, menait une existence qui lui convenait parfaitement.

Zelda tourna dans le chemin d'accès à la propriété de Dana et remonta au pas l'allée caillouteuse. Elle jeta un coup d'œil sur son chemisier de soie blanche, lisse et frais sur sa peau. Il lui donnait l'impression d'être une autre femme, plus adulte. Elle ne l'aurait jamais porté pour une autre occasion. Quelque temps plus tôt, Lizzie, la mère de Drew, l'avait sorti du fond de sa penderie où elle gardait les cadeaux à recycler ainsi que les vieux vêtements de bébé enveloppés dans du papier de soie froissé.

— C'est ta mère qui me l'a offert, lui avait-elle expliqué en caressant le tissu soyeux. Je n'ai jamais rien eu d'aussi beau, mais j'ai grossi, et je ne pourrai plus jamais le mettre, je te le garantis ! Autant que je te le passe.

Elle l'avait étalé sur le lit, blanc et doux comme un suaire.

— C'est français. Ellen portait beaucoup de vêtements français. Tu vois l'étiquette ? Christian Dior. Un nom bizarre, tu ne trouves pas ?

Avec le chemisier, Zelda avait choisi de mettre un jean bleu clair et des bottes de cheval bien cirées. Sur le siège à côté d'elle, elle avait malgré tout posé une jupe de lin lavande, au cas où. Tous ses efforts, elle s'en doutait, ne serviraient à rien. Elle avait peu de chances de tomber juste puisqu'elle ne savait rien du style des amis de Dana. Les invitées devaient parler vite et porter robes du soir et talons aiguilles. Pourquoi, se demanda-t-elle brusquement, avait-elle accepté d'aller à cette soirée ? Elle ne saurait pas quoi dire, ni comment se comporter. Il n'est pas trop tard, songea-t-elle. Je n'ai pas confirmé. Je peux très bien faire demi-tour, ou en tout cas me donner le temps de réfléchir.

Juste avant le dernier tournant, elle arrêta la Jeep pour terminer à pied. Elle retira ses bottes, les portant à la main par peur de les salir, et marcha pieds nus sur les gravillons.

Après le virage, elle découvrit que la maison était plus proche qu'elle ne l'avait pensé. Les larges fenêtres sans rideaux s'illuminaient d'une chaude lumière. Elle se courba en deux pour ne pas être vue et approcha discrètement. Au pied d'une fenêtre, elle avança prudemment la tête et regarda à l'intérieur. C'était comme la télévision sans le son. Des bouches ouvertes par le rire, de la fumée de cigarette, des verres à vin. Les tenues étaient très variées, comme si les quatre ou cinq invités jouaient dans des films différents.

Juste devant elle se profilait une grande femme élancée en longue robe rouge, le chignon crêpé, haut comme une motte de beurre. Tout en la dévisageant, Zelda constata avec surprise que c'était une femme âgée au visage très ridé, couvert d'une épaisse couche de poudre. La main, qui tenait un verre, était marquée de taches de vieillesse. À côté se tenait Dana, toute de noir vêtue. Elle était très pâle avec ses lèvres maquillées de rouge sombre. Elle s'appuyait au dossier d'une chaise, et son large décolleté bâillait sur sa poitrine, révélant le haut de ses seins menus dans leur soutien-gorge de dentelle noire. Derrière, Zelda aperçut une silhouette en costume bleu foncé. Un autre invité était habillé, lui, comme un ouvrier agricole : pantalon de toile large et pull. Ces gens ne semblaient rien avoir en commun, et pourtant Zelda se rendit compte qu'ils partageaient tous quelque chose : une aisance, une façon de se mouvoir. Comme si un voile de sérénité adoucissait les angles, imprimant un sourire identique sur leur visage.

Zelda eut soudain envie de battre en retraite, de se faufiler derrière les buissons pour retourner à la Jeep. Elle allait rejoindre James et Drew au cabanon, boire une bière avec eux. Ils seraient contents de la voir. Mais un bruit l'arrêta. Des pas, non loin d'elle. Elle s'accroupit et se colla au mur. Les pas se rapprochèrent. Elle fouilla l'obscurité du regard et vit un homme qui avançait dans l'herbe, un verre de vin à la main. Il s'arrêta pour contempler le ciel étoilé, puis se tourna et marcha droit sur elle. Elle se figea, incertaine, se demandant s'il valait mieux se lever carrément et lui faire face, ou s'enfuir. Elle ne fit ni l'un ni l'autre et se contenta de l'observer, pétrifiée, tandis qu'il se rapprochait. Quand il fut presque à sa hauteur, elle se cacha le visage contre le mur, comme une enfant s'imaginant que de cette façon on ne peut pas la voir.

Elle entendit le cliquetis d'un verre qu'on pose sur l'appui de la fenêtre, puis des pas s'éloigner. Avec un soupir de soulagement, elle regarda le jardin. L'homme avait traversé la pelouse et lui tournait le dos, face à l'étendue noire et plate de la mer, au-delà de la cime des arbres. Puis il ouvrit son pantalon et se soulagea dans les buissons avec un jet sonore qui ruissela sur les feuilles sèches et les herbes. Zelda rougit comme une pivoine, gênée comme si elle s'était cachée là à seule fin de l'espionner. Elle jeta un coup d'œil derrière elle : peut-être pourrait-elle se sauver sans qu'il s'aperçoive de sa présence. Mais il était trop tard. Il revenait dans sa direction en rentrant sa chemise dans sa ceinture. Il avait des traits réguliers et énergiques, des cheveux châtain foncé, coupés court. Ses yeux clairs, gris-vert, se posèrent d'abord sur le rebord de la fenêtre puis sur la forme recroquevillée dans l'ombre. Très surpris, il scruta la pénombre.

— Bonjour, dit Zelda en se levant.

— Oh ! Bonjour, répondit-il avec un mouvement de surprise.

Zelda devina qu'il se rejouait la scène dans sa tête, se demandant si elle avait pu le voir.

— Dana m'a invitée à souper. Enfin, à dîner, comme on dit.

Elle avança de quelques pas dans la lumière de la fenêtre, ce qui rendit son chemisier presque fluorescent.

L'homme était grand. Il devait baisser la tête pour la regarder.

— Une arrivée originale...

Il avait un accent particulier, difficile à définir : ni australien, ni anglais, ni américain.

— Rye, dit-il en lui tendant la main.

Zelda hésita une seconde. Sur l'île, seuls les hommes se serraient la main, les femmes se contentaient de sourire. Elle accomplit la formalité le plus vite possible, gênée par ce contact.

— Et vous êtes... ?

— Zelda.

— Ah oui ! La protégée de Dana.

— Comment ça ?

— Ce n'est pas à vous que Dana donne des cours de danse ?

— Si... C'est juste pour s'amuser.

Il y eut un silence embarrassé, puis Rye amorça un geste vers la porte de la cuisine.

— On y va ?

Elle lui emboîta le pas, gênée par son regard insistant. Soudain, elle se rendit compte qu'elle avait encore ses bottes à la main. Elle s'arrêta pour les enfiler en équilibre sur une jambe. L'herbe, douce et inégale, risquait de la faire tomber. Rye lui posa la main sur l'épaule pour la stabiliser. Elle apprécia la fermeté du geste.

— Merci, dit-elle en se dépêchant de finir.

Lorsqu'elle se fut rechaussée, ils repartirent vers la porte.

Dana apparut sur le seuil.

— Zelda ! Tu as pu venir ! Entre vite !

Elle se tourna vers l'intérieur pour crier :

— Elle est arrivée !

Puis elle réalisa que Zelda n'était pas seule.

— Tu as déjà fait la connaissance de Rye, à ce que je vois. Où l'as-tu trouvée ? ajouta-t-elle en se tournant vers lui.

Il eut un sourire.

— Disons plutôt que c'est elle qui m'a trouvé. Je pissais dehors.

Zelda faillit mourir de honte, mais Dana éclata de rire et lui passa le bras autour des épaules pour l'entraîner dans la maison.

— Je suis vraiment contente que tu aies pu te libérer, confia-t-elle à voix basse. J'espère que James n'a pas été trop…

— Il s'en remettra.

Zelda avait toutes les peines du monde à ne pas résister à son hôtesse accueillante qui la poussait vers l'avant.

Elle se retrouva face aux autres invités.

— Je te présente Cassie, qui vient des États-Unis, dit Dana en désignant la femme en rouge. Elle est très célèbre.

— Plus maintenant ! protesta celle-ci avec un rire.

Elle écrasa sa cigarette avant de saluer Zelda. Quand ses yeux rencontrèrent ceux de la jeune femme, son sourire se figea. Elle la fixa un instant en silence, le regard acéré, inquisiteur. Puis elle retrouva son sourire et eut un petit rire contraint.

— Désolée, ma petite chérie, mais j'ai cru que je te connaissais.

Elle s'interrompit de nouveau pour la regarder.

— Tout de même, j'ai l'impression de t'avoir déjà vue quelque part.

Elle se tourna vers Dana, en quête d'une confirmation.

— Très peu probable, répondit celle-ci. Elle n'a jamais quitté l'île, n'est-ce pas, Zelda ?

Zelda fit non de la tête.

— Pourtant, je n'oublie jamais un visage…

Dana continua le tour du salon pendant que la vieille dame suivait Zelda des yeux avec insistance.

Dana la présenta à un ami de Sydney, un peintre. Tout d'abord, Zelda le crut peintre en bâtiment, mais elle se ravisa quand Dana lui montra une de ses toiles au-dessus de la cheminée. Il y avait aussi deux femmes, des stylistes dont Zelda ne retint pas le nom, médusée par leurs vêtements et leur maquillage.

Cassie la contemplait toujours avec l'air lointain d'une personne qui fouille en vain sa mémoire. Zelda, elle, évitait son regard, mal à l'aise comme si on la soupçonnait de falsifier son identité. Pour lui échapper, elle prétendit s'intéresser à une collection de coquillages disposée sur le rebord de la cheminée. Elle prit un ormeau, rassurée par sa forme familière, puis elle pivota vers des photos encadrées sur le mur. Sur l'une d'elles apparaissait une femme enturbannée, debout à côté d'un chameau sur un fond de dunes dans le désert. Elle reconnut Dana.

Soudain, elle prit conscience que l'assemblée s'était tournée vers elle. Cassie revenait à la charge.

— Zelda, quel nom ravissant ! J'ai eu une cousine qui s'appelait Zelda. Zelda May.

Zelda accepta le compliment avec un sourire. Fausse alerte. Heureusement, l'Américaine ne semblait plus se poser de questions. Comment Cassie pouvait-elle avoir rencontré une fille comme elle ? Elle devait bien se rendre compte que c'était impossible.

— Elle a l'air d'un ange, dans ce chemisier blanc, poursuivit Cassie. Elle est ravissante… Regardez-la ! Et en plus, elle danse ?

— Cassie ! s'exclama Dana avec un rire. Tu la gênes. Mais tu as raison, elle danse très bien. Elle est naturellement douée. Je ne lui ai encore trouvé aucun défaut. (Elle se tourna vers Zelda.) Je t'ai déjà dit que tu devrais te consacrer à la danse. Il y a de bonnes écoles.

— Oui, marmonna Zelda, mais je n'ai pas beaucoup de temps… avec mon travail…

— Et quel est ton métier, ma mignonne ? demanda Cassie, un sourire enchanté aux lèvres.

Zelda remarqua que Rye, qui s'était tenu à l'écart pendant les présentations, se rapprochait pour entendre sa réponse.

— Je suis manœuvre sur un bateau de pêche. Mon père est pêcheur de langoustes, je travaille pour lui.

Elle vit que ces quelques mots les laissaient perplexes.

— On pose des casiers le long de la côte. On y met des appâts pour attirer les langoustes. Le lendemain, on va les relever, on enlève les langoustes, on remet des appâts dans les casiers, on les rejette à l'eau.

— Tous les jours ? s'étonna Cassie.

— Oui, sauf quand la mer est trop mauvaise. Et, bien sûr, seulement pendant la saison de pêche.

De plus en plus embarrassée, elle se doutait que le sujet ne les intéressait pas vraiment, mais qu'ils profitaient de l'occasion pour la faire parler et la juger.

Elle ramena ses cheveux derrière ses oreilles et lissa une mèche avec un mouvement lent et régulier.

— Et où pêchez-vous ? s'enquit Rye. Sur quelle partie de la côte ?

Zelda n'attacha aucune importance à la question.

— Au sud-est.

— Tiens, je suis allé par là aujourd'hui, dans une petite crique, la baie des Nautiles.

— C'est là que je vis. C'est notre baie.

Rye marqua un temps d'arrêt.

— Vous vivez dans la petite maison en bois qui est là-bas ? Au bord de la plage ?

— Oui.

— C'est… c'est très joli.

Sa voix était devenue bizarre, distante, comme s'il ne pensait pas ce qu'il disait.

— C'est là que je suis née.

Cassie, qui avait suivi l'échange en tournant la tête de l'un à l'autre comme lors d'un match de tennis, se mêla à la conversation.

— C'est une façon de parler, je suppose. Tu n'es quand même pas née au bord de la plage ?

— Si. Ma mère avait horreur des hôpitaux. Elle a menti sur le jour de la conception et a accouché deux semaines avant la date prévue. Dr Ben a dû venir chez nous en urgence.

Cassie joignit les mains de saisissement. Fatiguée de parler d'elle, Zelda s'arrangea pour disparaître derrière Dana et se réfugier près de la fenêtre. Son reflet dans la vitre lui montra un visage aux bonnes couleurs, contrastant avec la blancheur du chemisier. Au-delà, elle voyait distinctement Rye. Il était assis sur un coin du coffre à bois et tenait le pied de son verre à vin entre deux doigts. Il l'observait avec une expression inquiète, comme si quelque chose le dérangeait... quelque chose qui avait un rapport avec elle. Comment cela aurait-il été possible alors qu'ils venaient tout juste de se rencontrer ?

Dana partit chercher le dîner à la cuisine, et Zelda en profita pour l'aider. Elle admira les plats qu'elle apportait et disposait les uns après les autres sur la longue table en pin. Il y avait des tranches de viande froide, du pain, de la salade, des olives, du poisson, des saucisses, des condiments... Le tout très probablement apporté du continent par les invités. On ne trouvait aucun de ces aliments sur les étagères de la petite épicerie de l'île, ni même au nouveau supermarché qui venait de s'ouvrir dans un coin de la boutique du grainetier. Il n'y aurait pas de repas guindé autour d'une table, comme elle l'avait redouté. On allait se servir au buffet et manger debout avec son verre de vin.

— Au secours, Zelda ! cria Dana depuis l'évier. M. Lohrey m'a apporté ça. C'est déjà cuit, Dieu merci, mais je ne sais pas comment ça se présente.

C'était un *muttonbird* noirci par le gril, froid et graisseux, posé sur son sac en papier. Zelda hésita. Tous les gens qu'elle connaissait adoraient ces oiseaux de mer à la chair tendre et au goût de mouton poissonneux. Ils étaient meilleurs chauds, tout juste sortis du feu, mais étaient aussi délicieux froids, tel que celui-ci. Si les habitants de l'île s'en délectaient, en revanche presque tous les visiteurs faisaient la grimace en approchant le premier morceau de leur bouche, puis le reposaient dans leur assiette, et réclamaient une serviette en papier pour ôter l'odeur qui s'attardait sur leurs doigts.

— Il suffit de le découper et de le saler. Attends, je m'en charge.

Elle sépara les morceaux, déroutée par l'odeur si familière, justement parce que, ici, elle ne se sentait pas chez elle. Elle avait l'impression de trahir l'oiseau en l'exposant au dégoût des invités.

Dana apporta le plat sur la table et annonça son nom, à la façon d'un maître d'hôtel.

— Dana ! Tu n'as pas honte ? s'exclama l'une des invitées.

C'était une des deux stylistes. Elle expliqua qu'il s'agissait d'un jeune oiseau sauvage qu'on arrachait à son nid pendant que la mère allait pêcher pour nourrir sa portée.

— Sarah, tu exagères, protesta Dana. Ce n'est qu'un plat local que je voulais vous faire goûter. On ne met pas l'espèce en danger parce qu'on en mange quelques-uns !

— Qu'en sais-tu ? Il paraît que presque tous les petits sont exterminés. Jamais ce pauvre oiseau ne va s'en sortir. Et qui plus est…

Elle s'interrompit pour capter l'attention de son auditoire, enchantée de pouvoir livrer autant de détails sur le sujet.

— Qui plus est, ils font l'aller et retour d'ici à l'Alaska tous les ans. Un vrai miracle !

Zelda assistait à la scène depuis la porte de la cuisine. Les invités se rassemblèrent autour du plat. Ils contemplèrent son contenu en silence, comme si s'étalait sous leurs yeux une triste preuve de la bassesse humaine. Dana se tourna vers son élève, désolée. Zelda s'efforça de lui sourire, puis préféra s'isoler près de la fenêtre. À quoi t'attendais-tu ? se demanda-t-elle. Elle jeta un coup d'œil vers la table, juste à temps pour voir un bras se tendre et une main attraper une aile.

C'était Rye, vers qui tous les regards convergèrent pendant qu'il entamait son morceau. Sarah eut l'air stupéfaite.

— Rye, enfin... Comment pouvez-vous faire une chose pareille ? Jamais je n'aurais cru ça de vous !

— C'est délicieux, commenta-t-il en regardant Zelda sans s'occuper des autres.

Elle lui sourit avec reconnaissance, heureuse que l'oiseau soit apprécié.

Après s'être léché les doigts, Rye s'adressa à Sarah :

— L'espèce n'est pas en danger, pour autant qu'on sache. Les Aborigènes les chassaient depuis des milliers d'années, et la population est restée stable. Ce n'est pas cruel non plus. Ils sont tranquilles dans leur nid, et puis ils meurent d'un coup. C'est mieux que l'élevage, je vous le garantis. À moins que vous ne soyez végétarienne ?

Sarah ne répondit rien.

— Non ? Alors...

Il prit une assiette qu'il entreprit de remplir.

Le silence embarrassé fut brisé par Cassie qui éclata d'un rire sonore.

— Merveilleux ! J'adore les polémiques. Autrefois, on se querellait toujours dans les soirées. Les hommes en venaient aux mains, les gens partaient en claquant la porte, et il y avait même quelques yeux au beurre noir.

Elle examina les convives, les invitant à entrer dans le jeu.

— C'était d'un comique ! ajouta-t-elle avec une moue enfantine. De nos jours, on s'ennuie à mourir. Dana, sois mignonne, donne-moi un morceau de cette bestiole.

Elle lança un coup d'œil charmeur à Sarah et à Rye avec un papillonnement de paupières.

— Vous êtes des amours, tous les deux. C'est beau, la jeunesse !

Zelda se munit d'une assiette et longea la table pour se

servir. Malgré son trac, sa curiosité la poussa à choisir des mets qu'elle ne connaissait pas. Elle hésita devant le *mutton-bird*, ne sachant s'il fallait en prendre.

— Essayez ça, suggéra Rye.

Il désignait un plat de bâtonnets de légumes crus, avec un bol au centre qui contenait une pâte noire.

— Ça s'appelle de la tapenade. L'aspect n'est pas appétissant ; j'ai demandé à Dana ce que c'était, et il paraît qu'il s'agit d'un mélange de câpres, d'olives... et d'anchois, je crois. C'est délicieux.

Il choisit un morceau de carotte qu'il trempa dans le mélange et le porta à sa bouche. Il dut le happer d'un coup pour éviter une catastrophe, et adressa un sourire complice à Zelda.

— Vous vivez à Melbourne ? lui demanda-t-elle, tâchant d'adopter un ton indifférent, amical mais sans excès.

— De temps en temps. Je loue une chambre dans un appartement, mais j'y suis peu. Je voyage beaucoup pour mon travail.

Elle s'en voulut d'avoir avoué qu'elle travaillait sur le bateau de son père.

— Vous faites quoi ?

— Je suis consultant en protection de l'environnement. Les régions me demandent d'étudier l'état du patrimoine naturel pour faire des recommandations sur sa conservation. Je suis spécialiste du littoral. De la mer.

Il se tut, continuant de la regarder comme s'il était sur le point de lui dire autre chose, mais n'ajouta rien.

Zelda baissa les yeux sur son assiette.

Rye prit une huître, l'avala, puis étudia la coquille en la tournant entre ses doigts. Zelda, mal à l'aise, mangeait, tête baissée.

— Vous voulez du vin ? s'enquit Sarah en approchant.

Elle s'adressait à Rye et lui montrait deux bouteilles, très séductrice.

— Rouge, ou blanc ?

Rye lut les étiquettes.

— Je vous recommande le rouge, dit-il à Zelda.

Sarah se tourna vers elle comme si elle ne l'avait pas remarquée.

— Tenez…

Elle lui remplit son verre.

— Je vois que vous avez un bon coup de fourchette !

— C'est un petit vin de Tasmanie, expliqua Rye à Zelda. Un vignoble que Dana a découvert.

Il chercha celle-ci des yeux et, quand il l'eut repérée, intercepta son regard et leva son verre avec un signe de tête approbateur. Dana sourit et leva le sien à son tour.

— Vous vous connaissez depuis longtemps ? demanda Zelda.

— Depuis l'enfance. Je suis allé en pension avec son frère. Au collège de Geelong.

— Vous deviez vous ennuyer de chez vous.

Sur l'île, beaucoup de jeunes étaient envoyés en pension en Tasmanie.

Rye, pensif, but une gorgée avant de répondre.

— Je m'ennuyais surtout de l'Inde : c'est là que j'ai grandi.

— L'Inde…

Zelda prononça le mot rêveusement. Il évoquait des palais surmontés de dômes blancs, décorés d'éléphants dorés, tremblant dans la chaleur.

— L'Inde, c'est comment ? demanda-t-elle. Je veux dire, vous vous en souvenez bien ?

— Parfaitement. J'avais seize ans quand j'en suis parti, et j'y retourne le plus souvent possible. Il m'arrive d'y travailler aussi.

— En Inde ?

— Oui. Pour l'instant, j'aide des communautés villageoises à développer des plans de protection de la côte. Le projet est financé par une millionnaire américaine qui a fait fortune dans la vente d'emballages pour l'industrie du fast-food. Elle veut se donner bonne conscience !

— Mon père était américain, déclara Zelda.

Rye hocha la tête comme s'il le savait déjà.

— Il est australien, maintenant, bien sûr, ajouta-t-elle. Ma mère aussi était américaine, mais elle est morte dans un accident de voiture quand j'étais petite.

Elle baissa les yeux, gênée parce qu'elle avait l'impression d'avoir trop parlé d'elle et trop posé de questions.

— C'est triste, dit Ryan.

— Oh non ! J'étais très jeune. Je ne me souviens même pas d'elle.

Quand elle releva la tête, elle se rendit compte que Rye l'observait. Leurs regards se rencontrèrent.

— Vous avez de très beaux yeux, vous savez...

Il fit ce compliment d'une voix si basse qu'elle se demanda si elle ne l'avait pas rêvé. Elle fut tirée d'embarras par Dana qui appela Rye pour lui montrer quelque chose. Zelda resta seule près de la fenêtre. Elle entendait encore la petite phrase de Rye, sentait la chaleur de son regard sur son visage. Elle appela à son secours un souvenir de Drew, ou de James, pour garder les pieds sur terre, mais en vain. Une vague de joie terrifiante la submergeait.

Vers minuit, alors que les invités étaient encore en train de bavarder et de boire, Zelda fit ses adieux. Sarah et le peintre se contentèrent de lui adresser un signe de loin, mais Cassie traversa le salon pour l'embrasser.

— Nous avons dû nous rencontrer dans une vie antérieure, conclut la vieille dame. Je ne vois pas d'autre explication. Je reste un mois chez Dana. Promets-moi de me rendre visite.

Dana et Rye la raccompagnèrent à la porte.

— Je suis contente que tu aies pu venir, dit Dana.

— Moi aussi, ajouta Rye avec son regard direct. Je pars demain matin, mais si tu viens à Melbourne...

Il s'interrompit avec un sourire qui indiquait qu'il n'y comptait guère.

— Pourquoi voudrais-tu qu'elle aille à Melbourne ?

intervint Dana, taquine. Si tu vivais au paradis, toi, aurais-tu envie d'en partir ?

— Sans doute pas. Mais on ne sait jamais. Sérieusement, Zelda, j'aimerais beaucoup te revoir.

La jeune femme hocha la tête en silence.

Rye et Dana demeurèrent devant la porte tandis que Zelda traversait la pelouse. L'odeur de la mer, portée par un souffle de vent frais, la prenait dans ses bras comme une vieille amie.

Sur la route de la baie des Nautiles, Zelda souriait sans pouvoir s'arrêter. Elle voyait dans la nuit les yeux gris-vert de Rye, ses mains brunes et minces autour du verre à vin. Elle eut une pensée coupable envers Drew, mais qui ne dura pas. Pendant l'été, elle avait passé de longues journées sur la plage avec son amie Sharn à lire des romans sentimentaux qui sentaient la lotion solaire. Elles avaient lu et relu ces histoires où de beaux inconnus lançaient de longs regards aux héroïnes et où les amours naissaient au clair de lune. Ses rêveries en étaient pleines. Son envie de quitter l'île venait de là, l'ambition de partir au loin dans des lieux inconnus aux noms enchanteurs, pour tomber amoureuse d'hommes mystérieux. Ce soir, elle avait l'impression de revenir d'un voyage dans ce monde merveilleux. C'est vrai, raconterait-elle à Sharn, le cœur en fête. L'amour, l'aventure, ça existe vraiment. Mais elle le dirait en plaisantant, bien sûr, pour ne pas courir de risques.

Elle arrêta la Jeep avant d'atteindre le cabanon et alla faire quelques pas sur la plage. Elle voulait savourer les derniers instants de cette soirée, en revivre tous les incidents, tous les regards, se rappeler les mots qui l'avaient tant émue.

Au bord de l'eau, elle contempla l'étendue de sable éclairée par la lune, surface plate et grise que n'interrompaient que les guirlandes d'algues enchevêtrées, laissées par la marée. De l'autre côté des dunes, des rochers bordaient une forêt dense de *filaos* à la couleur cendrée et aux branches tombantes. Au fond se dressait la montagne, abrupte et nue, amas de roches qui culminait en une pointe acérée. Zelda connaissait sa forme par cœur, les creux, les saillies qui se détachaient sur le ciel. Cette île, c'est ton pays, lui répétait très souvent James. Cette phrase lui plaisait, parce que c'était bon d'être chez soi, de se sentir en sécurité, de se savoir aimée. Mais ce soir, elle y percevait comme un ordre, une injonction. C'était comme si, en acceptant cette appartenance, elle acceptait en même temps de rester dépendante de son père. Et de Drew. Il n'y avait pas de place dans sa vie pour un étranger comme Rye.

La septième vague arriva, plus forte que les autres, et se brisa avec fracas. L'eau écumeuse monta sur le sable presque jusqu'à ses pieds. Dans la mer sombre, d'autres rouleaux se formaient. La mer... elle avait envie de la serrer contre elle. C'était une présence profonde et forte. Un instant, Zelda imagina qu'une très grande marée allait la submerger, puissante et vigoureuse. Une force qui jaillirait dans sa vie, ouvrirait les vannes, libérerait le passage, poserait devant elle une page blanche sur laquelle tout pourrait s'écrire.

Elle tourna le dos à la mer et se dirigea lentement vers le cabanon. D'ici quelques heures, Rye serait parti. Le bonheur de cette soirée serait aussi éphémère qu'une étincelle dans la nuit. La vie continuerait, toujours pareille, toute tracée.

De la fumée blanche s'échappait de la cheminée, plumes légères dans un ciel bleu nuit. En approchant, Zelda fut surprise de voir une lumière à la fenêtre. James avait dû l'attendre pour se coucher, songeait-elle, coupable. Elle n'aurait pas dû rentrer si tard.

Dans le jardin obscur, elle avança à pas prudents jusqu'à la fenêtre et s'appuya à une pile de casiers, de flotteurs et de filets pour regarder à l'intérieur. James était dans son fauteuil, dos tourné à la fenêtre, tête baissée – il lisait un livre, sans doute, ou étudiait une carte maritime. Ses cheveux blonds fraîchement coupés laissaient une bande blanche là où la peau du cou venait d'être découverte. À côté de lui, il y avait une bouteille de bourbon. Le feu brûlait bas dans l'âtre et répandait une douce lueur sur cette scène paisible. Zelda s'en imprégna pendant un instant avant d'entrer dans la maison.

James se leva en la voyant, faisant grincer son fauteuil sur le plancher. Il tenait un papier à la main, qu'il brandit. Il était très pâle, l'air accablé.

— Qu'est-ce que c'est ? demanda Zelda. Qu'est-ce qui ne va pas ?

Son attention fut attirée par une enveloppe ouverte tombée par terre, celle qui portait le tampon de la région. La lettre qu'elle avait ramassée avant de partir…

James se rassit lourdement dans son fauteuil et jeta la lettre sur la table, le regard terrible. Pendant le silence qui suivit, cent suppositions assaillirent Zelda.

— Enfin, dis-moi ce qui se passe !

James se tourna vers le feu et débita son explication dans un style administratif de lettre officielle.

— « Nous vous informons que la zone du lieu dit la baie des Nautiles a été classée catégorie deux dans le programme de protection du patrimoine naturel. »

Il s'interrompit et leva des yeux rouges et douloureux vers Zelda.

— Ça veut dire quoi ?

— Ça veut dire que notre bail ne sera pas renouvelé. Il faut qu'on parte d'ici. Ils vont démolir la maison.

Il y eut un bref et pénible silence.

— Ils vont « réhabiliter », comme ils disent, ce bout de côte. C'est-à-dire qu'ils vont tout raser pour qu'il n'y ait plus trace de vie humaine.

— Mais… je ne comprends pas. Nous avons un bail de longue durée, non ? Il faudra des années avant que…

— Il ne reste que trois ans, coupa James d'un ton brusque.

— Mais ce n'est pas possible ! Tout le monde ou presque signe ce genre de bail ! C'est toujours renouvelé, c'est pour ça qu'on les prend !

Elle avait la voix tremblante, doutait encore, alors que

James, lui, avait été frappé par une certitude massive qui le clouait de désespoir.

— C'est chez nous, ici ! On ne peut pas nous mettre dehors comme ça !

— Mais si, Zelda. Il se tramait quelque chose, j'en étais sûr, mais je ne voulais pas t'inquiéter. Charles m'a averti l'autre jour, à la mairie. Mais maintenant, ajouta-t-il en tapant la lettre du bout du doigt, c'est fini. On nous met devant le fait accompli. La décision a été votée au Parlement fédéral. C'est à cause des dragons de mer.

— À cause des dragons de mer ? répéta Zelda sans comprendre.

Petite, elle avait adoré nager avec son masque et son tuba autour de la jetée pour observer les petits animaux gracieux qui flottaient entre deux eaux, entourés de leurs membranes filamenteuses. Elle savait qu'ils étaient rares, précieux, et avait été fière d'en avoir si près de chez elle.

— Tu sais comme moi qu'ils ne se reproduisent que dans notre baie, et nulle part ailleurs, continua James. Eh bien, un crétin de soi-disant expert a demandé qu'on les intègre dans le programme de protection du patrimoine naturel. Et paf ! Fini ! Terminé ! Barre-toi, Madison. On se fout bien de nous ! Tu parles, on s'intéresse bien plus aux dragons de mer qu'aux gens.

Zelda essayait d'assimiler la nouvelle. Par une simple lettre, on les chassait de leur baie, on les informait qu'une équipe allait venir détruire leur maison et emporter les matériaux pour effacer toute trace de leur présence. Une horrible panique la saisit. C'était bien joli de rêver de changement, mais c'était tout autre chose de le voir à sa porte. Le sol tremblait sous ses pieds, le vent traversait des murs jusqu'à présent protecteurs.

Elle sentit le regard de James peser sur elle et chercha quelque chose à dire, n'importe quoi.

— Il nous reste encore trois ans. Notre vie ne va pas changer tout de suite.

Des paroles creuses qui ne les rassurèrent ni l'un ni l'autre. Maintenant qu'ils savaient les jours comptés, une ombre couvrait leur passé, et, déjà, la vie qu'ils avaient partagée commençait à leur échapper.

— Je l'ai vu, en plus, ce salopard, reprit James avec amertume. On me l'a fait rencontrer quand je suis allé à la mairie, le mois dernier. « Je vous présente Rye Sterling. » Grand sourire. « Enchanté de vous rencontrer. » Espèce de faux cul !

Zelda eut un coup au cœur. Non, pensa-t-elle, non, pas lui... Mais ce n'était que trop vraisemblable. Elle se souvenait de son air gêné, de cette impression qu'il voulait lui dire quelque chose sans s'y décider. Et pas seulement qu'elle avait de très beaux yeux et qu'il avait envie de la revoir...

Elle baissa la tête. De grosses larmes dégringolèrent sur le vieux plancher noirci par les ans. Un homme comme ça, pas étonnant, à quoi tu t'attendais ? se dit-elle.

James la prit dans ses bras.

— Ça va s'arranger, tu vas voir.

Il la rassurait comme si ses larmes l'aidaient à dominer sa propre peine et lui rendaient sa force.

— Ne pleure pas, mon ange. Tout ira bien tant que nous serons ensemble.

Il l'embrassa doucement sur la tête. Zelda se serra contre lui, s'accrocha à sa solidité. Il avait raison. Le principal, c'était qu'ils ne soient pas séparés.

— Et on va se battre, ajouta James en se détachant d'elle pour arpenter la pièce. J'étais plutôt bon avocat, tu sais. Ils croient s'adresser à un pauvre pêcheur analphabète. Ils vont voir à qui ils ont affaire ! Ah ! Ils s'en souviendront, de l'affaire de la baie des Nautiles ! Madison contre Dragon de mer. J'ai remporté beaucoup de procès difficiles, et je gagnerai celui-ci. Tu verras !

2

Zelda longea lentement l'unique travée du petit supermarché, cherchant un produit qu'elle ne connaîtrait pas parmi les piles de conserves familières, les bocaux et les paquets habituels. Elle pensait souvent au buffet qu'avait préparé Dana, aux assiettes remplies de mets nouveaux. Plusieurs semaines s'étaient écoulées mais ses souvenirs demeuraient très précis : la saveur intense et sucrée des tomates séchées au soleil ; la pâte salée préparée avec des olives et des anchois… Et puis il y avait eu Cassie, la vieille dame au chignon blond crêpé ; Dana, habillée de noir, avec son rouge à lèvres foncé ; Rye, qui lui avait parlé de l'Inde et de vin rouge. Mais pas une seule fois il n'avait mentionné les dragons de mer de la baie des Nautiles.

Zelda fronça les sourcils et chassa cette pensée désagréable. Elle fouilla parmi les confitures et les pâtes à tartiner, cherchant un pot de beurre de cacahuètes qui n'aurait pas atteint la date limite de vente. Ensuite, elle prit du jambon puis alla au présentoir de la presse. De petites étiquettes blanches, fixées dans un coin, en haut à droite, indiquaient le nom de ceux qui avaient commandé journaux et magazines. Il y avait le *Pêche et nature* de Dr Ben, le *Life Magazine* de Mme Carlson, et le *National Geographic* du directeur de l'école. À côté était empilée une dizaine de *Femmes hebdo*. Zelda en prit un et le feuilleta, s'arrêtant sur le divorce du prince Charles. Il y avait une photo de Lady Di le jour de son mariage – transformée en princesse, le visage jeune, innocent et rond entouré d'un nuage de mousseline blanche. Une seconde photo, qui lui faisait pendant, la montrait tenant à la main ses deux petits garçons, les yeux levés vers le photographe. Elle avait le regard traqué, les joues creuses, le teint livide.

S'arrêtant de nouveau sur la première photo – la jeune mariée dans sa grande robe blanche, accompagnée des demoiselles d'honneur –, Zelda essaya d'imaginer son futur mariage avec Drew. Une chose était certaine : Drew ne s'intéresserait pas à leurs vêtements. Si on le laissait faire, il se marierait en jean. James non plus n'aurait aucune idée sur la question. Heureusement, Lizzie viendrait à la rescousse. Elle louerait des costumes en Tasmanie. Elle coudrait la robe de Zelda elle-même en s'inspirant d'anciens numéros du *Magazine de la mariée*. Le carton de vieilles revues de robes de mariée faisait le tour de l'île, quand l'occasion l'exigeait, accompagné d'un paquet de restes de dentelles et de rubans. Comme la layette et les vieilles poussettes, on se les repassait d'une famille à l'autre, passage de témoin dans une course de relais sans fin.

L'avenir lui procurait quelques angoisses. Elle n'imaginait que trop bien sa vie avec Drew : de fiancée, elle deviendrait épouse, puis jeune mère, organiserait des activités pour les enfants et donnerait un coup de main à la cantine. Tous les mois, elle attendrait son magazine préféré et compterait les jours jusqu'à l'arrivée de celui-ci, avide de cette fenêtre ouverte sur le monde, sur cette autre vie à laquelle elle n'aurait jamais accès. Mais, au moins, elle n'aurait pas de problème d'identité. Elle saurait qui elle était, où elle allait. Ce serait rassurant.

En retournant à la Jeep, elle s'arrêta et jeta un coup d'œil par une fenêtre de la mairie. Elle pensait toujours à Rye. Elle avait appris qu'il était revenu travailler une semaine sur l'île quelque temps auparavant, et qu'il avait établi ses quartiers à l'hôtel de ville. « C'est vraiment un bon gars, disaient les gens. Dommage qu'il ait dû chasser Jimmy de chez lui. »

Mme Temple, la réceptionniste, lui adressa un signe à

travers son guichet vitré. Voyant cela, le secrétaire de mairie, M. Jones, lui fit aussi un petit bonjour. Zelda leur trouva l'air gêné, comme si elle était atteinte d'une nouvelle maladie contagieuse qu'ils avaient peur d'attraper. Quels imbéciles ! Le virus du dragon de mer...

Elle rentra chez elle en conduisant prudemment, bercée par le ronronnement du moteur et les secousses de la route. Les vibrations prenaient possession de son corps et de son âme et chassaient ses pensées. Quand elle s'arrêta devant le cabanon, elle se dit que James n'était pas rentré : il n'y avait pas de fumée sortant de la cheminée. Elle considéra ses achats, posés à côté d'elle dans un carton. « Choisis-nous quelque chose de bon », avait-il recommandé. Ce qui ne pouvait se traduire que par du beurre de cacahuètes, du chocolat, des fruits secs, ou des triangles de fromage et des crackers. Dans le doute, elle avait tout pris et ajouté un sachet de chips pour faire bonne mesure.

Les bras chargés, elle poussa la porte du bout du pied. Le battant ne s'ouvrit que d'une vingtaine de centimètres, puis se trouva bloqué. Zut ! Elle appuya plus fort avec la semelle de sa botte, mais n'eut pas plus de succès. Elle posa alors son carton et glissa la tête par l'ouverture pour voir ce qui gênait.

Une terreur glacée s'empara d'elle lorsqu'elle découvrit de quoi il s'agissait. Le corps de James gisait sur le sol. Il était allongé sur le ventre, visage contre le plancher, inerte. Elle espéra voir son dos se soulever, ce qui serait au moins signe qu'il respirait.

— Papa ! cria-t-elle.

Elle s'en voulut de s'affoler et essaya de recouvrer son calme.

— Papa ? appela-t-elle plus doucement.

Il avait le bras droit étendu au-dessus de la tête, comme un enfant endormi. L'autre était replié, la main contre le visage. À côté gisait une seringue à moitié pleine, l'aiguille sortie de la peau.

Zelda recula. Une seringue ! Des suppositions terribles

l'assaillirent. Overdose. Drogue. Suicide. Erreur tragique. Mais rien de tout cela ne ressemblait à James. C'était impossible. Zelda n'y comprenait rien. Elle se tourna vers le spectacle tranquille et verdoyant du jardin, vers la normalité rassurante de la corde à linge et du bûcher. Tout lui semblait trop coloré, trop précis, trop réaliste. La terreur lui donnait une respiration haletante. Un cauchemar. Un horrible cauchemar !

Vite, elle prit une bûche et s'en servit pour faire voler en éclats la fenêtre de la cuisine. La vitre se rompit, et les débris de verre acérés tombèrent dans l'évier. Elle se hissa sur le rebord, sauta dans la pièce et courut s'agenouiller près de son père, passant de l'espoir à un néant sans fond. Des larmes brûlantes sur le visage, elle glissa la main sous le ciré lisse et frais, toucha la chemise de toile. Chercher son pouls, son pouls… Sa respiration… Elle se répétait ces mots comme une formule magique, remontait pour trouver son cou, son visage. Elle se figea, glacée jusqu'à la moelle. Pitié, mon Dieu, non…

Il était froid. Son cou était froid, sa peau, son visage. Elle plongea des doigts tremblants dans sa bouche entrouverte, frôla les dents régulières et chercha la langue, humide, douce… froide, elle aussi.

Elle s'écarta, retomba assise en arrière, chercha un appui avec les mains sur le plancher derrière elle. Elle sentit le mur, solide et dur dans son dos, s'y colla, la tête vide, et ne bougea plus.

La mort était une énormité insensée, une noirceur qui cachait la lumière. La mort, c'étaient les wombats écrasés au bord de la route, raides et grouillants de vers. C'étaient les kangourous qui pendaient, pattes en croix, attachés par la queue au garde-fou du bateau. C'était Bluey dans ses bras, quand elle l'avait placé dans une cagette à pommes, avec son écuelle, son collier et son dernier os. Sa mère aussi était morte. Éjectée de sa voiture et tombée sur la route, intacte, encore si belle qu'elle avait fait pleurer les témoins. James, lui, paraissait endormi, grand et lourd sur le plancher, devant cette porte par laquelle il rentrait tous les jours chez lui de son pas décidé. « Salut mon ange ! Je suis là ! »

Non ! Zelda fondit en larmes, les épaules secouées par des sanglots profonds qui montaient de son ventre.

« Au revoir, mon ange. »

Non ! Elle plaqua les mains sur sa bouche, comme si elle avait peur que sa force vitale ne s'en échappe. « Dieu, fais un miracle. Par pitié… je ne peux pas… ne me quitte pas. »

Elle essaya de tirer le corps pour dégager la porte. Ne voulant pas toucher les jambes, nues dans le bermuda de travail, elle empoigna vainement le pull, le ciré. Comme elle n'arrivait à rien, elle le prit par les épaules et le fit rouler sur le dos pour qu'il soit de face. Elle avait l'impression que voir son visage donnerait plus de force à ses prières. Une seconde, quand il tourna vers elle, elle fut prise d'un espoir fou. Ce n'était pas lui. L'homme couché à ses pieds n'était qu'un masque aux traits effacés. Elle pensa de nouveau à la seringue. Des suppositions se bousculaient dans sa tête, mais sans vraiment prendre forme. Elle s'assit près de lui, anesthésiée. Peut-être suffirait-il d'attendre pour que le cauchemar cesse.

Le soleil monta dans le ciel. Le toit de tôle craquait sous la chaleur. Les mouches entraient par la fenêtre cassée, formait des escadrons vrombissants dans l'air immobile. Une bande d'oies sauvages passa dans le ciel, vers la montagne, jetant leurs longs cris tristes.

Finalement, Zelda se leva et partit appeler Dr Ben. Elle lui téléphona de l'aérodrome, incapable de parler aux hommes qui vaquaient à leurs occupations derrière le comptoir. Le regard fixe, anéantie, elle ne put que tendre le bras pour prendre le téléphone. Ils écoutèrent sa conversation et vinrent l'entourer, pour la protéger. Hélas ! il n'y avait plus rien à faire.

Ben arriva vite, talonné par Ray Ellis, le policier. Ils se précipitèrent aux côtés de James pour vérifier son pouls, ainsi que Zelda l'avait fait. Au bout d'un moment, Ben secoua la tête. Ellis conseilla à Zelda d'aller s'asseoir dehors pour les attendre, mais elle refusa de sortir. Elle suivit tous les gestes de Dr Ben, le regarda examiner la seringue, puis s'agenouiller près du corps pour passer les mains sur ses jambes nues. Il tâta doucement la peau du bout des doigts, cherchant quelque chose dans le duvet de poils.

— Là, dit-il soudain d'une voix calme. C'est ça.

Zelda eut un espoir insensé. Dr Ben allait prescrire un remède, il ouvrirait sa mallette noire et en sortirait le médicament miracle qui les sauverait, comme il l'avait toujours fait.

— Une piqûre d'abeille, diagnostiqua Ben. Le dard est encore à l'intérieur… vous voyez ?

Il montra le mollet gauche. En effet, ils distinguèrent une enflure rouge avec une pointe noire au milieu.

— Une piqûre d'abeille… ? répéta Zelda, interloquée.

Ben la considéra avec un froncement de sourcils.

— Tu n'étais pas au courant ?

— Au courant de quoi ?

— Il était allergique aux piqûres d'abeille. Une seule piqûre pouvait lui être fatale. Pourtant je lui avais bien dit de t'avertir !

Zelda posa sur lui de grands yeux désespérés. Les explications qu'il fournissait lui semblaient venir de très loin… d'un autre monde.

— Tu veux dire que c'est une allergie ? Une allergie qui a… qui a fait ça ? demanda Ellis.

— Exactement, une réaction allergique sévère. Il devait toujours prendre de l'adrénaline avec lui, où qu'il aille… Surtout ici, parce qu'il était loin de tout. Malheureusement, ce n'est pas facile à s'administrer soi-même une fois que la réaction s'est installée.

Il avait baissé la voix, mais trop tard. Ce commentaire

frappa Zelda comme un coup de fouet. Et pendant tout ce temps, elle était au supermarché ! Elle aurait pu le sauver.

— Tu connaissais sa maladie, alors ? demanda Ellis en prenant des notes.

— Oui, ça lui était déjà arrivé une fois, il y a quelques années. Par chance, il était en ville et il a pu venir au cabinet avant que la réaction ne soit trop avancée. Mais je l'avais bien averti. Déjà la première fois, sans traitement il serait mort. Je lui ai expliqué ce qu'il devait faire s'il se faisait de nouveau piquer ; je lui ai montré comment s'injecter le produit.

Pendant ces explications, il regardait à peine Zelda, à l'évidence il trouvait trop pénible de lui faire face. La petite Zelda qu'il avait mise au monde ici même, dans cette pièce. Pas de mère, et maintenant, plus de père non plus.

— C'est triste, soupira Ellis en secouant la tête. Les gens ne prennent pas ce genre de chose assez au sérieux. C'est toujours pareil.

Il se pencha pour examiner la piqûre.

— Quand même, c'est vraiment incroyable. Une petite piqûre d'abeille comme ça ! Tout le monde se fait piquer tout le temps.

— Ce n'est pas la piqûre en elle-même, c'est le choc allergique qui est fatal. C'est sûrement allé très vite, ajouta Ben en se tournant vers Zelda. Il n'a rien senti. Il a dû perdre connaissance.

Il se redressa en entendant une voiture s'arrêter dehors.

— C'est le père Eustace, annonça-t-il avec soulagement. Drew l'accompagne.

Il se tourna alors vers Zelda, paraissant soudain épuisé.

— Je suis profondément désolé. Je...

Il n'acheva pas. La phrase demeura en suspens dans un silence pénible.

Ellis approcha de la jeune femme et lui entoura les épaules. Elle sentit le bord de ses badges métalliques contre elle.

— Si je peux faire quoi que ce soit... si on peut t'aider... nous sommes là, tu le sais.

Zelda s'éloigna de lui et s'arrêta devant la cheminée, avec son feu mort. Quand les cendres froides étaient encore des bûches incandescentes, James avait été là, avec elle. Elle vit son verre de bourbon vide, resté au coin de l'âtre, et se pencha pour le ramasser. Au bord, il y avait la marque de ses lèvres. Sans doute son visage semblait-il calme mais, à l'intérieur, elle hurlait, s'étouffait, suffoquée par une douleur écrasante, révoltée.

Elle entendit le craquement des bottes neuves de Drew derrière elle, le froissement de sa veste en jean. Il lui posa la main sur la taille, et elle se tourna vers lui, cacha son visage contre son épaule et respira son odeur familière de cambouis et de fumée, sentant sur sa joue la douceur du tissu imprégné d'humidité marine. Mon Dieu, se dit-elle. C'est vrai, c'est vraiment arrivé. Papa est mort. Il est parti…

Drew pencha la tête sur la sienne, ses boucles blondes tombèrent sur les cheveux noirs de Zelda. Il la serra fort, la berça comme un bébé et sanglota.

— Jimmy, dit-il en relevant la tête, le visage ruisselant de larmes. Jimmy…

Ellis, Ben et le père Eustace portèrent James jusqu'à son lit et l'y couchèrent ; ils redressèrent ses bras, ses jambes et remirent de l'ordre dans ses cheveux.

— Drew n'a qu'à emmener Zelda chez lui, proposa Ellis.

Ben secoua la tête.

— Elle ne voudra jamais quitter Jim.

Il y eut un bref silence. Regroupés autour du lit dans la petite pièce, les trois hommes écoutaient leur respiration, ce rythme régulier et rassurant qui les distinguait du cadavre.

— On pourrait demander à Lizzie de venir, suggéra le père Eustace. Elle est comme une mère pour Zelda.

— Bonne idée, approuva Ellis. Elle l'aidera à organiser l'enterrement.

— Oui, dit Ben. C'est ce qu'il y a de mieux.

Ils échangèrent des regards, puis inclinèrent la tête pour

observer une longue minute de silence, comme ils le faisaient chaque fois que la mort les rassemblait.

Zelda était assise sur une chaise dans un coin de l'atelier de mécanique de Lindsay à la station-service. Craig et Pete réparaient la voiture du directeur de l'école. Le chien était couché près d'eux sur le ciment, dans une tache de soleil. Il les regardait travailler, haletant à cause de la chaleur. Zelda posait sur eux un regard vide.

— Zelda…

La silhouette massive de Lindsay apparut à côté d'elle. Il se pencha sur elle, lui tendit les mains pour l'aider à se mettre debout. Une odeur fraîche de savon se mêlait à celle de graisse de moteur et d'essence. Zelda leva les yeux vers lui, des yeux gonflés, brillants de larmes.

— Tu sais, dit-il, tu n'es pas obligée de… de prendre toutes ces décisions si tôt…

Il y avait une sorte de reproche amical dans sa voix, comme si Zelda avait manqué de tact en venant le trouver seule, sans avertissement, à peine une heure après le coup de fil d'Ellis qui lui annonçait la mort de James.

La jeune femme ne répondit pas. Elle le suivit dans le petit bureau encombré de paperasses et de pièces de moteur. Il y avait juste la place pour une table et deux chaises.

— Assois-toi là, si tu veux bien.

Lindsay passa un coup de chiffon sur un des deux sièges et le laissa à Zelda. Il était courtois à l'excès, comme s'il ne la connaissait pas, alors qu'ils se côtoyaient depuis qu'elle était née.

Zelda considéra le gentil colosse, se remémorant les heureux moments qu'ils avaient passés pendant l'été à démonter le moteur de la Jeep. « Tu es presque aussi forte qu'un gars ! plaisantait-il quand elle se faufilait sous le châssis. Et en plus, tu as de sacrées guibolles… »

— Normalement, on prend rendez-vous, expliqua Lindsay

en baissant des yeux honteux sur sa combinaison noire de cambouis. Je me serais changé.

— Ce n'est pas grave... Ça m'est égal.

Lindsay attendit un peu. Il avait le plus grand mal à aborder le sujet.

— Tu sais, tu devrais demander à quelqu'un de se charger de ces formalités à ta place. Lizzie, ou Drew. Ou, si tu préfères, je peux m'en occuper pour toi.

— Non, je veux le faire moi-même.

— Je comprends.

Il tendit les bras vers une étagère haute et en descendit un classeur plastifié, une sorte de grand album photo. Il l'ouvrit à la première page. Zelda vit un cercueil en couleurs, ornementé, avec des dorures, en acajou verni.

— Le modèle de luxe, commenta-t-il.

Il tourna la page sans attendre et lui en montra un autre.

— Celui-ci est le plus choisi sur l'île. Sobre mais digne.

Il étudia sa réaction, cherchant un indice sur le visage impassible de Zelda.

— Question prix, il est dans la moyenne...

Il s'interrompit.

— Écoute, reprit-il, je... Il va bien falloir parler finances... Je t'assure que ce serait mieux que quelqu'un d'autre vienne me voir à ta place. Tu n'es pas en état de penser à ce genre de choses.

— Le prix, je m'en fiche, répondit Zelda d'un ton ferme. Je n'ai pas l'intention de décider tout de suite. Je veux juste savoir ce qu'il y a.

— Ah ! fit Lindsay avec soulagement. Bon, ben tant mieux, tant mieux. Tu veux boire quelque chose ? Bière ? Eau ? Ou une cigarette ?

Zelda fit non de la tête et prit le catalogue sur ses genoux. Elle tourna les pages lentement, examina les photos collées sur les pages, où s'affichaient cercueils, pierres tombales, plaques et couronnes.

— Il faut savoir que nous n'assurons pas la livraison de

tous les modèles sur l'île, ajouta Lindsay en regardant par-dessus l'épaule de Zelda pour suivre avec elle. Et nous essayons d'ajouter un petit quelque chose, une note personnelle, tu vois, pendant l'enterrement, qui rappelle la personne disparue. Tu pourrais avoir une idée… Jimmy était américain, à l'origine, je crois ?

Il s'interrompit, soudain inspiré.

— Où ta mère est-elle enterrée ? Parfois, les gens aiment être réunis.

— À Melbourne, mais je ne sais pas où. C'est ici qu'il faut qu'il reste. C'est chez lui !

— Oui, bien sûr. Nous nous chargeons de tout, avec le père Eustace. Ellis m'a dit que Dr Ben avait signé le certificat de décès, donc tout est en règle. Jimmy… est… il est encore chez vous, pour l'instant ?

Zelda hocha la tête.

— Je vais envoyer quelqu'un le chercher tout de suite.

— Non ! s'écria-t-elle. Non, il paraît… il paraît qu'il peut rester jusqu'à demain.

Lindsay lui jeta un regard.

— Qui t'a dit ça ?

— Ellis et le père Eustace.

— C'est sûr que c'est possible…, mais… Tu vas passer la nuit chez Drew, sans doute ?

— Possible, dit-elle en se levant et en lui rendant le catalogue. Merci. Je vais réfléchir.

Elle aurait bien dit : « Merci, mais très peu pour moi. » Seulement, quelle alternative avait-elle ? Elle n'avait pas le choix.

Lindsay lui sourit avec un hochement de tête désolé.

— Je téléphonerai à Drew pour prendre de tes nouvelles.

Il la reconduisit à la porte du bureau. Elle passa devant les deux jeunes mécaniciens qui fumaient une cigarette en lançant au chien les os du *muttonbird* froid qu'ils se partageaient.

— Salut, dirent-ils sans sourire, visiblement gênés.

Zelda leur fit signe, mais des larmes lui montaient aux yeux. Elle accéléra le pas en baissant la tête et courut se réfugier dans les toilettes. Elle se pencha sur le lavabo pour s'asperger le visage à l'eau froide et s'essuya avec sa manche. Quand les chocs métalliques des outils lui indiquèrent que les deux garçons étaient retournés à l'atelier, elle se décida à sortir.

— Un grand gaillard comme Jimmy, descendu par une abeille ! entendit-elle en franchissant la porte. Franchement, c'est pas croyable.

— Pauvre mec.

Zelda se figea tandis que les voix continuaient, bien audibles à travers la cloison.

— Dur pour Zel. Il paraît qu'il va falloir qu'elle déménage, en plus. Tu sais, à cause de cette histoire de dragons de mer.

— Je croyais qu'il leur restait encore trois ans de bail.

— Oui, mais pas en cas de décès. Si la personne qui a signé meurt, le bail est annulé.

Il y eut un silence. Le chien gémit.

— En tout cas, c'est ce que j'ai entendu dire.

De retour au cabanon, Zelda remarqua qu'on avait fixé un morceau de carton à la fenêtre afin de boucher la vitre cassée. C'était sans doute l'œuvre de Drew : efficace, propre et bien fait. Elle l'imagina en train de tourner en rond, essayant de chercher ce qu'il pourrait bien faire pour elle. Quand elle lui avait demandé de la laisser seule, il avait eu l'air blessé. Il n'avait pas compris, mais elle ne lui en voulait pas : elle aussi trouvait qu'elle avait une réaction étrange. Elle avait l'impression d'avoir été happée par le silence de son père, par son immobilité. Elle se sentait loin, coupée des vivants.

Elle empoigna une bouteille de bourbon à moitié pleine et en but une gorgée.

Ensuite, elle alla à la porte de la chambre de James et s'arrêta sur le seuil. Elle le regarda, passa lentement de ses grosses chaussures enfoncées dans le matelas à ses jambes nues, remonta jusqu'à son torse épais, couvert d'un pull en laine. Là, elle se sentit incapable de continuer et crispa les poings.

Papa ? Elle lui parla en pensée avec de vrais mots, comme si elle bavardait avec lui. Si tu voyais le catalogue que Lindsay m'a montré ! Plein de photos de cercueils et de gerbes de fleurs... Elle eut envie de rire en imaginant James, emmitouflé dans ses vieux pulls et son ciré, tassé dans une boîte étincelante.

Tu te fiches de moi, l'entendit-elle protester. J'espère que c'est une blague !

Elle s'efforça de se rappeler si James lui avait jamais parlé de l'enterrement de sa mère et de sa tombe. Tombe... triste endroit solitaire comme le milieu d'un rêve. Mais elle l'avait seulement entendu affirmer que les monuments ne voulaient rien dire. Seuls les souvenirs comptaient. Les souvenirs de leur vie – papa et maman, papa et Zelda – ici, dans ce cabanon de la baie des Nautiles. Territoire des dragons de mer. Classé catégorie deux dans le programme de protection du patrimoine naturel.

Zelda se détourna du lit et alla au secrétaire de James. Elle fouilla fébrilement dans les tiroirs. Les papiers étaient soigneusement classés dans de grandes enveloppes brunes étiquées. Elle laissa de côté « Association des pêcheurs », « Impôts », et « Zelda, divers », puis trouva « Dragons de mer : correspondance et documents ». Elle étala le contenu, repoussa les lettres, les coupures de journaux et les notes manuscrites, et trouva enfin un document d'allure officielle, imprimé sur le papier gris du gouvernement régional. Elle le lut en diagonale, ne s'arrêtant que sur les phrases clés : « réhabilitation de la zone... enlèvement de l'habitation existante et des dépendances... À l'expiration du bail... ou à la mort du locataire ».

La mort du locataire. C'était donc vrai.

Elle s'appuya le dos au mur et ferma les yeux. Des gens

viendraient, envahiraient le cabanon comme des fourmis ; des envoyés du ministère de l'Environnement, qui repartiraient en traînant des morceaux de toit, de mur et de plancher. Elle les imaginait qui retrouvaient de vieilles brosses à dents, des règles, des canifs tombés dans les coins ; ils se moqueraient des jouets bricolés, liraient leurs vieilles lettres ; ils saccageraient son potager, arracheraient les légumes, les herbes aromatiques près de la porte de la cuisine ; ils soulèveraient les pierres de l'âtre, casseraient le foyer auprès duquel elle avait passé tant de soirées avec James, dans la chaleur réconfortante du feu. Bien sûr, ça n'arriverait pas demain. On lui laisserait le temps de trouver une solution, de faire ses bagages, de déménager. Mais le compte à rebours avait commencé. Elle n'était ici qu'en sursis, dorénavant.

De retour dans la salle, elle mit un disque à James sur la platine et souleva le bras de l'électrophone, les mains tremblantes. Tandis que les notes vibrantes d'une aria s'élevaient dans le silence, elle posa la tête contre le rebord de la cheminée.

Elle s'était débrouillée pour qu'on la laisse tranquille ce soir. Mais, ensuite, ce serait infernal. Il y aurait trop de monde, trop de décisions à prendre. Les fleurs. L'église. Ce n'était pas ce que James aurait voulu. Et elle non plus ne le supporterait pas. Elle regarda autour d'elle, le cabanon avec ses meubles artisanaux et le matériel de pêche. Cette maison faisait partie de James. Ses yeux se remplirent de larmes. Il devait y avoir un meilleur moyen de dire adieu à ce qu'elle devait quitter.

Elle réfléchit tout en écoutant la musique. À la fin du disque, sa décision était prise. Elle sortit et revint avec une pile de caisses à poisson en plastique. Elle les aligna au milieu de la pièce, puis fit le tour du cabanon. Elle choisit ce qu'elle voulait conserver et le mit dans les boîtes. Des livres, des outils, des vêtements, du matériel de pêche, des assiettes, ainsi que des souvenirs chers à son cœur. Elle garda, par exemple, la planche à découper en pin du Huon que James avait fabriquée avec leurs noms sculptés au bout : JAMES ET ZELDA 1979. Un bougeoir en argent qu'on disposait au milieu de la table dans les grandes occasions. Une coquille de nautile entourée de coton, fine comme du papier, délicate, parfaite. Le coffret sacré où James rangeait ses cartes marines. Enfin, elle prit le vieux nécessaire à correspondance, fermé par un ruban rose. À l'intérieur, il y avait des photos, la plupart de Zelda, moments volés qui retraçaient sa vie en pointillé : anniversaires, fêtes, déguisements, derniers moments au lycée, premières journées en mer. Elle les passa en revue d'une main rapide, atteinte en plein cœur dès qu'elle voyait le visage de James.

Presque à la fin du paquet se trouvaient deux photos d'Ellen. Zelda les connaissait par cœur. C'étaient les seuls souvenirs qui lui restaient de cette mère depuis si longtemps perdue. Au cours des ans, elle avait étudié les photos, dans l'espoir de découvrir encore un détail, quelque chose qui lui aurait échappé. Sur la première, Ellen, un gentil sourire aux lèvres, portait Zelda bébé. La photo laissait une impression étrange : la pose était artificielle, hors du temps, comme si elles existaient dans un monde à part, une sorte de tableau de la Vierge à l'enfant.

Dans l'autre, Ellen jouait au mannequin dans le port de l'île. Elle posait pour rire, avec un gros pantalon de la coopérative maritime.

— Sur elle, tout avait l'air d'être de la haute couture, avait commenté Lizzie un jour. Ellen avait un style incroyable. On avait envie de tout faire comme elle.

Zelda avait la même tête, le même corps, les mêmes cheveux que Ellen. Et le même sourire aussi.

Pendant qu'elle contemplait le visage de sa mère, des larmes lui embuèrent les yeux. Une douleur sourde montait en elle : c'était comme si James l'avait trahie, qu'il l'avait quittée pour rejoindre son premier amour. Après tout, sa fille n'avait été que le reflet, l'évocation de celle qui était partie. Zelda remit les photos dans le portefeuille et s'impatienta parce que l'une d'entre elles accrochait à la doublure. Elle la retira pour la ranger convenablement. Encore une photo familière : un portrait du père d'Ellen. Son grand-père. Un homme souriant qui avait le même visage contrasté, le même regard noir que sa fille. Son prénom, Harlan, était écrit au dos, mais on ne savait rien d'autre de lui. Autrefois, cette photo avait éveillé sa curiosité, mais aujourd'hui elle lui semblait vide, insignifiante, comme tout le reste.

Zelda descendit les boîtes en plastique les unes après les autres sur la jetée et les embarqua sur le bateau de pêche. Ensuite, elle fit un dernier tour de la maison et s'arrêta devant le lit de James. Le soleil couchant pénétrait dans le cabanon et baignait d'une douce lumière dorée le visage cireux. Les cheveux prenaient un chaud reflet, mais la peau était toujours livide. Zelda saisit le couteau qu'il portait à la ceinture et s'en servit pour couper une mèche.

Elle se pencha sur lui, en pleurs.

— Au revoir, papa.

Puis elle sortit de la chambre sans céder à l'envie de se retourner.

Dans le jardin, elle prit un jerrican d'essence et le vida autour du cabanon en formant une étroite ceinture. Cela fait, elle jeta une allumette.

Whouf !

Des flammes aveuglantes jaillirent parallèlement au sol, puis montèrent et embrasèrent la maison.

Zelda demeura au bord de la plage à regarder le cabanon brûler, fanal flamboyant dans le ciel noir. Quand il ne resta plus que des morceaux de poutres calcinées, elle descendit au bateau et prit la mer.

3

Zelda remonta un à un les casiers à langoustes et les entassa sur le pont, dans la lumière des premières lueurs de l'aube. Elle aligna les flotteurs, enroula proprement les filins et vida les seaux à appâts comme en fin de saison. Elle travaillait sans plan précis, ne savait pas trop ce qu'elle faisait, ne s'activant que par besoin d'agir.

Quand tous les casiers furent récupérés, elle mit le cap sur une crique et jeta l'ancre derrière une pointe rocheuse, à l'abri du vent. Ensuite, elle entreprit de ranger les caisses en plastique, pleines des affaires qu'elle avait emportées. Elle les entreposa dans la cabine principale à l'avant, empilées sur la banquette les unes à côté des autres. Lorsqu'elle eut fini, elle s'assura que les vêtements et la nourriture n'étaient pas mouillés, puis s'apprêta à sortir. Au moment où elle allait passer la porte, son regard s'arrêta sur le coffret de cartes marines de James. Elle le prit et le coinça entre ses jambes pendant qu'elle cadenassait la porte.

Installée dans la cabine de pilotage, une tasse de thé à la main, elle regarda le soleil monter à l'horizon comme un gros jaune d'œuf près de se casser sur la mer. L'eau était d'un calme plat ; un matin comme les aimait James. Les jours comme celui-ci, il souriait en disant : « Tu sais, mon ange, je n'ai vu ma première aube que très tard, quand j'étais plus âgé que toi. Pas croyable, hein ? » Ou : « Avant, je passais mes journées enfermé dans un bureau dont les fenêtres ne s'ouvraient pas, décoré avec des plantes artificielles. » Ou bien il levait le visage vers le ciel richement coloré et s'exclamait : « Eh ! Dieu, si Tu es là-haut, merci du fond du cœur. »

Zelda songea à Lizzie qui devait prier pour l'âme de James, ainsi qu'elle le faisait pour les saints et les martyrs. Leurs corps avaient disparu depuis longtemps, brûlés, comme celui de James, ou enterrés, mais ils vivaient encore, disait-elle. Zelda tourna les yeux vers le soleil levant. « Mon Dieu, prends soin de papa. Je T'en prie, prends bien soin de papa. »

Le coffret de James était posé contre la cloison, et elle mourait d'envie de voir, de toucher les objets qu'il avait aimés. À l'aide d'un canif, elle dut forcer les charnières pour l'ouvrir. Cela l'ennuyait de l'abîmer, mais elle n'avait pas le choix : elle n'avait pas pris la clé de James, qui devait avoir fondu dans l'incendie. Les premières cartes, sur le dessus, étaient molles et usées à force d'avoir été consultées. Il s'agissait des cartes de leur archipel des îles Furneaux. Un avertissement y figurait, conseillant de ne pas s'y aventurer sans une connaissance approfondie de la zone. James les avait annotées de ses propres observations, y avait ajouté les récifs, les hauts-fonds, les bons abris et les épaves dangereuses. Zelda les retira du coffre avec le plus grand respect, les larmes aux yeux tant ces remarques lui rappelaient leurs sorties en mer.

Elle faisait tellement attention aux cartes qu'elle en oublia sa tasse de thé à moitié pleine. Elle la cogna avec le coude et, pour la rattraper, lâcha tout. Le coffret bascula et se renversa par terre. Zelda, à genoux dans l'étroit habitacle, en ramassa le contenu religieusement. Parmi les cartes, une vieille coupure de journal jaunie éveilla sa curiosité. Ce n'était rien, l'annonce de soldes dans une boutique qu'elle ne connaissait pas. Mais, quand elle la retourna, elle eut un choc. Elle se vit en photo. Elle reconnut ses yeux, sa bouche, ses cheveux. Oui, c'était bien elle. Il y avait un gros titre au-dessus du cliché : LIBERTY ADULÉE PAR DE NOUVEAUX

ADEPTES. L'article lui-même était presque entièrement déchiré, mais, juste sous la photo, il restait l'introduction :

De notre correspondant à Rishikesh, Inde.
Dix ans après la fuite de la danseuse américaine devenue superstar, dont la rumeur disait

Zelda lut et relut ces mots. C'était une photo d'Ellen, bien sûr. Mais pourquoi l'appelait-on Liberty ? Pourquoi disait-on qu'elle était une star ? Cela ne correspondait pas à ce qu'elle savait de sa mère. Et pourquoi l'Inde ? Était-ce avant l'arrivée de ses parents sur l'île ? James ne lui avait jamais dit être allé en Inde, mais il ne lui parlait que rarement d'Ellen, ou de la vie qu'ils avaient menée avant sa mort. Dès que Zelda lui posait des questions, il se renfermait, devenait triste, presque méchant. Ce genre d'humeur massacrante lui durait plusieurs jours et jetait une ombre sur leur existence. Zelda avait vite appris à ne jamais évoquer le passé.

C'était de Lizzie qu'elle tenait presque tout ce qu'elle savait d'Ellen.

— C'est quand même ta mère, il faut que tu saches un peu qui elle était, disait-elle avec une réprobation mal déguisée. Ellen était danseuse. Une vraie danseuse étoile. Elle se produisait à New York, dans tous les grands ballets : *Le Lac des cygnes*, *Casse-Noisette*, *Giselle*, tous les plus beaux. Elle dansait aussi pour des compagnies de danse contemporaine.

— Elle était célèbre, alors ?

— Je ne crois pas. En tout cas, elle dansait très bien. Je l'ai surprise une fois dans notre étable. Elle m'attendait et ne m'a pas entendue arriver. Là, quelle surprise j'ai eue ! Je n'aurais jamais imaginé ça d'elle. On aurait dit qu'elle prenait vie !

— Et moi, j'étais là ?

— Oui. Oui, dans un coin. Je crois même que tu la regardais en ouvrant grands les yeux. Tu savais à peine marcher, mais toi aussi tu te rendais compte que c'était beau. C'était magique de la voir bouger, de voir son visage…

— Alors, pourquoi elle a tout abandonné pour venir ici ?

— Parce qu'ils étaient riches, ils avaient des amis célèbres et ils menaient la grande vie, mais ils n'étaient pas heureux, avait répondu Lizzie comme on raconte un conte de fées. Il suffit de voir James pour se rendre compte qu'il est fait pour vivre sur l'île.

— Et Ellen… maman… elle était heureuse, ici ?

— Pas autant que James, dit-elle au bout d'un moment. Pas tout le temps.

Zelda reprit la coupure de journal. La photo était saisie sur le vif ; Ellen ne faisait pas face à l'objectif. Elle semblait avoir environ l'âge de Zelda, mais les traits n'étaient pas nets. Zelda relut la phrase déchirée. La « fuite », disait-on. Cela devait faire référence au départ d'Ellen et de James, quand ils avaient quitté l'Amérique pour venir s'installer sur l'île. De cela, James voulait bien parler. Il lui avait confié qu'ils étaient partis sans avertir personne, qu'ils avaient brûlé leurs vaisseaux, coupé tous les ponts. Mais dix ans plus tard… À cette époque, Ellen était déjà morte. Alors ils avaient dû prendre deux fois la fuite ! Et la rumeur… qu'avait bien pu dire la rumeur ? Zelda se sentait désorientée. Une montagne de questions s'amoncelait sur son chagrin. Et elle en voulait à James, même si elle trouvait cela stupide : elle avait l'impression qu'il l'avait abandonnée de son plein gré en semant la confusion.

Elle retourna le bout de journal, à la recherche de quelque chose, un indice, n'importe quoi. Son œil tomba sur une portion de colonne qui longeait la publicité. Ce n'étaient que quelques mots tronqués d'un article qu'elle essaya de reconstituer. Il s'agissait de l'attentat manqué contre Ronald Reagan. Zelda s'en souvenait bien. James avait ri en trouvant dommage que le tireur ait raté sa cible. Elle avait innocemment répété le commentaire à son institutrice qui avait été scandalisée.

C'était sa maîtresse de CE1, Mlle Smith. L'année de ses neuf ans.

Ce qui voulait dire que… cette année-là, Ellen, sa mère, n'était pas morte !

Zelda tambourina contre la porte de Dana à grand bruit. Elle patienta quelques instants, puis fit le tour de la maison en s'arrêtant aux fenêtres pour regarder à l'intérieur. Un petit feu brûlait dans le salon, mais elle ne vit personne. En arrivant à la fenêtre de la chambre d'amis, elle hésita, puis appuya le nez au carreau. Sur le lit étaient étalés de beaux vêtements, et des chaussures à hauts talons jonchaient le sol. Elle poussa un soupir de soulagement : Cassie n'avait pas encore quitté l'île.

Elle retourna à la porte d'entrée et s'assit sur une marche pour attendre. L'attitude de la vieille dame lors de la soirée chez Dana l'obsédait. Elle se souvenait de son insistance, de sa façon de la dévisager, de sa certitude de l'avoir déjà vue quelque part. Elle… ou quelqu'un qui lui ressemblait. Alors peut-être que…

Il ne fallait pas caresser de faux espoirs. Zelda remonta les genoux contre sa poitrine et posa la tête sur ses bras pour tâcher de se reposer un peu. Seule la faim réveillait l'engourdissement qui s'était emparé d'elle. Malgré son épuisement, elle redressa la tête et examina le jardin. Il était sauvage, mais apprivoisé. Une multitude de plantes locales poussaient autour des rochers de granit. Cela ressemblait au reste de la colline, mais en plus parfait. De l'autre côté de la pelouse, un chemin menait à un petit plan d'eau. En se penchant, Zelda vit des chaises longues le long du bord. Tout au bout, une tache rouge attira son attention. Elle se leva. Quelqu'un était installé sur un transat.

— Dana ? cria-t-elle en courant.

Quand elle s'arrêta devant la chaise longue occupée, une main gantée de blanc souleva le large bord d'un chapeau de paille, révélant des lunettes de soleil rondes et des lèvres rouges.

— Bonjour, ma petite chérie ! Ce n'est que moi ! annonça Cassie avec un rire mélodieux. Je suis méconnaissable sous toutes ces couches protectrices, mais je suis allergique au soleil. Je ne peux pas du tout m'exposer.

Zelda ne savait par où commencer.

— Je voulais vous parler…

Comme sa voix s'étranglait, Cassie se redressa et ôta ses lunettes.

— Ne pleure surtout pas ! Tu vas t'abîmer le visage. Viens t'asseoir.

Elle lui plaça une cigarette entre les doigts malgré ses protestations.

— Prends-la quand même, ça t'occupera les mains.

Ensuite, elle l'écouta, souverainement calme, opinant du chef de temps en temps, pendant que Zelda lui apprenait la mort de James, lui parlait du coffret et du morceau d'article déchiré avec son bout de phrase sans queue ni tête.

— Je comprends enfin ! s'exclama Cassie en étudiant la photo. Je savais bien que je connaissais ton visage. Dès que j'ai posé les yeux sur toi dans ce chemisier Dior, tu m'as fait penser à quelqu'un. Mais qui aurait pu imaginer… La fille de Liberty… ici, sur cette île perdue !

Elle examina Zelda de plus près.

— Et tu danses, en plus ! commenta-t-elle en secouant la tête. C'est extraordinaire…

— Mais ce n'est pas son nom, interrompit Zelda.

— C'était son nom d'artiste. Comme Twiggy. Tu as entendu parler du mannequin anglais ?

Zelda semblait tellement perdue que Cassie tenta une autre explication.

— Peu importe. Liberty – c'est-à-dire ta mère – était plus qu'une danseuse. C'était une vedette internationale.

Cassie hésita, cherchant la meilleure façon de lui présenter les choses.

— Disons qu'on a fait d'elle… une sorte d'idole. D'ailleurs, on disait que c'était l'idole des jeunes.

Inquiétée par la fascination qu'elle lisait dans le regard de Zelda, elle précisa :

— Ce n'est qu'une question de marketing, tu sais. Si on veut vraiment rendre quelqu'un très célèbre, c'est facile. D'ailleurs, c'est de l'histoire ancienne, ce que je te raconte. À la vitesse où vont les choses, de nos jours... Même ça, c'est du passé, ajouta-t-elle en désignant l'article déchiré.

— Je veux la retrouver !

— Mais oui, bien sûr, c'est naturel, ma petite chérie. Ça ne sera pas facile si elle a vraiment décidé de se cacher, note bien. Tu pourrais peut-être contacter l'ambassade américaine. Tu n'as qu'à leur envoyer une photocopie de ton petit bout de journal.

— Non, je veux aller en Inde ! J'irai là-bas, là où la photo a été prise. C'est par là qu'il faut commencer les recherches.

Cassie la considéra en silence.

— Pourquoi pas..., finit-elle par déclarer. C'est un plan comme un autre.

Elle se tut, le temps de replacer une cigarette dans son fume-cigarette. Ensuite, elle se pencha vers Zelda et lui posa sa main gantée sur le bras.

— Je vais te donner un conseil. Tu m'écoutes ?

— Oui.

— Regarde-moi. Je ne suis plus très belle, mais dans ma jeunesse j'enchaînais film sur film sans avoir le temps de souffler entre deux. J'ai joué dans le monde entier. J'ai acheté des maisons dont je ne me souviens même plus. (Elle rit avec une pointe d'amertume.) Maintenant, je suis au sommet de mon art, j'ai une énorme expérience, je connais toutes les ficelles du métier. Mais voilà, le drame, c'est que je ne peux plus en faire profiter le cinéma. Personne n'a envie d'aller voir une vieille chose comme moi à l'écran ! Bref, ce n'est pas du tout ça que je voulais te dire. Mon père était caissier dans une banque. Ma mère travaillait dans une laverie. Ils rêvaient d'être propriétaires d'une jolie petite maison dans un bon quartier. Bien entendu, je leur en ai offert une. Mais Zelda, regarde-moi, ai-je l'air d'être la fille de petits employés ? Hein ? Sois franche.

— C'est vrai que… vous… Non, pas du tout.

— Ah, tu vois ! Donc, voilà où je voulais en venir : va chercher ta mère, tu as raison de vouloir essayer, mais ne te fais pas trop d'illusions. On ne peut pas savoir comment ta quête va se terminer. Ta mère t'aidera peut-être. Ou alors c'est toi qui vas l'aider. Ou alors… vous ne vous plairez pas. L'important, c'est que tu ne confondes pas tout. Reste qui tu es, ça n'a rien à voir avec tout ça.

Elle étudia le visage de Zelda.

— Depuis quand n'as-tu pas mangé ?

Zelda haussa les épaules.

— Allez, debout, jeune fille. Nous allons déjeuner, et puis nous aviserons.

4

Zelda remonta quelques affaires du bateau et s'installa chez Dana. Elle ne comprenait pas ce qui lui arrivait, pourquoi elle trahissait ses amis. Elle téléphona à Drew et à Lizzie pour leur dire où elle était, mais fut brève et presque sèche tant ses sentiments la glaçaient. Elle fut incapable de s'expliquer, de préciser pour quelles raisons elle préférait se réfugier chez une personne qu'elle connaissait à peine, plutôt que de se laisser réconforter par ceux qui l'aimaient depuis toujours. Elle transigea, acceptant de leur donner de ses nouvelles quotidiennement, mais refusa de les voir. Elle aurait dû aussi téléphoner à Sharn, mais elle n'avait rien à lui dire. Elle ne vit qu'une seule personne à part Cassie et Dana : Ellis, le policier. Il la sermonna près de la mare, lui tint de longs discours, embrouillés, parce qu'il tenait à lui parler de la destruction du cabanon – sans vouloir prononcer le nom de James. Un incendie volontaire était un délit grave. Elle avait beaucoup de chance que les poursuites ne dépendent que de lui. Il acceptait de passer l'éponge, dans l'intérêt de tous. Après tout, il la comprenait, surtout après l'histoire des dragons de mer. Mais ce qui le dépassait, c'était pourquoi elle vivait chez Dana, et pas à Badger Head chez Lizzie et Drew. Bien entendu, ça ne le regardait pas, mais…

Par erreur, elle eut Rye au téléphone, un jour où elle attendait un coup de fil de la banque.

— Zelda ? Ah ! Tu es encore là ! s'exclama-t-il visiblement heureux de l'entendre. Je suis désolé pour James.

— Qui t'a mis au courant ? demanda-t-elle d'un ton brusque.

— Eh bien… j'ai reçu un coup de fil de la mairie. On m'a dit que tu… que tu avais mis le feu au cabanon.

— C'est vrai ! Il était hors de question que…

— Je te comprends, la coupa Rye. Tu sais, quand j'ai donné mon avis à la commission, j'ignorais que votre bail était si proche de son terme. Et bien sûr, personne ne pouvait se douter que l'autre clause… Je veux dire que ton père allait…

Il n'acheva pas. Sa voix semblait toute proche, comme s'il téléphonait des cabines, devant le pub, entouré de moustiques, à côté des vieux annuaires imprégnés de l'odeur de friture.

— Zelda, Dana m'a appris que tu avais l'intention de partir pour l'Inde.

— Oui. Nous avons déjà organisé mon voyage.

— Ah ! tant mieux. Tu as donc trouvé quelqu'un pour t'accompagner.

— Pas du tout.

— Pourtant, j'ai bien expliqué à Dana que tu ne pouvais pas y aller seule ! Il ne s'agit pas d'un simple voyage à Melbourne.

— Je ne vois pas en quoi ça te concerne.

— C'est dangereux, je t'assure.

— Mais non, dit-elle dans un murmure.

Et puis zut !

— Non ! hurla-t-elle. Tu n'as pas à me donner de conseils !

Elle eut envie de lui raccrocher au nez, mais se retint. Elle était tellement en colère qu'elle n'arrivait plus à parler.

— Zelda, tu es là ?

La voix de Rye était gentille, préoccupée.

— Oui, je suis là. Je m'en fiche. Ma décision est prise. Je vais en Inde.

Elle reposa le combiné doucement sur son socle, puis se ravisa et le reprit : la communication était coupée.

Une semaine après la mort de James, Dana trouva un bouquet d'œillets dans un seau devant sa porte. Accrochée à l'anse, une enveloppe où était écrit le nom de Zelda en caractères appliqués. Elle porta les fleurs et la lettre dans la véranda où Zelda et Cassie prenaient le petit déjeuner.

— C'est pour toi, annonça Dana.

Zelda se leva à demi en reconnaissant l'écriture.

— Drew…

Elle eut chaud au cœur en voyant la lettre, et cela lui donna l'envie de courir le rejoindre, de dévaler la colline vers la baie. Elle l'y trouverait après sa plongée du matin, sans doute encore en train de ranger le bateau, de passer sa combinaison au jet. Elle mourait d'envie de sentir ses lèvres sur son visage, ses mains rêches sur ses épaules.

Elle déchira l'enveloppe, mais n'y trouva qu'une seule page de calepin. *Chère Zelda, j'espère que tu te portes bien.*

Le style était emprunté, cérémonieux, comme si la nécessité de poser ses pensées sur le papier marquait encore plus leur éloignement. Les yeux de Zelda sautèrent de ligne en ligne, volèrent sur les mots pour lire plus vite.

Drew expliquait qu'il avait beaucoup réfléchi avant de lui écrire. Il comprenait son envie de partir à la recherche de sa mère, mais il n'y avait aucune raison de se presser autant. Cela semblait peu respectueux, si tôt après le décès de James. Il lui demandait de ne pas faire le voyage tout de suite. Il valait mieux attendre, prendre le temps de réfléchir ensemble. Il accepterait même d'y aller avec elle, si elle lui laissait le temps de se retourner. Elle devait bien se rendre compte qu'elle ne pouvait pas partir seule. James ne l'aurait pas laissée faire. Lizzie aussi se faisait un sang d'encre. Il n'y comprenait rien, il ne la reconnaissait plus.

Zelda, achevait-il d'une écriture ferme, *je te demande de ne pas partir. Je t'aime, tu le sais. Drew.*

Zelda releva les yeux. Ni Cassie ni Dana ne lui posèrent de

questions. Le silence se prolongea, interrompu par les piaillements de deux oiseaux qui se disputaient dans la gouttière.

Au bout d'un long moment, Zelda rentra dans la maison. Elle alla dans l'entrée, prit le téléphone et composa le numéro de l'agence de voyage de Melbourne qui organisait son voyage.

— Bonjour, Zelda Madison à l'appareil, dit-elle à l'employé qui décrocha. Mon amie Cassie vous a appelé il y a quelques jours…

— Exact, je m'en souviens. Elle vous a retenu un vol pour l'Inde. Que puis-je faire pour vous ?

— Je voudrais partir plus tôt. Dès que possible, en fait.

Zelda se surprit elle-même quand elle s'entendit parler d'un ton aussi décidé. Elle se sentait parfaitement sûre d'elle.

— Je vais voir ce que je peux faire.

Il y eut une attente, pendant laquelle elle entendit le bruit de mains qui tapotaient un clavier d'ordinateur.

— J'ai une place pour le 15 avril. C'est-à-dire vendredi de cette semaine.

— Je la prends. Je vous remercie.

Pas plus compliqué que ça ! Zelda se sentit très soulagée. Maintenant, plus rien ne pouvait l'empêcher de partir ; le voyage avait déjà commencé.

— Parfait, dit l'employé. Je suppose que tous vos documents sont en règle ? Passeport, vaccins ? Si vous étiez ici, le plus simple serait que vous passiez nous voir.

— Ne vous en faites pas, nous avons tout réglé.

Cassie avait orchestré le départ de main de maître. Elle n'avait pas son pareil pour activer les formalités. Elle s'adressait aux gens en disant : « Ah ! Si vous saviez dans quel pétrin nous sommes ! J'espère que vous allez pouvoir nous aider… »

— Il va faire une chaleur infernale, à Delhi. Prenez des tenues d'été ! lui conseilla l'employé. J'y suis allé et j'ai failli mourir de soif. Pourquoi vous ne restez pas chez vous ! Vous n'êtes pas bien dans le Queensland ?

Il y eut un bref silence.

— Je vais rejoindre ma mère.

Elle savoura ces mots, la gorge serrée par le chagrin mais aussi par le bonheur.

— Dans ce cas, c'est autre chose. Ravi d'avoir pu vous rendre service, Zelda. Amusez-vous bien. Et, ajouta-t-il avec un rire, bien le bonjour à maman.

Après avoir raccroché, la jeune femme s'abîma dans ses pensées.

Maman… sa mère. Ellen.

Elle avait envie de prononcer ces mots tout haut, il lui semblait que cela rendrait la situation plus réelle. Un visage, une voix, une personne. Cela lui rappelait un jeu, au collège, qu'elle aimait bien : à travers la photo du contenu d'un sac à main répandu par terre, on devait imaginer la femme à qui il appartenait. Places de théâtre, porte-bonheur, rouge à lèvres, cartes de visite, photos, tampons, préservatifs… tout vous guidait. Sharn s'amusait à dresser la liste de ce qu'on trouverait dans son sac à elle, si elle devenait riche et célèbre, et voyageait au loin. Zelda, elle, nourrissait un autre rêve : elle trouvait le sac de sa mère et voyait sa propre photo à l'intérieur. Le visage souriant d'une fille aimée sur une photo usée à force d'être regardée. Autour s'étalaient des objets qui lui permettaient de deviner quel genre de femme avait été sa mère. Seulement, maintenant, la donne avait changé. Malgré ses craintes, la perspective de leurs retrouvailles était merveilleuse, incroyable même. Elle allait retrouver une mère en chair et en os. Le visage vivant qui se cachait derrière les indices éparpillés.

DEUXIÈME PARTIE

5

1972, île Flinders, Tasmanie

De vieilles étiquettes d'hôtel pendaient en grappe autour de la poignée de la valise. Certaines étaient encore entières, avec un numéro de chambre, les armoiries et le nom de l'établissement en lettres d'or, mais la plupart n'étaient que des bouts de carton décoloré accrochés à des œillets abîmés. Ellen les repoussa, attrapa la poignée à deux mains et hissa la valise sur le lit. Elle se pencha pour introduire une petite clé dorée dans la serrure, puis s'arrêta et tourna la tête, à l'affût du moindre bruit. Une oie sauvage appelait dans la forêt, la bouilloire sifflait sur la cuisinière, mais personne ne venait.

Elle alla quand même à la fenêtre et regarda au-dehors, entre les branches tordues d'un *she-oak*. Son regard longea la plage blanche et incurvée puis suivit les lignes sombres de la vieille jetée jusqu'à la bouée d'amarrage. La boule blanche montait et descendait sur une mer calme – une mer vide, sans le moindre signe de la présence d'un bateau.

Ellen retourna à sa valise, ouvrit la serrure, remonta les fermoirs et souleva lentement le couvercle. De vieilles senteurs s'en échappèrent. Elle respira vite ce parfum nostalgique pour s'en débarrasser, lui préférant les odeurs de fumée, de poisson frais et de cirés. Elle repoussa par-dessus son épaule les longues mèches noires qui pendaient devant ses yeux et fouilla dans la valise. Elle tâta au jugé, glissa les mains à l'aveuglette à travers les couches de vêtements bien pliés. Un petit sourire salua la découverte d'une longue botte en daim. Elle pressa la tige et le pied, puis la reposa, déçue. Une seconde plus tard, elle trouva la seconde. Cette fois, elle plongea la main à l'intérieur, enfonça le bras jusqu'au coude et en sortit un objet plus long que large, enroulé dans du papier de soie blanc.

Elle épousseta la table pour enlever les miettes et y posa le paquet : un petit cadavre enveloppé dans son suaire. Des cris d'oiseaux de mer perçaient l'air immobile. Elle prit l'extrémité du papier et tira pour le dérouler. Une poupée en plastique s'en échappa et atterrit visage contre la table. Le corps était clair, mince et nu, mais couronné d'une masse de longs cheveux auburn. Un mot était imprimé au milieu du dos, des lettres sans couleur, gravées dans le plastique, comme un ancien tissu cicatriciel. *Liberty*. Puis, en très petites lettres : *pat. pend.* C'est-à-dire *Patent pending* : « demande de brevet déposée ».

Ellen prit la poupée dans sa main, dont la peau bronzée était beaucoup plus brune que le plastique. Elle la fit pivoter vers elle. Le regard humain rencontra le regard peint. Le sourire rouge figé ressemblait peu à ses lèvres sèches.

— Te voilà, toi.

La voix d'Ellen résonna trop fort dans la pièce silencieuse. Elle prit la jolie petite tête entre le pouce et l'index et la pressa, fascinée par la torsion du visage, comme le reflet d'un miroir déformant. Quand elle l'eut bien écrasée, bien enlaidie, elle relâcha. Un insecte surpris, un poisson d'argent, sortit du papier de soie et courut sur la table. Ellen attrapa un livre, l'abattit sur lui, attendit un peu et le souleva. Il était écrasé sur la couverture, formant une salissure au milieu du titre : *Navigateur de l'Antarctique*. Vite, Ellen le nettoya avec sa manche, puis soudain elle s'immobilisa. Elle avait entendu un bourdonnement de moteur au loin. Elle se saisit de la poupée, la fourra dans la valise, jeta pêle-mêle par-dessus ce qu'elle en avait extrait, puis rabattit le couvercle et la fit disparaître sous le lit.

Elle alla dehors et appuya le dos à la porte close. Une vieille Land Rover grise approchait sur la piste avec des emballements de moteur dans les creux et les bosses. Elle ressemblait à toutes celles qu'on voyait au port : rouillée, cabossée, bricolée avec du fil de fer et garnie d'une solide barre de protection anti-kangourou à l'avant. Quand le véhicule s'arrêta devant le cabanon, Ellen vit des cheveux blond paille et un visage hâlé et reconnut le conducteur. Elle fit un petit bonjour de la main. Il leva un doigt du volant en guise de réponse, tout en tirant fermement sur le frein à main.

— Salut ! cria-t-il.

Il pencha la tête pour ne pas se cogner en descendant, s'essuya les mains sur sa combinaison de travail kaki, puis se les passa sur la tête pour s'aplatir les cheveux.

— Ellen ? C'est moi, Tas. Tu me remets ? On s'est vus au port.

— Oui. Tu es un… parent de Lizzie…

— Son cousin.

Il s'interrompit pour se curer les dents avec l'ongle du pouce.

Ellen détourna les yeux et se laissa distraire par le vol d'un petit oiseau marron. Il piqua sur le jardin, vola bas, puis vira et partit vers les montagnes. Le cri aigu d'un bécasseau monta de la grève.

— Comment ça va ? demanda Tas avec un mouvement de tête général qui engloba le cabanon, le jardin et la mer. Vous avez l'air bien installés.

— Oui, nous nous débrouillons. (Elle regarda vers la jetée.) Heu… James n'est pas encore rentré.

— Pas grave. Je lui apporte des appâts. Je vais les lui laisser.

Ellen le suivit jusqu'à la Land Rover. Sur le plateau arrière s'entassaient des carcasses de wallaby. Les pattes se dressaient en l'air, les longues queues velouteuses s'entrecroisaient, et de petits nuages de mouches tournaient autour des yeux vitreux.

— Nous avons chassé hier soir pour assainir les troupeaux, expliqua Tas en grimpant à l'arrière.

Il souleva les cadavres raidis et les jeta à terre l'un après l'autre. Il lança un coup d'œil à Ellen.

— Ça te dérange pas, j'espère ?

— Non, bien sûr que non.

Tas eut un sourire qui lui plissa le visage comme un cuir tanné.

— On ne sait jamais. Il y en a qui débarquent ici… des vrais crétins.

Il avisa un carré de terre retournée.

— Potager ?

— C'est ce que je comptais faire, mais il y a une mauvaise herbe qui rampe sous la terre. Ça fait des semaines que j'essaie de m'en débarrasser.

— Pas la peine, tu n'y arriveras jamais comme ça. Il n'y a que le désherbant qui marche. Y a pas d'autre moyen.

Il jeta le dernier wallaby par-dessus bord. La carcasse atterrit avec un bruit sourd et roula sur le dos, révélant la fourrure claire du ventre.

— De toute manière, faut dire à Jimmy de s'en occuper. Toi, tu dois te ménager.

Il considéra la forme d'Ellen sous les vêtements d'homme.

— Il faut penser à l'héritier !

Elle eut un sourire.

— Si on veut que ça soit un gars, faut garder toutes tes forces pour lui ! continua Tas, l'œil taquin. Jimmy va avoir besoin d'un matelot.

Il s'essuya les mains et leva la tête vers le ciel. Ses yeux étaient exactement du même bleu, son reflet parfait.

— Ça va tomber.

— Ah bon ? s'étonna Ellen.

Le soleil, chaud et puissant, lui tapait sur la nuque.

— Tu vois cette bande de nuages ?

Tas vint se placer derrière elle et tendit le doigt par-dessus son épaule. Il sentait la graisse à fusil et le cambouis.

— Non, pas là… Là-bas.

Il brandit le doigt vers le rempart que formait la montagne à l'horizon.

— Tu vois comme le dessous est laineux ? C'est de la pluie. Ça va remplir les citernes. On en a besoin. Bon, ben, je te laisse, ajouta-t-il en retournant à la Land Rover. Dis à Jimmy qu'on se verra demain au port.

— D'accord, merci.

Il repartit en marche arrière pour tourner sur la piste, la tête sortie par la fenêtre, tâchant d'éviter les ornières. Ellen attendit dehors, le temps que le bruit du moteur disparaisse. Finalement, on n'entendit plus que le vent dans le feuillage, les vagues se briser sur le sable et le bourdonnement incessant des mouches.

La pluie arriva vite. Elle crépita sur le toit du cabanon et dégringola de la tôle ondulée en une ligne de petites cascades. Afin d'arrêter l'eau qui passait sous la porte, elle roula une serviette et la cala tout du long pour boucher l'espace. Ensuite, elle rajouta du bois sur le feu et s'assit à la table avec un thé bien fort. Elle se pencha au-dessus de sa tasse et inspira à fond pour retrouver le parfum délicat du darjeeling sous l'odeur des lampes à pétrole. La pièce était un territoire bien connu qui ne renfermait plus de surprises. Les poutres noires, les rideaux de jute, les gerbes de plantes sèches accrochées à des clous plantés dans les murs. Quelques vieux journaux pour démarrer le feu. Une pile de livres – la plupart reliés en cuir, massifs, mais aussi, ici et là, un livre de poche au dos de couleur vive. Le plancher de sapin brut avait foncé à cause de la terre qu'ils ramenaient de l'extérieur.

Près de la porte était accroché un petit miroir. Une glace étroite et tachetée. Elle se mit devant. On ne voyait qu'un seul œil à la fois et un demi-nez et une demi-bouche. La pluie avait aspiré la lumière. Son reflet était terne et plein d'ombres. Il aurait fallu lui redonner des couleurs, songea

Ellen, pour lui insuffler de la vie. De l'eye-liner, du fard à paupières… Mais non, son visage devait rester nu. James disait qu'il fallait se dépouiller des artifices. « Sois toi-même, je ne veux rien d'autre. »

Elle approcha son visage du miroir, regarda l'œil grossir, grossir, et tout dévorer. *Je ne veux rien d'autre…*

La porte s'ouvrit brutalement et cogna contre le mur.

— Hé ! cria Ellen avec un sursaut.

Une haute silhouette luisante de pluie entra d'un pas titubant.

— Putain ! Ça mouille !

De l'eau inonda le sol tandis que les pieds bottés tapaient le plancher.

— James, souffla Ellen, tu m'as fait peur !

Il se tourna vers elle. Il serrait un gros carton contre sa poitrine.

— J'ai laissé le bateau au port et j'ai fait du stop pour rentrer, expliqua-t-il en l'examinant à travers des mèches dégoulinantes. Je n'avais pas vu venir la pluie.

Il traversa la pièce et posa le carton sur la table.

— Pourtant, il suffisait de surveiller le ciel, remarqua Ellen d'un air entendu.

— Tiens ! Depuis quand tu sais prédire le temps, toi ?

— Depuis plus longtemps que toi !

Elle rit à gorge déployée.

— Regarde dans quel état tu t'es mis !

— Peut-être, mais viens un peu voir ce que je t'amène.

Tourné vers le carton, il lui fit signe d'approcher derrière son dos.

— C'est un cadeau pour toi.

Ellen le rejoignit. Une appréhension glacée s'était logée en elle.

— Allez, ouvre. Ce n'est pas seulement pour toi, d'ailleurs.

Un grattement se fit entendre.

— Au secours ! s'écria Ellen en reculant. Si c'est pour le dîner, tue-le d'abord !

Cela fit rire James. Il se pencha sur le carton.

— N'écoute pas ce qu'elle dit ! Elle est folle ! Qui voudrait manger un mignon petit...

Pour ménager son effet, il écarta le couvercle, sortit un chiot marron et ne termina sa phrase qu'en le lui montrant.

— ... toutou comme toi.

En voyant qu'il le tenait à bout de bras, pattes tendues, tête pendante, yeux globuleux, elle recula.

— Je ne veux pas le toucher, dit-elle en croisant les bras pour se cacher les mains. J'ai peur des chiens.

— Peur, depuis quand ? s'exclama James. Carter avait une dalmatienne. Tu n'avais pas peur d'elle.

Ellen réfléchit et fronça les sourcils.

— Ah... je... je ne sais pas. C'est que... peut-être que ce n'est que les chiots, alors. C'est bête, je sais, ajouta-t-elle avec un rire qui sonnait faux.

James lui tendit de nouveau le chien.

— Allez, vas-y.

Elle accepta de prendre l'animal. Le petit corps doux et tiède ne pesait pas lourd dans ses mains. Sa cage thoracique se soulevait, fragile sous la peau souple. Le cœur battait. On pourrait l'écraser si facilement, songea-t-elle. Sans même le vouloir. Elle l'écarta d'elle.

— D'où vient-il ? C'est une femelle ?

— Non, un mâle. Je l'ai acheté au vieux Joe à la graineterie. C'est un berger du Queensland. Il s'appelle Bluey, comme son père. Je vais le dresser pour l'arrivée du bébé.

Ellen posa le chiot par terre et s'en éloigna. Il resta immobile, pattes tendues, comme s'il avait peur de ce trop grand espace.

— Joe voulait me donner un vieux tonneau à eau pour en faire une niche. J'ai dit que ce n'était pas la peine, qu'il dormirait dans la maison avec nous.

James avait attrapé un torchon tout en parlant et se séchait les cheveux.

— Tu sais ce qu'il a répondu ? « Tous des fêlés, ces

hippies. C'est n'importe quoi. » J'ai bien cru qu'il allait me le reprendre !

Il ramassa le chiot.

— Viens ici, Bluey. Salut mon petit vieux !

Il caressa la douce tête brune, fit courir la main jusqu'aux pointes des oreilles et tourna vers Ellen un visage heureux encore mouillé de pluie.

— On va former une vraie petite famille, Ell. Maman, papa, toutou… et bientôt, bébé.

Ellen alla à la fenêtre et regarda le bush à travers le rideau de pluie.

— Tas est passé tout à l'heure avec des wallabies morts. Ils sont au pied de la citerne.

— Parfait. Justement, je manquais d'appâts. Quoi d'autre ?

— Comment ?

— Tu as fait quoi, aujourd'hui ?

— Pas grand-chose. Ah ! si, se reprit-elle en se tournant vers lui, je suis allée voir Ben. Dr Ben.

James posa aussitôt le chiot et approcha d'elle.

— Tout va bien, j'espère !

— Oui, oui, très bien. Mais dans la salle d'attente… Tu sais que la femme de Ben reçoit des magazines de Melbourne…

— Elle s'appelle Marian ! Tu pourrais faire l'effort d'apprendre le nom des gens…

— Bon, en tout cas, il y avait un ancien numéro de *Teen*… Il devait avoir au moins deux ans. Peu de temps après les débuts de Liberty. Elle était en couverture, et deux collégiennes regardaient la photo.

— Que s'est-il passé ? demanda James avec inquiétude.

— Rien, ne t'en fais pas. Elles ne m'ont pas reconnue. Pas du tout. Je te jure, c'était vraiment bizarre. Elles parlaient de Liberty. Rien de particulier. Elles disaient que les cheveux courts lui iraient bien. Il y en a même une qui m'a demandé l'heure !

— C'est tout, tu es sûre ?

— Oui.
— Merde… Et le magazine ?
— Je l'ai pris. Je l'ai brûlé.
— Bravo !
Le feu crépita dans le silence.
— Est-ce que j'ai autant… Est-ce que je ne suis plus du tout… ?
Elle s'interrompit.
— Mais même pas ! répondit James avec ravissement. De toute façon, qui pourrait imaginer que tu vis ici ? On est au bout du monde. Dernier arrêt, l'Antarctique. Et enceinte, par-dessus le marché !
Il lui passa un bras autour des épaules.
— Tu es libre ! C'est la meilleure preuve.
Il enjamba le chiot pour atteindre un placard.
— Ça se fête !
Il sortit une bouteille de champagne et souffla sur la poussière.
— Nous n'avons pas de seau à glace, je regrette, madame. Ah ! Pendant que j'y pense, reprit-il en lui jetant un coup d'œil, j'ai vu Dave à la graineterie. Il paraît que des voisines vont organiser une fête pour toi. Quelqu'un va venir te l'annoncer demain.
— C'est quoi, cette histoire ?
— Je ne sais pas exactement de quoi il s'agit. Une fête prénatale, ils appellent ça. Une fête, quoi… pour l'arrivée du bébé, selon toute vraisemblance.
Il arracha le papier argenté qui entourait le bouchon.
— Tu te fiches de moi ! Je n'irai pas.
— Mais si, tu ne peux pas faire autrement. C'est impossible de refuser.
— Je vais me gêner !
James posa la bouteille et se tourna vers elle, le visage dur.
— Tu vas y aller, un point c'est tout. Il n'est pas question que tu fasses de vagues. Nous vivons ici. Notre enfant va grandir ici. Il faut que tu t'adaptes. La petite fille gâtée, c'est

fini. Tu es comme tout le monde maintenant, une jeune mère ordinaire. C'était ça que nous voulions, Ellen. Nous avons pris cette décision ensemble, tu t'en souviens ? (Il attendit une réponse.) Tu t'en souviens ? insista-t-il.

Elle hocha la tête.

— Vas-y, dis-le, répète-moi ce que nous avons décidé !

— Nous avons voulu partir, refaire notre vie, mener une existence différente. Aller quelque part où nous ne serions plus que tous les deux.

Ellen débita sa leçon d'une voix monocorde, comme un enfant qui récite un poème trop difficile, à moitié compris.

— C'est ça, encouragea James. C'est pour ça que nous sommes venus.

Ellen se pencha en avant pour s'étirer le dos, et son visage disparut derrière ses cheveux.

— Je ne suis pas une petite fille gâtée, dit-elle lentement. Je ne me crois pas supérieure aux gens d'ici... C'est juste que...

Un silence se fit, qui se prolongea, s'éternisa.

— Bon, mais ça ne sera pas trop pénible, je t'assure, finit par dire James. Tu n'auras rien d'autre à faire qu'assister à la fête et être aimable. Tu sais très bien être polie dans ce genre de circonstances. Qui sait, peut-être même que tu t'amuseras.

Il sortit deux verres du placard, qu'il essuya avec le bas de sa chemise. Tout en sifflotant, il les leva vers la lumière pour voir s'il avait enlevé toute la poussière.

— À propos, dit-il soudain. Tas est resté un moment ?

— Quoi ?

— Est-ce que Tas est entré ? Tu lui as proposé de boire un verre ?

— Non ! Je ne l'ai pas fait entrer. Tu n'étais pas là, et j'ai pensé que ça ne te plairait pas.

James hocha la tête.

— Oui, je comprends. Mais avec Tas, ce n'est pas pareil. Ça m'ennuierait qu'il ne nous trouve pas sympathiques, expliqua-t-il en tournant le bouchon pour le faire sauter.

Ellen le regarda faire sans répondre. Le chiot vint lui renifler les pieds. Elle rentra les orteils pour les éloigner du museau humide et poilu qui la chatouillait. Il avait le souffle chaud, baveux. Elle ferma les yeux. Une odeur écœurante d'animal monta jusqu'à ses narine, et la suffoqua comme un cri bloqué au fond de la gorge.

Le bouchon partit et cogna contre le plafond. Le bruit fit pousser un jappement de terreur au chien qui s'enfuit vers la porte.

James remplit les verres et leva le sien.

— Allez, à la nôtre, dit-il d'un ton réjoui. À la liberté de Liberty…

6

Le faisceau des phares dansait dans la nuit, tandis que la Jeep avançait en cahotant sur la piste. Ellen conduisait penchée en avant, agrippée au volant, les yeux fixés sur la route pour trouver le meilleur trajet entre les pierres, les trous et les ornières. Soudain, une forme noire bondit devant le capot. Elle freina, mais trop tard. Un choc sourd ébranla la voiture, suivi d'une secousse. Une véritable horreur.

— Encore ! gémit-elle.

Elle passa la marche arrière et recula pour éclairer de ses phares un jeune kangourou agité de soubresauts. Un sang noir éclaboussait le gravier crayeux de la route. Sous ses yeux, l'animal se mit à ramper en se traînant avec les griffes des pattes avant, alors que l'arrière du corps et la queue restaient paralysés. Ellen se crispa. Il fallait l'achever afin de lui éviter une agonie douloureuse, une lente torture infligée par les fourmis et les corbeaux qui ne tarderaient pas à se mettre à l'ouvrage.

Les yeux droit devant elle, elle remit la voiture en marche et roula vers lui, bosse basse et molle sur laquelle les roues passèrent. Elle freina, repartit en marche arrière, puis revint, continua l'aller-retour jusqu'à ce que les phares n'éclairent plus qu'une masse rouge de fourrure écrasée, étalée sur la route.

Elle posa la tête sur le volant. C'est ça, la vie. La vraie vie. C'était ce que James aurait dit. Évidemment, on ne voit jamais de ragondins écrasés sur la 5e Avenue. Pourquoi ? Parce qu'il n'y en a plus. Ils ont disparu. Tu vois ? La ville est un endroit mort.

Ellen reprit lentement sa route. Devant elle, les lumières de la maison de Lizzie scintillaient derrière le bosquet de *tea-trees* ; des étoiles jaunes à ras de terre.

Ellen et Lizzie ne s'étaient vues qu'une seule fois, à la criée. James pesait sa pêche de langoustes hebdomadaire, et Tas était venu vérifier ses résultats.

— Pas mal, pour un citadin.

— J'y arriverai, pas de problème, avait répondu James avec un sourire.

Puis Tas avait avisé une personne au loin et l'avait appelée. C'était une femme. Ellen ne s'en était rendu compte qu'à quelques mètres d'elle. Son visage, comme celui de tous les habitants de l'île, était brûlé par le soleil, sa peau burinée par le vent et les embruns, mais elle avait l'air jeune. Ellen lui donna une vingtaine d'années ou une petite trentaine.

— Salut, dit la nouvelle venue avec un sourire chaleureux.

— Ma cousine, Lizzie, indiqua Tas. Je te présente Jimmy et… Helen ? D'Amérique.

— J'ai entendu parler de vous, évidemment, annonça Lizzie. Vous avez acheté *Le Bourdon*, ajouta-t-elle en désignant le bateau de Jimmy dans la ligne de langoustiers à quai.

— Bon, ben on vous laisse bavasser toutes les deux, alors, fit Tass.

Il entraîna James vers le bureau, les laissant seules. Elles se regardèrent en silence, comme deux enfants qui se retrouvent par hasard dans le bac à sable.

Ellen sourit, polie mais distante, tout en examinant discrètement le visage et les vêtements de Lizzie. Elle ne plairait pas à Carter, se surprit-elle à penser. Il dirait qu'elle gâchait sa beauté. Jolie forme de visage, jolies dents, belle peau, yeux vifs et lèvres bien formées ; mais elle avait un peu d'embonpoint, n'était ni maquillée ni épilée, et aurait eu besoin d'aller chez le coiffeur. Pour ne rien arranger, elle portait un pantalon d'homme retenu à la taille par une ficelle, et son pull taché avait des fils qui pendaient et les poignets en lambeaux. Pourtant, cette tenue lui allait bien, ainsi que l'écharpe effilochée qu'elle portait autour du cou.

— Ça, c'est Tas tout craché ! finit par dire Lizzie avec un haussement d'épaules. Nous présenter maintenant, alors que je ressemble à un épouvantail ! Je descends du bateau.

— Moi c'est pareil, répondit Ellen. James m'a fait faire un tour en mer…

Elle n'acheva pas, sentant le regard de Lizzie s'attarder sur sa veste de velours et son pantalon de soie.

— Je n'ai que les affaires que j'ai apportées, expliqua-t-elle d'un ton d'excuse. Je ne sais pas… Où peut-on acheter des vêtements, ici ? Des vêtements de travail.

— Tu veux dire comme ceux que je porte ? On ne les achète pas, on les fauche à son homme, répliqua Lizzie en riant. Mais, à l'origine, ils viennent de la coopérative maritime. (Elle désigna une petite rue bordée de boutiques.) Je t'y emmène, si tu veux. Je dois rentrer avec Tas, et ils en ont pour des heures à tailler le bout de gras.

— Merci… mais je n'ai pas d'argent sur moi.

— Pas de souci, ils te feront crédit.

— Ils prennent l'American Express ?

Lizzie éclata de rire.

— Ça m'étonnerait. Je t'assure que ce n'est pas grave, ils te feront une ardoise, c'est tout. Ton bonhomme n'aura qu'à payer la prochaine fois qu'il viendra au port.

Elles remontèrent des quais, passèrent devant la mairie et une salle des fêtes peu reluisante.

Lizzie lui jeta un regard en coin.

— D'abord, il faut qu'on te trouve un chapeau. Et puis, si tu ne te mets rien autour du cou, ta nuque va cramer.

— D'habitude, mes cheveux ne sont pas attachés, ça me protège.

— Alors, c'est pour quand ? C'est ton premier ?

Ellen hocha la tête.

— C'est pour dans cinq mois.

— Quand j'attendais mon premier, j'ai été malade comme un chien. Pour le deuxième, c'est passé comme une lettre à la poste. En tout cas jusqu'au dernier mois. Là, il a mis le pied sur le nerf du haut de la jambe et n'a plus voulu le bouger. Je ne pouvais pas faire un pas !

— Moi, ça va, je m'aperçois à peine que je suis enceinte.

Pourtant, elle s'essouffla vite en grimpant la côte et dut s'arrêter pour se reposer. Lizzie attendit patiemment. Elles se retournèrent pour admirer le port, tout en bas, et la mer où deux petites îles coupaient l'horizon.

— Vous avez construit un cabanon dans la baie des Nautiles, dit Lizzie. Autrefois, on allait camper là-bas. On était toute une bande de gamins. Ah ! C'était le bon temps, ajouta-t-elle gaiement. Maintenant, faut trimer !

Ellen l'observa. Lizzie avait l'air fatiguée, mais elle semblait bien dans sa peau. Même s'il y avait toujours trop à faire, elle maîtrisait parfaitement la situation.

— Il paraît que tu es danseuse, reprit Lizzie alors qu'elles se remettaient en marche.

Ellen parvint à continuer comme si de rien n'était.

— Oui.

— C'était mon rêve, au collège, soupira Lizzie. Mettre des pointes et un tutu. Je sais que c'est plus difficile que ça n'en a l'air. Tu étais célèbre, j'espère ?

Elle plaisantait, bien sûr.

— Non, pas du tout.

Que c'était facile de mentir...

— Il y en a qui se font un nom, poursuivit-elle. Les étoiles dansent les grands rôles, elles voyagent beaucoup. Mais moi, j'étais dans le corps de ballet. On était toute une ribambelle et on se ressemblait toutes. On danse sur le côté de la scène, ou tout au fond. À la fin, ça devient lassant.

— Sûrement pas autant que d'ouvrir les coquilles Saint-Jacques !

— Peut-être pas...

Il y eut un silence. Leurs regards se croisèrent, puis elles éclatèrent de rire. D'un rire complice, agréable, le rire de deux amies.

La maison de Lizzie était construite en haut d'une petite colline. De nombreuses vieilles voitures étaient garées tout autour, et une odeur de crottes de mouton mouillées s'élevait du sol. À l'arrière, une applique éclairait la porte de la cuisine. C'est par là qu'Ellen se dirigea, tirant sur son pull pour mieux se couvrir, la bouche asséchée par le trac. Avant d'arriver à la porte, elle remarqua une fenêtre au store mal baissé qui laissait un peu voir l'intérieur. Elle s'en approcha.

D'abord elle ne vit qu'un derrière énorme, serré dans un pantalon d'homme, avec la marque de la culotte. Au-delà se trouvait une table pliante, chargée de plats dépareillés emplis de mets divers. Des gâteaux, des tranches de cake, des pâtés en croûte, des sandwiches, des scones. Au milieu était posé un gros cendrier en verre, plein de mégots écrasés. La pièce était bondée de femmes, assises sur des chaises, par terre sur des coussins, en train de fumer et de discuter, et qui avaient l'air de bien s'amuser. Ellen les étudia avec attention. Elle ne connaissait pratiquement personne. Elle s'affola, retrouvant ses vieux complexes. Personne ne va me trouver sympathique. Elles n'ont aucune envie de me voir. Vite, elle appela à la rescousse l'image qui lui servait de remède : le visage ridé par les ans de son vieil ami Eildon. C'était son talisman. Dès qu'elle pensait à son sourire, elle se sentait mieux. N'empêche, elle n'avait aucune envie d'entrer.

Elle jeta un coup d'œil en arrière. La Jeep était là, elle pourrait partir, prétendre qu'elle était malade. Mais James lui en voudrait. Il serait furieux, même. Elle enleva l'élastique de sa queue-de-cheval. Ses cheveux noirs tombèrent en une cape douce et lourde sur ses épaules. Ainsi protégée, elle avança vers la porte. Il allait bien falloir entrer… elle n'avait pas le choix. Elle avait toujours eu besoin de quelqu'un pour la pousser. Mme Katrinka, avec ses vieilles mains sèches et son mauvais caractère de danseuse ratée. Carter, avec sa liste de réceptions diverses et variées. (Il faut y aller, tu porteras une robe Young, arrête-toi, souris.) Et James…

Elle sursauta en entendant s'ouvrir la porte moustiquaire. Lizzie apparut sur le seuil.

— Ellen ! On se demandait où tu étais ! Entre !

Elle l'attira à l'intérieur.

— J'espère que nous ne te faisons pas peur. Nous organisons toujours une fête pour les naissances, et je me suis dit – et Tas aussi – que ça serait la meilleure façon de te faire rencontrer tout le monde. Une fois que le bébé sera là, tu auras besoin de coups de main, c'est sûr… même si ce n'est que pour te verser un verre de sherry !

Ellen tâcha de rester cachée derrière Lizzie le plus longtemps possible, mais elle fut bien obligée de s'exposer à tous ces regards inconnus, et elle se sentit comme nue. Les discussions s'arrêtèrent, les cigarettes se figèrent. Toutes l'inspectèrent des pieds à la tête.

— Les filles, voilà Ellen, dit Lizzie qui la dévisageait aussi comme si elle la voyait pour la première fois de sa vie. Tu ne vas pas pouvoir te souvenir de tous les noms tout de suite, mais je te présente quand même : Pauline, que tu as vue à la poste ; Susie, tu la connais déjà ; Kaye, la nouvelle institutrice ; Mavis ; Elsie – la maman de Tas ; et puis mon autre tante, Joanie ; et Jan de Stacky's Marsh…

La liste se poursuivit.

Ellen souriait, posait un regard léger mais attentif sur les nouveaux visages.

— Regarde, on t'a gardé une place.

Lizzie désigna un fauteuil à dossier haut, un peu à part, trônant près du buffet. Ellen s'y assit. En examinant les lieux et les invitées, elle remarqua avec horreur qu'elles avaient toutes un petit paquet près d'elle. Enveloppés dans des papiers pastel – jaune pâle, vert, beige ou blanc –, on aurait dit une volée d'oiseaux au repos, perchés sur les genoux, ou posés sous les chaises.

— Allez, les cadeaux tout de suite, décréta Lizzie. Au cas où quelqu'un voudrait partir tôt.

— Honneur à la plus vieille ! cria une voix éraillée à côté d'Ellen. Tiens, ma petite chérie.

Elsie lui passa le premier cadeau. Ses yeux, du même bleu ciel que ceux de son fils, brillaient de plaisir. Le papier cadeau était doux et froissé, comme s'il avait déjà servi plusieurs fois. Maladroite, Ellen dégagea un minuscule cardigan à mailles fines, d'un joli jaune.

— C'est très beau, dit-elle en se tournant vers Elsie. Vous l'avez tricoté vous-même ?

Elle tâchait de ne pas regarder les mains noueuses de la vieille dame, tout en se demandant comment elle avait bien pu se débrouiller.

— Cette question, chérie, je n'ai pas encore pris ma retraite !

Un éclat de rire général s'éleva dans la pièce. Ellen ne savait plus où se mettre, mais elle se rendit compte qu'Elsie était enchantée.

— Et j'ai trouvé une belle couleur… c'est pas du jaune pisseux.

— Lève-le, qu'on le voie, demanda Lizzie.

Une rumeur admirative fit le tour des invitées. À cet instant, la porte s'ouvrit d'un coup, sur un homme.

— Salut les filles, dit-il avec un grand sourire. Pas la peine de demander où est passé Mick, il est sûrement au pub ?

— C'est ça, répondit Lizzie. Et interdit de rentrer avant la fermeture.

— Et interdit de rouspéter ! compléta-t-il.

Il balaya la pièce du regard pour voir qui était là. Quand il tomba sur Ellen, elle détourna vite les yeux, mais sentit qu'il continuait de la fixer. Exactement comme tous les serveurs, tous les chauffeurs de taxi, tous les livreurs, même les médecins appelés à son chevet. Dès qu'ils la voyaient, ils sentaient qu'elle n'était pas comme les autres et ne cachaient pas leur intérêt.

— Bon, ben, ouste, alors, dit Lizzie d'un ton ferme.

Son voisin battit en retraite et referma la porte derrière lui.

Le cardigan tricoté par Elsie tourna de mains en mains. Ensuite, on lui passa le paquet suivant. Deux brassières blanches en tricot, ornées de rubans écrus. Vinrent ensuite une chemise de nuit avec des smocks, un bonnet tricoté et des chaussons au crochet. Ellen s'extasia à chaque découverte, essayant de trouver des commentaires appropriés. À côté de son fauteuil, la pile de vêtements de bébé montait. Vint le tour de l'institutrice qui lui tendit son cadeau, entouré d'un papier bariolé très gai.

Le Vent dans les saules, dit-elle pendant qu'Ellen lisait le titre. Tu l'avais sans doute, quand tu étais petite ?

— Oui, répondit Ellen sans trop se souvenir.

Elle le feuilleta rapidement.

— Les illustrations sont superbes.

Quand elle releva les yeux, elle vit que la deuxième tante de Lizzie s'était approchée d'elle et lui tendait un gros sac. À l'intérieur, elle trouva trois petits pulls assortis.

— Il ne fallait pas, protesta Ellen en les levant l'un après l'autre. C'est trop de travail.

Elles avaient toutes passé des heures penchées sur des aiguilles à tricoter, des crochets, de la laine. Et tout cela pour quelqu'un qu'elles ne connaissaient pas, pour elle…

— Un bébé, c'est un trésor, répondit la tante d'un ton ferme. Et le premier, c'est toujours spécial.

Elle étudia Ellen de ses yeux délavés aux paupières tombantes.

— Si ça ne mérite pas de se donner un peu de mal, je ne vois pas ce qui en vaut la peine.

— C'est fini ? demanda Lizzie en regardant autour d'elle. Bon, alors à moi. Je n'ai pas trouvé de papier, tant pis…

Elle prit un gros tricot sur la cheminée et s'agenouilla par terre devant le fauteuil d'Ellen. À quatre pattes, elle déplia avec soin une grenouillère. Il y avait des jambes avec les pieds, un corps boutonné tout le long, des manches terminées par des moufles, et même une capuche ronde. Le tricot reconstituait la forme d'un bébé, comme une mue d'enfant qu'on aurait posée par terre.

Le temps s'arrêta pendant qu'Ellen contemplait le vêtement en silence. C'était tout petit, à peine plus long que son pied. La capuche vide évoquait un visage. Un petit garçon, avec les yeux de James, et une petite bouche joyeuse. Elle sourit.

— Ça te plaît ? demanda Lizzie. J'en ai vu une dans un magazine et j'ai reconstitué le patron moi-même. Les deux jambes ne sont pas tout à fait pareilles.

— On dirait un vrai bébé, lâcha Ellen.

Le commentaire amusa tout le monde. Les rires montèrent autour d'elle, gentils, amicaux. L'hilarité s'éteignit peu à peu dans un bourdonnement de bavardages, tandis que les invitées retournaient à leurs verres et à leurs conversations.

On posa devant Ellen une assiette de scones beurrés. Elle en prit un.

— Ils sont à la citrouille, expliqua Elsie.

— Prends-en plusieurs, recommanda quelqu'un. N'oublie pas que tu manges pour deux.

Il faisait bon dans la pièce animée ; l'odeur de saucisses se mêlait à celle de la fumée et des parfums. Lizzie apporta à Ellen une tasse de camomille, souveraine, dit-elle, pour se délasser. Ellen demanda un coussin pour se caler le dos et elle appuya la tête au dossier.

— C'est bien, chérie, commenta Elsie. Profites-en pour te reposer pendant que tu peux. (Elle se tourna vers Lizzie.) Elle ne doit rien avoir du tout, je suppose, puisque sa famille n'est pas du coin.

Elle se pencha pour lui tapoter l'épaule.

— Ma petite chérie, tu as pensé au berceau, au landau, aux couches, à tout ce qu'il te faut ?

Ellen la contempla sans comprendre.

— Elle préfère peut-être s'acheter ses affaires, intervint Lizzie.

— Mais quel beau gâchis ça serait ! Il y a tout ce qu'il faut sur l'île. Des sacs et des sacs de vêtements d'enfants. Certains sont un peu tachés, mais ils sont encore bons. Hier, j'ai vu le dernier-né des garçons Robert qui portait un pull que j'ai tricoté pour Bobbie. Ensuite il est passé à Sally. Après, il a fait toute la famille Browning. Il doit y avoir six ou sept gamins qui l'ont mis, mon petit pull. C'est pas chou, ça ?

— C'est vrai, approuva Ellen.

En effet, c'était mignon. Ou plutôt, réconfortant. On se sentait rassurée, protégée. Plus en sécurité.

— Regardez-la, dit Elsie. Il n'y a rien de plus beau qu'une future maman.

Elle pressa la main d'Ellen, comme un prêtre donne sa bénédiction.

Un énorme bien-être l'envahit. Ellen se sentait soudain paisible et forte. James avait eu raison. Elle allait devenir mère, tout simplement, et vivrait l'existence ordinaire d'une femme un peu harassée, certes, mais heureuse… comme tout le monde. Dans le cabanon au bord de la mer, elle allait élever ses enfants, leur donner leur lait et leurs biscuits après l'école, réparer leurs pantalons déchirés et soigner leurs égratignures. Elle les aimerait comme une lionne, les défendrait avec courage et férocité. Et ils l'aimeraient en retour. Oui, tout allait bien se passer.

7

Ellen se pencha sur sa fille endormie, admira les joues rosies par la chaleur du lit et les boucles noires sur la peau ivoire. De fines veinules mauves ombraient les paupières. La bouche humide était entrouverte. La poitrine se soulevait et s'abaissait à un rythme paisible et régulier.

— Zelda, appela doucement Ellen. C'est l'heure de se lever.

Zelda remua et roula sur le ventre sans se réveiller. Ellen passa la main sur le corps de sa fille, recroquevillée sous la couverture. Elle semblait tellement petite dans le grand lit.

L'alcôve qu'ils lui avaient aménagée dans la chambre rappela à Ellen le premier berceau, dans un coin, pas plus grand qu'un cageot de pommes, entouré de piles de couches usées, de vêtements et de couvertures de bébé. Bizarre comme le temps avait passé, songea-t-elle, rapide et lent à la fois.

Elle regarda sa montre.

— Allez, mon ange, c'est l'heure de se réveiller.

Elle se pencha et la secoua un peu. Les yeux s'ouvrirent. Le reflet de ses propres yeux, qui la regardait du fond du lit.

— Bonjour, ma jolie. Tu me fais un gentil sourire ?

Engourdie, Zelda s'étira avec une grimace, puis lui lança un grand sourire et s'assit dans le lit.

— C'est bien ! Allez, mets ça.

Elle tendait un gros pull.

— Non, j'en veux pas ! Ça gratte.

— Tu vas avoir froid. Allez, hop !

Ellen lui passa vite le pull autour du cou. Zelda protesta, mais elle enfila les bras dans les manches.

— Il est où, mon survêtement ?

— Il est mouillé. Tu l'as mis pour aller à la plage, tu te souviens ?

Elle recula pour la laisser descendre du lit.

Bluey entra dans la maison en remuant la queue. Il passa tout contre les jambes d'Ellen pour faire la fête à Zelda en lui léchant la figure. La fillette se mit à rire et à lui tirer les oreilles.

— Dehors, Bluey, ordonna Ellen en se saisissant du foulard qu'il avait au cou.

Elle voulut le tirer vers la porte, mais il s'arc-bouta, refusant obstinément d'avancer.

— Dehors !

Ellen le traîna, et il dut bien suivre, ses griffes raclant le plancher. Alors qu'elle refermait la porte sur lui, Zelda arriva derrière elle, pédalant sur le tricycle qui avait appartenu à l'un des fils de Lizzie.

— Pas à l'intérieur, Zelda, gronda Ellen. Tu le sais très bien.

Zelda continua non sans lancer un coup d'œil provocateur à sa mère.

— Va faire du tricycle dehors, répéta Ellen calmement.

Zelda refit le tour de la pièce. Comme elle passait devant Ellen, celle-ci donna une poussée brusque au tricycle pour le diriger vers la porte. Il fit un bond en avant puis se renversa, jetant Zelda à terre. Sa tête cogna le coin dur du coffre à bois, tandis que ses jambes étaient prises dans les roues. Sa bouche s'ouvrit toute grande, sa langue trembla pendant qu'elle prenait une grande inspiration. Ellen s'était figée, engluée dans cet instant de silence. Puis le hurlement jaillit, un cri vibrant, assourdissant. Dehors, Bluey commença à aboyer. La porte s'ouvrit et James entra, avec deux casiers à langoustes et tout un attirail de pêche.

— Que se passe-t-il ?

Il posa son chargement par terre et se précipita.

— Zelda !

Il s'agenouilla près d'elle, la prit dans ses bras et lui tâta doucement le crâne. Quand il retira sa main, elle était poisseuse et rouge de sang.

— Bon Dieu, elle saigne. Passe-moi une serviette !

Comme Ellen ne bougeait pas, James regarda autour de lui pour voir ce qu'elle fabriquait. Elle était toujours au même endroit, paralysée.

— Mais enfin, Ellen ! cria-t-il pour couvrir les pleurs de Zelda, réagis ! Passe-moi quelque chose !

Elle attrapa un drap du lit de Zelda. James le lui arracha des mains, en fit une boule et l'appuya sur le côté de la tête de sa fille. Malgré les hurlements, la voix apaisante de James parvenait à se faire entendre.

— Ne pleure pas, Zelda, tout va bien. Papa est là.

Ellen restait en retrait, sans savoir que faire.

— Va chercher la Jeep, approche-la de la porte, ordonna James. J'ai l'impression que c'est profond. Il faut l'emmener chez Ben.

Dans la voiture, les cris s'apaisèrent, se transformèrent en gémissements. Ellen tenait Zelda contre elle, tête sur son épaule, et comprimait la plaie à l'aide du drap ensanglanté. Elle faisait ce qu'on attendait d'elle, mais son regard était vide et fixe. Le paysage hivernal était plat et terne. Les prés les plus bas étaient inondés, et les moutons, tout gris, se regroupaient autour des barrières et des clôtures.

— Qu'est-ce qu'elle faisait ? demanda James.

Il gardait un œil attentif sur la piste, conduisait vite tout en évitant de son mieux les accidents de terrain.

Il y eut un silence, coupé par le vrombissement du moteur et les plaintes de Zelda.

— Je ne sais pas, répondit Ellen. Je n'ai pas bien vu. Elle est tombée de son tricycle.

— Tu devrais mieux la surveiller ! lança James, en colère.

Ellen ne répondit pas. Elle caressait le dos de Zelda avec des gestes réguliers. La petite cessa de pleurer et se mit le pouce dans la bouche.

Ils arrivèrent au cabinet de Dr Ben, aménagé dans une aile rajoutée à sa maison. James prit Zelda dans ses bras et s'avança. Ellen suivit à pas lents.

C'est moi qui devrais m'occuper d'elle, songea-t-elle. Je devrais au moins lui tenir la main. C'est auprès de moi qu'elle devrait venir se faire consoler. Moi, moi.

Personne d'autre ne devrait pouvoir la remplacer. C'était le rôle d'une mère.

Quand elle entra dans la salle d'attente, James et Zelda n'y étaient déjà plus. Marian, la femme de Ben, était assise au bureau.

— Ils sont entrés directement, annonça-t-elle.

Plusieurs personnes attendaient sur les chaises. Tous les regards s'étaient tournés vers elle.

— Je te comprends, commenta gentiment Marian à voix basse. Ne t'adresse pas trop de reproches. À cet âge, les enfants sont de vraies calamités ! Si tu savais le nombre de plaies et de bosses qu'on voit défiler ici...

Ellen hocha la tête, muette et glacée.

Marian lui indiqua une porte close marquée « salle de soins ».

— Vas-y, tu peux entrer.

Les cris de sa fille s'amplifièrent quand elle ouvrit la porte. Elle s'arrêta. Le ton avait changé : à présent, de la peur se mêlait à la douleur. Elle se sentit mal. Elle avait la sensation de se replier sur elle-même, de se recroqueviller. Les cris créaient en elle une panique qui l'aspirait vers l'intérieur. Ben lui fit face, une seringue vide à la main.

— Voilà, le pire est passé, annonça-t-il. Elle ne sentira plus rien.

Ellen hocha la tête, mais c'est à peine si elle l'entendait. Un goût acide montait dans sa gorge. L'image de la main de Ben, qui brandissait la longue aiguille, s'était fichée dans sa tête. L'odeur de désinfectant… Elle courut à l'évier et vomit.

— Pardon, dit-elle. Je ne sais pas ce qui m'a pris…

Elle leva la main pour s'essuyer mais la laissa pressée contre sa bouche. Tout lui semblait trop brillant, les lignes trop nettes, les angles trop saillants. Ben, Zelda, James étaient des statuettes de verre entourées de lumière. Le mur, froid et dur, lui rentrait dans le dos.

James l'observait en silence.

— Je ne lui fais que quelques points de suture, expliqua Ben avec un calme tout professionnel. Ne regarde pas, si tu préfères.

Il alla ouvrir la porte et fit signe à Marian qui accourut.

— Tu devrais emmener Ellen à la maison et lui offrir une tasse de thé…

Marian la prit en charge et la fit passer par une porte qui donnait dans la partie privée. Le cabinet aseptisé et blanc laissa place à des tons chauds de bois ciré et de tapis orientaux. La porte, en se refermant derrière elles, étouffa les pleurs de Zelda.

— Viens dans la cuisine.

Marian ouvrit encore une porte, et elles entrèrent dans une pièce éclairée par le soleil matinal. Une légère odeur de pain frais les accueillit. Elle mit la bouilloire sur le feu et sortit des tasses et des soucoupes.

— Assieds-toi, ne t'inquiète pas. Zelda va très bien se remettre. Les points de suture, ce n'est rien du tout…

Elle continua à parler pour couvrir le silence d'Ellen.

— Dans deux heures, elle courra de nouveau comme un lapin, ça ne sera bientôt plus qu'un mauvais souvenir.

Ellen la laissa parler. Elle avait l'impression d'être dans du coton, comme après une migraine quand le souvenir encore vibrant de la douleur persiste. Elle essaya de fixer son attention sur la ligne de casseroles en cuivre sur le mur, sur les rideaux vichy, les assiettes peintes à la main. C'était une cuisine de magazine de décoration, importée d'ailleurs. On ne devinait qu'on se trouvait dans l'île qu'au moulinet de canne à pêche posé sur une étagère.

— Pardon, fit Ellen en se rendant compte que Marian attendait une réponse. Je n'ai pas entendu.

— Ce n'est pas grave. Je disais juste que tu n'as pas de famille ici, je crois ?

— C'est ça.

— Ils sont tous en Amérique ?

Par la porte-fenêtre, on voyait le jardin, clos par des murs.

— La famille de James habite à Washington, indiqua-t-elle sans plus de précisions. Moi, je n'ai personne.

Il y eut un bref silence. Aucun bruit ne leur parvenait de la salle de soins.

— C'est triste, je suis désolée, fit Marian en lui tendant sa tasse. Tiens, c'est une de mes œuvres.

Ellen goûta le thé et fit signe qu'elle l'appréciait.

— Non, la tasse, je veux dire !

— Elle est très jolie.

Comment s'enfuir ? Elle s'efforça de boire son thé brûlant le plus vite possible.

— Mes abonnements sont arrivés, annonça Marian en désignant quelques magazines au bout de la table. Je tâche de me tenir au courant, mais je me demande pourquoi je me donne autant de mal. Parfois, j'ai l'impression que Ben a décidé de finir ses jours sur l'île.

— C'est très beau, ici.

Marian eut un rire de dérision.

— Ça va, si on aime la montagne, la plage et les moutons. Moi, je préfère les galeries d'art, les cafés, les boutiques, les concerts…

Elle hésita, puis se décida à poursuivre.

— Ben m'a dit que tu étais danseuse. Ça ne te manque pas ? La scène, les gens intéressants ?

— Oh, tu sais…

Dans le jardin, un chat noir grattait la terre.

— Tu as rencontré qui ? Des gens connus ? Vas-y, raconte !

— Je ne me souviens pas bien…

Le téléphone sonna, et, fort heureusement, Marian alla répondre. Ellen quitta sa chaise et posa sa tasse dans l'évier. Par la fenêtre, elle vit James dans le jardin avec Zelda dans les bras. Elle se collait à lui, le visage caché dans son épaule. Éclairés par un beau soleil hivernal, entourés par de hauts buissons et des plantes grimpantes, ils lui rappelèrent un tableau. C'était une vieille reproduction qui ornait la salle à manger de l'école de danse et qu'avaient laissée les sœurs de l'ancien couvent. Elle représentait Jésus, cheveux longs, sandales de hippy, qui portait un enfant dans ses bras. Une petite fille bien sage, avec des boucles dorées et des vêtements de bonne famille anglaise. « Laissez venir à moi les petits enfants », disait la légende.

Zelda s'agita un peu, et James pencha la tête pour l'embrasser sur la joue. Ellen était fascinée. Ils ne faisaient qu'un, ressemblaient à des îliens de souche. La petite Zelda, brunie par le soleil et le vent, rendue forte par les repas nourrissants de *muttonbirds*, de poisson frais, de lait de ferme. Et James, grand et puissant, aux mains rudes. Il se tenait pieds écartés, comme s'il était sur le pont de son bateau et qu'il était en mer.

Ce même soir, assise face à lui de l'autre côté de la cheminée, Ellen observa James pendant qu'il lisait à Zelda une histoire avant de la coucher. Le drame était depuis longtemps oublié, les larmes séchées, et les points de suture cachés sous les cheveux.

— « Et le petit ours dit : “Qui a dormi dans mon lit ?” » lut James d'une voix haut perchée.

Zelda prit Ellen à témoin, enchantée.

— Papa, c'est le bébé ours !

James continua sa lecture, la tête posée sur celle de Zelda. Ses cheveux blond-roux, longs, à présent, se mêlaient à ceux de sa fille. Ellen étudia leurs visages. Elle a mes cheveux, songea-t-elle, mes yeux, ma bouche, mon nez. Elle n'a rien de James. Elle me ressemble trait pour trait.

— Et ensuite, qu'est-ce qui s'est passé ? demanda James à Zelda en arrivant à la fin de l'histoire.

— Elle vécut heureuse et eut beaucoup d'enfants, dit Zelda.

— Oui, comme nous, compléta James avec un rire. Bon, va embrasser Ellen.

Zelda approcha et lui posa la tête sur les genoux.

— Pardon, dit-elle.

Ellen fut très surprise.

— Pourquoi, pardon ?

— Il a été vilain, le tricycle dans la maison, ce matin.

Des cris d'oiseaux de nuit percèrent le silence. Ellen jeta un coup d'œil sur James.

— C'était un accident, ce n'était pas ta faute, dit-elle en lui caressant les cheveux.

— Bonne nuit, maman.

— Bonne nuit, bébé.

Ellen la prit dans ses bras et la serra bien fort, respirant sa tiède odeur d'enfant propre.

— Je t'aime, mon ange.

James se pencha sur Ellen et lui toucha la joue pendant qu'il glissait l'autre main sous les draps. Il trouva son sein, petit et doux, puis continua la caresse vers le bas du corps.

— Attends, tu abîmes mon livre.

Ellen s'écarta et s'assit dans le lit.

— On s'en fiche, protesta James en la reprenant dans ses bras. Des livres, il n'y a que ça partout.

Il se coucha sur elle, avec sa force écrasante, et voulut lui ouvrir les jambes avec un genou.

— Pas question ! s'exclama Ellen en riant.

Ses cuisses et ses mollets se raidissaient pour lui résister.

James la prit par une épaule et une jambe et la fit rouler sur le ventre. Il se coucha sur elle, le corps soudé au sien.

— Tire les rideaux, dit Ellen.

— Quoi ?

— Au moins, éteins la lumière, alors.

— Mais bon sang !

James roula sur le côté pour appuyer sur l'interrupteur.

— Tu crois que les gens s'amusent à venir nous guetter dans le noir, en attendant le spectacle ?

Ellen ne répondit rien mais se tourna sur le dos. Le feu, dans la cheminée, rosissait doucement sa peau. La respiration régulière de Zelda montait derrière le rideau.

James se pencha au-dessus d'elle ; il regarda son corps pâle et mince, presque fluorescent dans la pénombre, et ses grands yeux sombres.

— Tu n'es encore qu'une petite fille, remarqua-t-il en se baissant pour lui poser un baiser sur le nez. Je parie que tu as à peine changé. Je te vois très bien avec des nattes et un appareil.

— Non, je ne suis pas une petite fille ! J'ai vingt-six ans. J'ai une fille de trois ans et demi.

— Mais tu en as porté un ? Un appareil ? J'ai toujours pensé que tes dents étaient trop parfaites.

— Non !

— Sûre et certaine ?

— Tout à fait sûre.

— Mesdames et messieurs, une grande première mondiale ! Ellen se souvient enfin d'un élément de son passé ! Je ne sais pas pourquoi tu fais tellement de mystères. Parfois, je me demande ce que tu me caches. Une double vie. Peut-être, ajouta-t-il avec un rire, que tu es recherchée par la CIA. Tu es sans doute un peu jeune, pour ça...

— Tu as raison, quand même. J'ai bien une vie secrète,

remarqua Ellen avec un sourire. Je suis riche et célèbre, tu ne savais pas ? Belle, sexy…

— Ah ! Très drôle. Ellen, l'idole des jeunes, le sex-symbol. Les yeux de braise. Viens ici, mon chéri. Tu parles, tu restes là comme une bûche.

Ellen se dégagea et se réfugia à l'autre bout du lit. Elle ravalait ses larmes, la tête emplie d'un bruit horrible.

— Quand j'étais plus… enfin… quand j'en faisais plus, dit-elle finalement, tu n'aimais pas ça. Tu te plaignais que je jouais la comédie.

— Mais c'était vrai ! J'entendais presque le réalisateur te souffler ton texte !

— Tu vois ? Avec toi, on a toujours tort.

Ellen ferma les yeux, et un long silence se fit. Elle se sentait vieille et fatiguée.

— Allez, je n'ai pas envie de me disputer, Ell, finit par dire James. Viens là.

Il l'attira à lui et lui caressa les cheveux. Sa main continua le long de son épaule et descendit pour se refermer sur son sein.

Un bruit sur le toit réveilla Bluey qui courut à la porte et se mit à gémir.

Ellen se contracta.

— Ce n'est rien, rien que des opossums, la rassura James.

Ellen le regarda fixement dans le noir.

— Ce n'est pas ça qui me fait peur, dit-elle après un temps. C'est le chien qui pleure. C'est…

Elle chercha ses mots, sachant le poids qu'aurait la phrase quand elle sortirait dans le noir. Elle essaya une plaisanterie.

— C'est comme d'attendre chez le dentiste.

— Tu es dingue !

James lui tourna le dos et remonta les couvertures sur ses épaules.

— Si tu ne t'endurcis pas, tu n'arriveras jamais à montrer l'exemple à Zelda quand il faut être courageuse. Prends moins les choses à cœur. Relax, d'accord ?

Ellen sentit qu'il écoutait, qu'il attendait une réponse. Elle ne parvint qu'à émettre un petit rire.

Cela sembla lui suffire. Il se renfonça un peu plus sous les couvertures et s'apprêta à s'endormir avec un soupir.

— Fais de beaux rêves...

Ellen regarda la masse sombre du corps de James à côté d'elle, écouta le rythme lent et régulier de sa respiration. Quel genre de rêves faisait-il ? Il passait des nuits calmes, sereines. Il ne criait jamais dans son sommeil. Il n'avait jamais peur... Elle repensa au cabinet du médecin, aux hurlements de terreur de Zelda. La main. L'aiguille. Puis la lumière, la netteté, comme si la vie prenait du relief, devenait plus vraie que nature. Cela lui rappelait quelque chose.

La voix de Carter. Claire et sonore dans la scintillante nuit new-yorkaise.

— Tes yeux brillent trop, ça ne me plaît pas.

Il avait fouillé dans son sac et trouvé les acides : des petits carrés de buvard enveloppés dans du papier d'alu.

— De la merde achetée au dealer du coin, en plus ! Je suis ton agent, pas ta mère, mais j'ai deux règles absolues : pas de rendez-vous manqués et pas de drogue. Monte dans la voiture.

La longue limousine noire avec ses banquettes profondes. On aurait aimé y rester couché toute sa vie, ne plus jamais rentrer chez soi.

Des larmes emplirent les yeux d'Ellen, débordèrent vers les coins, ruisselèrent jusqu'aux tempes, mouillèrent ses cheveux. Elle n'avait pas pris d'acide depuis des années, ni aucune autre drogue. Elle réfléchit, essaya de pister ses pensées dans le labyrinthe de son cerveau.

Quelque chose ne va pas. Je suis détraquée. J'ai l'impression de devenir folle. Comme sœur Annunciata. Enfermée dans la maisonnette du jardinier, elle parlait toute seule et ne sortait que pour ramasser les repas qu'on lui déposait sur un plateau devant sa porte. Pauvre Annunciata, la moins importante de toutes. Pas de mari, pas d'enfants qui l'aimaient. Rien que l'anneau d'or étroit à son doigt. Rien que l'amour de Dieu.

Une peur atroce la paralysait. Quelle horreur ce serait de finir sa vie toute seule. Abandonnée. Dans l'obscurité, Ellen chercha le réconfort des objets familiers... mais ses obsessions continuaient de la hanter. Prenant grand soin de ne pas réveiller James, elle descendit du lit et alla à pas de loup dans la salle. Là, elle alluma une bougie qu'elle garda à la main et s'assit.

La chaude lumière vive de la flamme lui donna du courage. Sans se soucier de la cire qui coulait sur ses doigts, elle se concentra sur la flamme. Elle se força à prendre des inspirations profondes, régulières. Peu à peu, son angoisse s'atténua.

8

L'aube nimbait la montagne de ses franges d'or, mais l'ombre de la nuit s'attardait encore sur la cime des arbres. La plage s'étendait en un lavis du blanc le plus pur, rehaussé de gris.

Laissant James et Zelda, Ellen courut en avant à grandes enjambées. Elle sauta, jambes et bras tendus, tête haute, dos droit. Elle retomba sur le sable ferme, frais et plat. Elle fit encore un saut, puis une pirouette, toucha à peine le sol puis repartit comme une flèche.

Elle les attendit au bout de la plage, là où le sable laissait place aux rochers de granit clair, colorés par les taches jaunes du lichen. Elle était essoufflée, et ses joues étaient roses.

— On aurait cru une fée ! cria Zelda alors qu'ils la rejoignaient.

Ellen avait l'air pensive.

— Je perds la forme, commenta-t-elle.

Ils continuèrent la promenade, passèrent de rocher en rocher, chacun suivant son chemin, s'arrêtant pour regarder les grappes de moules violettes au fond des failles. Près d'une grande flaque retenue par les rochers, ils firent une halte pour manger leurs muffins à la confiture. Ils se penchèrent par-dessus les algues du bord et regardèrent les anémones de mer agiter leurs fins tentacules rouges dans l'eau.

— Tas appelle ça des sangsues, fit remarquer James.

Il plongea le bras dans l'eau et en toucha une du bout du

doigt. L'animal se contracta et rentra ses filaments. Zelda poussa des cris de joie et voulut imiter son père mais, avant même de l'effleurer, elle retira sa main avec des glapissements.

— On devrait rentrer, dit Ellen en contemplant les cercles que formaient les miettes de son muffin sur l'eau. J'ai à faire dehors avant qu'il ne fasse trop chaud.

— Pour moi, il ne fait jamais trop chaud, intervint Zelda. Hein, papa ?

James regardait la mer. Il se tourna vers la terre et contempla la ligne des montagnes, les hauteurs parsemées de buissons tordus par le vent.

— On est au bout du monde, commenta-t-il, rêveur. C'est comme si nous étions les seuls êtres humains sur terre.

— Ah, si seulement..., soupira Ellen.

— Ça te plairait ? Pourquoi ?

— Je ne sais pas. Tout serait tellement plus simple. On n'aurait plus besoin de se faire de soucis pour les gens. Personne ne mourrait de faim, ou de froid.

James la considéra avec surprise.

— C'est ça que j'aime, chez toi, Ell. On ne sait jamais ce que tu vas bien pouvoir dire... ou faire, d'ailleurs. Il faut se méfier de l'eau qui dort, disait ma mère. Sous la surface s'étendent des profondeurs insoupçonnées. Ta tête est un vrai mystère.

Ils se remirent en marche en silence. Même Zelda cessa de tout montrer du doigt et de bavarder. Le soleil qui montait dans un ciel sans nuages les suivit sur le chemin du retour.

L'eau qui dort... Ellen regardait dans toutes les flaques d'eau de mer qu'elle rencontrait. Certaines étaient si sombres qu'on n'en voyait pas le fond. Elles recelaient sans doute des choses terribles. James avait raison. On ne pouvait jamais savoir ce qu'elle allait faire. Soudain, elle s'arrêta et s'accroupit.

— Regardez ! Viens voir, James !

Il prit la main de Zelda pour l'aider à marcher sur les pointes des bernaches et approcha avec elle.

— Là...

Ellen indiquait un espace entre les rochers. Au milieu d'un lit de sable reposait un gros coquillage blanc. Sur le fond noir de la roche basaltique qui l'entourait, la forme pâle brillait comme si elle était illuminée de l'intérieur.

— C'est un nautile, déclara Ellen avec révérence.

— Et alors ? demanda James.

— J'ai lu des explications sur les nautiles dans le musée de Joe. On n'en trouve que tous les sept ans. On ne devrait pas en voir maintenant, continua-t-elle en levant les yeux vers lui. Joe m'a dit que la dernière fois, c'était il y a quatre ans.

James ramassa le délicat coquillage et le posa dans sa paume.

— C'est un heureux présage, alors, conclut-il. Peut-être le début de sept ans de bonheur.

Il le donna à Ellen.

— Tu sens ? Ça ne pèse rien. C'est incroyable.

Elle passa le bout des doigts sur le motif en relief incolore. Il était fin comme du papier. Elle l'imaginait dans l'eau, fragile esquif sur la mer déchaînée. Il évoluait dans un endroit dangereux, profond, noir, infini, avec des rochers, des récifs, des courants.

— Donne !

Zelda voulut l'attraper, ses mains avides tendues vers le coquillage.

— Tu peux regarder, mais pas toucher, prévint Ellen.

Elle se pencha pour protéger le nautile.

— Je veux le prendre dans mes mains ! cria Zelda. Je veux le toucher !

— Non, tu regardes, c'est tout.

— Donne-le-lui. Elle ne le cassera pas, intervint James.

— Papa a dit que j'avais le droit !

Zelda défiait Ellen de ses yeux sombres.

— D'accord. Tiens.

Zelda s'éloigna de quelques pas et fit semblant d'observer le coquillage. Elle se le colla à l'oreille.

— Il ne marche même pas, s'indigna-t-elle. On n'entend pas la mer ! Tiens, papa, dit-elle en le rendant à James.

Il reprit le coquillage et le rangea soigneusement dans le sac à dos d'Ellen, sur le dessus, avec les restes de muffin et la bouteille d'eau.

— Allez, on y va. Je ne veux pas manquer la marée. J'ai du travail.

Quand ils regagnèrent leur plage, ils aperçurent Lizzie et ses fils qui pêchaient du haut des rochers. James leur fit signe, mais continua sans s'arrêter pour aller à la jetée où *Le Bourdon* oscillait sur ses amarres.

— Nous ne pouvons pas rester pêcher avec eux, dit Ellen à Zelda en les rejoignant. On leur dit bonjour, c'est tout.

Lizzie se leva.

— Salut ! cria-t-elle. Où étiez-vous partis si tôt ? Je pensais vous trouver chez vous.

— Nous sommes allés faire un tour.

Ellen aida Zelda à monter sur le grand rocher plat d'où les trois garçons avaient jeté leurs lignes.

— Bonjour Sammy, bonjour Mickey, bonjour Drew. Vous avez attrapé du poisson ?

— Nan, répondirent-ils en chœur sans se tourner.

Zelda se faufila entre Drew et Mickey et s'accroupit, coudes sur les genoux.

— J'ai apporté une Thermos, annonça Lizzie. Drew, surveille Zelda pendant qu'on prend un thé. T'as compris ?

— Oui, m'man.

Ellen suivit Lizzie jusqu'au sable. Dans l'ombre clairsemée des *she-oaks*, une couverture disparaissait sous un beau désordre de sandales, de battes de cricket, de balles, de serviettes et de sacs.

— Ah, les garçons ! soupira Lizzie avec bonne humeur.

Elle fit de la place, s'assit, sortit une grande Thermos métallique de pêcheur et versa deux tasses de thé.

Ellen s'installa à côté d'elle, et but la boisson forte et chaude.

— Regarde Zelda, s'émerveilla Lizzie avec un sourire. Tu as vu comme elle est heureuse entre Mickey et Drew ? Pour elle, c'est le paradis ! Si j'étais sûre d'avoir une fille, je referais un enfant demain !

— Vraiment ?

— Oui, je t'assure ! J'adorerais avoir une fille.

— Pour une raison particulière ?

— Je ne sais pas... Pour avoir quelqu'un qui serait... comme moi. Quand je vous vois toutes les deux, Zelda et toi, ça me fait envie. Elle te ressemble comme deux gouttes d'eau. Ça doit être génial.

Ellen ne répondit rien.

— Mais si, insista Lizzie. Avoue que c'est bien.

— Je ne sais pas, répondit Zelda d'une voix pensive. C'est spécial, en tout cas. (Elle parla plus bas, même si les enfants étaient trop loin pour entendre.) Mais justement, ça me gêne qu'elle me ressemble autant.

— Pourquoi ?

— Oh, je ne sais pas...

— Bien sûr que tu le sais, ça se voit sur ta figure. Qu'est-ce qui ne va pas ?

— Je ne crois pas que je saurais l'expliquer...

Ellen regarda au loin. La forme sombre d'un bateau se découpait sur la mer.

— Essaie, insista Lizzie.

Ellen se mordilla l'ongle d'un doigt.

— C'est comme si... Tu crois à la télépathie ?

— Oui, dans certains cas.

— Bon, c'est un peu pareil. Parfois, Zelda me regarde, et j'ai l'impression qu'elle...

— Quoi ? Continue...

— Je ne sais pas... Par exemple, si elle est en haut d'un rocher, j'ai l'impression qu'elle me dit : « Tu veux que je tombe et que je me fracasse la tête. » Ou si je tiens un fer à repasser chaud, ou que je ferme la portière de la voiture. Ça... ça vient de quelque part à l'extérieur de moi, ou bien de l'intérieur, d'un endroit enfoui très profondément. Parfois, je me demande si je ne fais pas semblant de l'aimer comme une mère, mais que tout au fond je la déteste.

Lizzie la contemplait, les yeux ronds.

— C'est terrible ce que tu dis ! Tu ne le penses pas vraiment. Il faut que tu en parles à James. Que tu prennes des vacances.

Ellen hocha lentement la tête. Elle ramassa un morceau de bois flotté raviné et poli par l'eau et le vent et passa l'ongle sous les fibres.

— Écoute, Ellen, tu devrais me laisser Zelda et aller faire un tour sur le continent. Cours les magasins, va au cinéma. Pour nous, c'est plus facile, parce que nous sommes nés sur l'île et que nous y avons toujours vécu. Sinon, on a besoin de prendre l'air de temps en temps pour ne pas tourner pré-salé !

— Qu'est-ce que ça veut dire ?

— C'est ce qui arrive aux vaches qu'on laisse paître dans les prés près de la mer. L'herbe a une carence en minéral, un élément dont elles ont besoin, je ne sais plus quoi. Au bout d'un moment, elles ont la tête qui pend. Elles deviennent à moitié folles.

— Merci pour la comparaison…

— Je t'en prie ! Mais sans blague, n'hésite pas, si tu veux…

Elle releva la tête et poussa un cri de joie.

— Hé ! Ils ont attrapé quelque chose ! Attention ! cria-t-elle en se levant d'un bond. Ne tombez pas à l'eau, les enfants ! Vous m'entendez ?

9

La mer scintillait comme des diamants sous le soleil. Zelda se baignait, de l'eau jusqu'aux genoux. Elle poussait des cris et sautait dès qu'une vaguelette venait se briser sur elle. Ellen la surveillait du bord, assise dans le sable, les jambes baignées par l'écume qui remontait sur la plage.

— Donne-moi une leçon de natation ! cria Zelda.

— C'est papa qui t'apprend. Je ne sais pas ce qu'il faut faire.

— Je vais te montrer. Allez, viens ! S'il te plaît !

Ellen se leva contre son gré, détacha son sarong et le jeta derrière elle sur le sable sec avant d'entrer dans l'eau.

Zelda l'observait. Son regard passa d'un sein à l'autre, puis au triangle de ses poils.

— Les mamans, ça porte des maillots, protesta-t-elle.

— Certaines, oui, mais pas la tienne. En tout cas, pas sur notre plage.

— Pourquoi ?

— Parce que personne ne peut nous voir.

— Lizzie en met toujours un, elle.

— Je sais, soupira Ellen. Bon, tu veux que je t'aide à nager, oui ou non ?

Zelda hocha la tête et montra le large.

— Il faut qu'on aille plus profond.

Elles avancèrent dans l'eau côte à côte, la main de Zelda posée sur la cuisse d'Ellen, prête à s'accrocher.

— Maintenant, il faut que tu me tiennes, maman, expliqua-t-elle en s'arrêtant.

Elle s'allongea dans l'eau, bras tendus, aidée par Ellen qui la soutenait sous le ventre. Sa peau était douce, glissante de crème solaire. Ses membres formaient des lignes claires et ondulantes.

— Et maintenant, on fait quoi ? demanda Ellen.

— Tu me tiens bien pendant que je fais mes mouvements.

Zelda relevait la tête très en arrière pour ne pas avoir d'eau sur le visage.

— Ne me laisse pas couler, hein !

Son regard inquiet se fixa sur sa mère, puis, contractée par l'effort, elle se lança dans une brasse désordonnée qui éclaboussait beaucoup.

Ellen la tenait à bout de bras du mieux qu'elle pouvait. Elle la quitta des yeux pour regarder l'horizon. Plus loin, la mer était froide, profonde ; des formes sombres se faufilaient en silence sous les bateaux, si innocents en apparence.

Soudain, Zelda se mit à tousser, à s'affoler. Elle se débattit, puis elle hurla et but la tasse. Elle coulait. Son petit visage se relevait comme une lune blanche sur l'eau.

Ellen ferma les yeux. Elle devina ce qui allait arriver comme si elle avait déjà vécu la scène. Ses mains allaient pousser sur la petite tête chaude et dure, l'enfoncer sous l'eau. Les cheveux remonteraient en tourbillonnant comme des algues. Les bras et les jambes s'agiteraient en vain. Des doigts sans force se crisperaient sur les grandes mains puissantes. Les oreilles se rempliraient d'eau. Des petits bruits sous-marins cogneraient à ses tympans…

Une agonie sans fin, ou rien n'était réel, rien n'avait de sens.

Non ! Paralysée, glacée, Ellen fit un effort surhumain pour trouver la force de résister. Elle colla les bras contre son corps ; elle ne se laisserait pas entraîner. Elle refusait la fatalité.

Elle rouvrit les yeux à temps pour voir Zelda disparaître. Une vague passa sur la tête de sa fille et roula calmement, laissant derrière elle une eau sans rides.

Zelda ! Le hurlement monta du plus profond de son être, tel un cri dans un cauchemar qui cherche à percer l'inertie du sommeil pour se faire entendre.

— Zelda !

Elle plongea pour la repêcher, se jeta sous l'eau et rattrapa le petit corps de sa fille. Elle la tira vers la surface, vers l'air et le ciel. Zelda battait encore des bras. Elle eut des hoquets, toussa, recracha de l'eau, folle de terreur.

— Maman ! cria-t-elle dès qu'elle put respirer de nouveau. Maman !

— Tout va bien, je te tiens. Maman est là.

Ellen se pencha pour la laisser s'accrocher à son cou et sentit son visage chaud et mouillé se presser contre ses seins.

Elle porta Zelda hors de l'eau et s'effondra avec elle sur le sable. Elle la serra très fort, pressa les lèvres sur sa peau salée, caressa son dos frais et doux tandis que des larmes coulaient sur ses joues.

— Tu m'as glissé des mains comme un petit poisson, expliqua-t-elle d'une voix qu'elle voulait légère mais qui s'étrangla dans un sanglot.

— Maman…

— Ça va, mon ange, tout va bien.

Un long moment s'écoula. Le soleil leur brûlait les épaules. Des oiseaux de mer planaient autour d'elles. Zelda finit par s'apaiser et se dégagea de ses bras.

— Maman… Ne pleure pas, maman.

Mais Ellen avait les yeux rivés sur le sable, hypnotisée par les myriades de grains polis et taillés comme des joyaux. Ses pieds s'y enfonçaient jusqu'aux chevilles, déjà perdus. Elle coulait, allait disparaître.

— Je veux rentrer, gémit Zelda.

Elle se mit à pleurer à chaudes larmes, lèvres tremblantes, et fit quelques pas en arrière tout en la suppliant du regard.

— Allez, viens, maman !

Mais Ellen était incapable de détacher ses yeux du sable. Seuls ses cheveux bougeaient dans la brise.

Alors, à contrecœur, Zelda tourna le dos et partit.

10

— Je ne peux vraiment rien vous apporter ?

L'hôtesse se penchait sur elle avec un sourire du bout des lèvres.

Ellen ferma les yeux derrière ses lunettes de soleil et s'abstint de répondre. Il y eut un silence, puis elle entendit l'hôtesse repartir, laissant derrière elle une légère odeur de parfum français. Un parfum qui lui était familier. Ellen se força à en retrouver le nom, à faire travailler sa mémoire… Ah, oui ! L'Air du temps…

Un steward prit le relais, poli mais distant.

— Madame, puis-je vous apporter quelque chose ?…

Elle secoua la tête. Bien sûr, ils se posaient des questions à son sujet, essayaient de la reconnaître malgré ses lunettes noires. J'ai oublié de demander ma place habituelle, songea-t-elle. J'ai la 2B, je crois. Elle s'efforçait de penser à des choses sans importance, pour stimuler son attention dès qu'elle la sentait retomber. Autrefois, elle prenait toujours la place 1B, ainsi que la 1A qui restait vide à côté d'elle si elle voyageait seule. La clause figurait dans son contrat. Une erreur de réservation avait été commise un jour, et elle avait refusé de monter dans l'avion. Carter encourageait ce genre de comportement. C'était bon pour son image, disait-il. Carter… Elle se rappelait sa réaction, enchantée mais méfiante quand elle lui avait téléphoné. Tu as intérêt à venir m'attendre à l'aéroport, pensa-t-elle.

Une hôtesse écarta le rideau qui les séparait de la classe tourisme, et conduisit une petite fille vers l'avant de l'avion. Ellen tourna la tête pour les voir passer. L'enfant avait un visage ouvert et joyeux, des cheveux séparés au milieu par une belle raie bien droite, avec deux nattes régulières. Sa jupe ample se balançait au rythme de ses pas et frôlait les accoudoirs et les bras des passagers. La porte de la cabine de pilotage s'ouvrit brièvement, révélant des dos en uniforme et du ciel bleu, et la fillette disparut à l'intérieur.

Ellen baissa la tête pour se cacher derrière ses cheveux. Ses mains se crispaient sur ses genoux.

Mon ange.

Des larmes formèrent un écran devant ses pensées. Elles débordèrent, coulèrent sur ses joues. Ellen repoussa ses lunettes, ferma les paupières et appuya fort avec les mains pour les comprimer, mais en vain. Ses souvenirs trop précis lui étaient tellement douloureux…

Lizzie se penche sur Zelda, lui promet de la glace, des déguisements, et de lui raconter des histoires au coin du feu.

Puis Lizzie fait des signes d'adieu à Ellen et lui crie une dernière phrase :

— Je te la ramène après le goûter. Ça te laissera le temps de rattraper ton retard !

Une ombre de doute efface son sourire tandis qu'elle étudie le visage d'Ellen.

— Tu es sûre que ça va ?

Incapable de répondre, Ellen se contente de hocher la tête.

— Ne t'inquiète pas, je sais ce que c'est, enchaîne Lizzie gentiment. On se laisse vite déborder. N'en fais pas trop, d'accord ? Allez, Zelda, va faire un bisou à maman.

Sa fille traverse la cour. Ses longs cheveux noirs dansent sur ses épaules. Une fois auprès d'Ellen, elle s'arrête et lui lance un sourire.

— À tout à l'heure ! Je suis contente de passer la journée avec Lizzie !

Ellen se baisse, aveuglée par ses larmes, et cherche la joue qui se tend vers elle. Elle n'ose ni respirer ni parler. Elle appuie les lèvres sur la peau douce et tiède.

La petite lui échappe.

Ellen retourne au cabanon, s'immobilise sur le seuil, les deux mains plaquées au bois de la porte. Paralysée, elle voit Zelda grimper dans la voiture de Lizzie. Les vitres sont couvertes de poussière, et l'on ne distingue à l'intérieur que de fantomatiques visages ; déjà ils s'effacent…

Un petit coup de klaxon, et la voiture part, s'éloigne sur la piste. La tache rouge disparaît et reparaît entre les arbres. Puis, finalement, elle se perd dans la brume bleutée de cet après-midi d'été.

Ellen s'étouffe, comme si l'air était soudain aspiré de ses poumons et qu'il ne restait plus que du vide. Elle s'écroule contre la porte. Les minutes passent. Figées, infinies. Au bout d'un moment, elle se secoue, se tourne vers la pénombre du cabanon. La valise vide et poussiéreuse attend sous le lit. La page blanche de la lettre qu'elle n'a pas encore écrite est déjà posée sur la table et doit être remplie.

Carter retrouva Ellen à la sortie du contrôle des passeports. Il l'attira vite à l'écart et l'étudia quelques secondes avant de la serrer dans ses bras.

— Baby, dit-il d'une voix heureuse. C'est super de te voir. Bienvenue à New York. Te voilà enfin ! La voiture est par ici.

Ellen lui posa la tête sur l'épaule.

— Je ne me sens pas bien.

De la fenêtre de la limousine qui les emportait vers la ville, elle regardait les voitures. Toutes grises et sales. Rien n'avait changé. Rien de rien. Elle sentit que Carter l'observait.

— Ellen, finit-il par dire. Si je peux faire quoi que ce soit. Si tu veux me raconter…

Il n'insista pas, mais son regard brillait de curiosité.

— Non, pas maintenant. Mais… merci, et merci d'être

venu me chercher. Je n'avais envie d'appeler personne d'autre.

Carter l'étudia encore un moment, puis il sourit.

— Si tu savais combien de rendez-vous j'ai annulés, combien de carrières j'ai cruellement interrompues pour venir à l'aéroport !

— Tu peux me trouver un hôtel ?

— Oh, je suis sûr qu'on va bien te dénicher un petit coin dans un de tes vieux repères ! Tout est arrangé, enchaîna-t-il en lui tapotant le bras. Repose-toi, je t'enverrai la voiture vers sept heures pour t'emmener dîner. Comme au bon vieux temps.

Ellen se laissa aller au fond de la banquette moelleuse et ferma les yeux.

La voiture remonta l'allée de l'hôtel. Des portiers et des porteurs accoururent aux signes de Carter, firent entrer Ellen et la conduisirent à sa suite.

On lui ouvrit une porte, les lumières furent allumées. Tout le monde l'appelait « Mlle Kirby ».

— Je suis déjà venue ici ? demanda-t-elle à Carter.

— Oui, très souvent. C'est ton ancienne suite, mais elle a été rénovée. Je crois aussi qu'un gratte-ciel a été construit en face. (Il approcha de la fenêtre.) Autrefois, on voyait la statue de la Liberté.

Ellen voulut le rejoindre, mais stoppa en chemin : un bouquet, dans la chambre à coucher, avait attiré son attention, allumant un bref espoir qu'elle étouffa vite. Il devait être fourni par la direction de l'hôtel, ou envoyé par Carter, ou plus probablement encore par son secrétaire.

— Oui, on la voyait juste là, derrière cette tour, continua Carter avec un geste. Bref, reprit-il en lui faisant face, tu vas pouvoir te reposer, baby ?

— Oui, bien sûr.

— Je vais te faire monter du Perrier.

— Merci.

Tandis qu'elle le raccompagnait à la porte, elle se souvint qu'un dernier point n'avait pas encore été réglé.

— Ah, oui, je vais avoir besoin d'argent. Il doit bien m'en rester ? Je ne sais plus ce qui a été décidé au moment de notre départ. C'est James qui s'est occupé de tout.

Carter s'arrêta.

— Baby, je verse sans arrêt de l'argent sur ton compte. (Il compta sur ses doigts boudinés.) Les droits sur les poupées. La marque Young. Les publicités. Les intérêts. Tu roules sur l'or.

Une légère ombre passa sur son visage.

— Tu as besoin de combien ? Tu n'as pas de gros soucis, j'espère ?

— Bien sûr que non. C'est juste pour le quotidien. Tu sais comme la vie est chère, à New York.

— À qui le dis-tu ! On paye tout, même l'air qu'on respire !

Il sortit une poignée de billets de sa veste et les laissa tomber sur le guéridon.

— Tiens, voilà pour commencer. Je vais dire à Loïs de régler ça pour toi.

— Merci.

— Je t'en prie… Dis-moi… ce serait trop te demander de m'expliquer où tu étais passée, pendant toutes ces années ?

Ellen s'immobilisa, main tendue vers les billets. Elle s'était doutée qu'il allait lui poser des questions, mais pas si vite. Elle chercha une réponse qui ne vint pas. Sa tête était douloureuse, vide comme un gouffre. Elle leva vers lui des yeux brillants de larmes.

— Pardon, marmonna Carter. Repose-toi, ne t'en fais pas, on a le temps.

Il prit le menu du service d'étage et le lui tendit.

— Tu as faim ?

— Non.

Un lourd silence suivit ces paroles, mais Carter, qui ne se laissait pas facilement décontenancer, enchaîna.

— Je ne sais pas quoi te dire, baby. En tout cas, ce qui est sûr, c'est que je suis ravi que tu sois revenue.

Ellen était plongée dans une mousse épaisse. La bonne odeur de la vapeur la détendait. C'était son premier vrai bain depuis des années. Les murs de la salle de bains étaient couverts de miroirs, les serviettes-éponges étaient épaisses et veloutées, les chaises rembourrées, la moquette moelleuse. Elle se retrouvait dans son élément. En tout cas, dans le confort qu'elle avait connu avant le cabanon, et très bientôt elle s'y réhabituerait. Sans aucune difficulté, même. Elle était habituée à changer d'univers, à se glisser dans une nouvelle vie, à devenir quelqu'un d'autre. Plus profondes étaient les coupures, et plus elles faisaient mal...

Elle s'enfonça lentement sous la mousse, la laissa monter peu à peu autour de son visage, plus fraîche que l'eau du dessous. Elle ferma les yeux, se laissant aller sous l'eau. Ses cheveux flottèrent, puis coulèrent doucement, se déposèrent comme de longues algues ondulantes sur ses yeux et sa bouche. Une panique soudaine la gagna. La peur envahit son corps, se propagea dans tous ses nerfs. Au secours ! Les petites mains se débattaient, sans force, la bouche s'ouvrait pour hurler. *Maman !* Elle se raidit, incapable de bouger. La souffrance était trop violente, elle ne pouvait pas lutter. Alors, au lieu de résister à la terreur, elle s'obligea à la prendre à bras-le-corps, à s'y exposer comme à une flamme brûlante. Elle tint bon jusqu'à ce que, enfin, la peur capitule et qu'il ne subsiste plus qu'une douleur sourde, puis un trou noir et insensible.

Ellen vit Carter se lever pour l'accueillir pendant qu'elle traversait la salle dans sa direction, escortée par le serveur. D'autres dîneurs l'avaient aussi remarquée et tournaient la tête pour l'observer : des gens riches mais anonymes, à l'affût de célébrités. Ellen devina leur perplexité devant ses vêtements artisanaux, ne sachant si elle était simplement mal habillée ou, au contraire, à la pointe de la mode.

Carter semblait fasciné. Elle avait les cheveux dans le dos et avançait droite et souveraine, sûre d'elle. Même sans maquillage, elle avait les lèvres roses et un teint de pêche. Elle posa sur lui un regard calme et limpide.

Il lui sourit, mais attendit que le serveur lui eût avancé sa chaise et fût reparti pour parler.

— Franchement, je ne t'imaginais pas autrement, mais je ne sais pas comment tu fais pour être aussi délicieuse !

Ellen ne prit pas le compliment au sérieux.

— Je ne plaisante pas, je t'assure ! insista-t-il. C'est tout à fait ça ! La nouvelle Ellen !

Il servit le champagne tout en parlant. Un veuve-clicquot, avec une étiquette toute propre. Pas de poissons d'argent pour grignoter le papier, ici.

— Et tu le définirais comment, ce nouveau style ? demanda Ellen en camouflant son malaise derrière une ironie indulgente.

— Ève, répondit-il avec un clin d'œil. Tout droit sortie du jardin d'Éden.

Elle eut un rire, puis se pencha vers lui.

— Carter, écoute…

Elle s'interrompit et eut un mouvement de recul. C'était lui qui lui avait appris la manœuvre. On s'approchait des gens pour leur donner une impression de chaleur humaine. Ils se sentaient mieux écoutés, pensaient qu'on leur portait un grand intérêt, faisaient plus volontiers ce qu'on leur demandait.

— Je ne sais pas ce que je veux faire, reprit-elle. Peut-être danser, redevenir mannequin… J'ai besoin de réfléchir.

Carter hocha la tête et lui posa la main sur l'épaule avec une légère pression.

— Comme tu voudras, baby, il n'y a aucune urgence. Je suis là, tu n'as qu'à me dire.

Leurs regards se croisèrent. Elle reconnut alors l'ancien Carter : le roublard, le manipulateur qui n'agissait que pour servir ses intérêts. Elle se sentit très seule.

— Et Ziggy ? Comment va Ziggy ? Il y a plusieurs années, trois ou quatre ans, je l'ai vue dans un magazine australien. Un vrai choc... (Elle s'interrompit, détectant une retenue dans son regard.) Elle travaille toujours ?

— Non... Elle... heu... elle se soigne.

— Ziggy ! Mais elle n'était jamais malade !

— Mettons qu'elle était très sensible... les nerfs fragiles.

— Quoi, une dépression ?

— Je ne sais pas au juste.

Il avait pris un ton posé, lénifiant, en homme habitué à apaiser les femmes trop inquiètes.

— Je ne l'ai pas vue depuis longtemps. Je crois qu'elle est dans une maison de repos, en Nouvelle-Angleterre... Près de l'endroit où tu es née, il me semble.

Ellen attendit qu'il continue, les yeux rivés sur lui. Mais il ne voulait plus rien dire et gagna du temps en remplissant leurs verres et en prenant une gorgée de champagne.

Il finit par céder.

— J'ai son adresse quelque part. Je devrais pouvoir mettre la main dessus. Je lui ai envoyé des fleurs.

Son visage s'illumina, car, en regardant autour de lui pour trouver une diversion, il avait aperçu une connaissance.

— Michael !

Ellen vit un homme de haute taille vêtu d'un complet froissé traverser la salle pour les rejoindre. Personne ne lui prêta la moindre attention tandis qu'il passait entre les tables, son pardessus sur le bras, et une serviette fatiguée à la main.

— Ellen, tu te souviens de Michael Holland ? demanda Carter.

Il fit signe au serveur d'apporter une chaise. Ellen eut un sourire poli.

— Non, pas vraiment.

— Mais bien sûr que si... Assieds-toi, Michael.

L'homme tomba sur sa chaise comme s'il était épuisé.

— Bonjour, dit-il à Ellen.

Il s'arrêta un instant sur son visage, mais n'eut pas l'air de la reconnaître non plus. Il se tourna vers Carter.

— Tu me présentes ?

Il y eut un battement, puis Carter se mit à rire.

— Tu es impayable, Holland ! Faire semblant de ne pas reconnaître Ellen ! Elle n'est pas ravissante ? C'est vrai qu'elle a beaucoup changé.

Michael parut surpris.

— Oh, pardon ! Ça fait tellement longtemps...

Ellen inclina la tête.

— Je ne vous avais pas reconnu non plus.

Carter commanda une autre bouteille de champagne et se fit apporter le menu.

— Holland, tu dînes avec nous, pas de discussion.

Ellen lui lança un regard surpris, puis elle eut un soupçon.

— C'est Michael qui a écrit l'article sur toi dans *Teen*, tout au début, lui rappela Carter. Celui sur le Philanthrope aux chats.

Ellen prit une longue gorgée, les yeux baissés. Elle n'avait pas oublié cette interview... Holland s'était montré très empressé, très intéressé, et lui avait posé une foule de questions en couvrant son vieux calepin de notes en sténo. À l'époque, elle était jeune, timide, mais savait déjà répondre sans montrer sa peur. Assise sur un tabouret de bar, balançant les jambes, mais polie, elle n'avait esquivé aucune de ses questions. Et il avait trouvé la bonne accroche. Elle était déjà la Cendrillon des temps modernes, une star montante, une danseuse étoile renommée. Les jeunes de son âge ne pouvaient que s'identifier à elle. C'était lui qui avait révélé au public que ses leçons de danse avaient été financées par un vieux monsieur excentrique qui vivait seul dans une demeure délabrée avec ses quarante-sept chats. Ils s'étaient rencontrés par hasard alors qu'elle rentrait de l'école, comme n'importe quelle petite fille... L'histoire, évidemment, ne pouvait que remporter un succès foudroyant. Et c'était Holland qui l'avait prise en photo, en contre-pied, objectif levé vers le tabouret de bar. Son regard était voilé, comme s'il l'avait saisie en plein souvenir, ses lèvres animées du plus léger, du plus délicat des sourires. Contre toute attente, et en dépit de toutes les règles du métier, la photo était passée en couverture. Carter l'avait découverte à ce moment-là, en même temps que le pays tout entier.

— Ça reste un de mes plus beaux coups, remarqua Michael.

— Tu sais, dit Carter en se redressant comme s'il venait d'avoir une idée, ce serait vraiment Holland le mieux placé pour écrire un article sur toi. « Le retour d'Ellen », tu vois le genre.

— Merci ! Pourquoi pas : « Ellen, le retour », pendant que tu y es.

Maintenant c'était elle qui cherchait une diversion pour se sortir de ce mauvais pas. Carter n'avait pas changé !

Le journaliste sortait déjà son bloc-notes. Elle le regarda faire, ne sachant que trop bien comment il allait exploiter la situation pour son article. Il se resservirait de son papier sur le Philanthrope aux chats, reviendrait sur le passé, raviverait les rumeurs qui avaient entouré sa disparition. Et il voudrait savoir pourquoi, après tant d'années, elle était revenue…

Michael prit un crayon noir dans sa poche de veston et posa la pointe sur son calepin. Il se pencha vers Ellen.

— Vous savez, d'une certaine façon, vous n'avez pas du tout changé. Et pourtant, c'était il y a longtemps. Où étions-nous, déjà ? Un petit café. Vous aviez commandé un espresso, ajouta-t-il avec un sourire, mais vous n'avez pas pu le boire.

— Ah ? Je ne me souviens pas des détails.

— Moi si. Un journaliste n'oublie jamais rien. (Il jeta un coup d'œil sur Carter qui hocha la tête pour l'encourager.) Oui, je pourrais vous répéter cette interview presque mot pour mot. Vous aviez dix ans au début de mon article, et vous n'aviez encore jamais dansé de votre vie. C'était pendant l'été 59.

Ellen se leva brusquement en repoussant sa chaise.

— Je suis désolée, je vais devoir vous quitter. Je suis épuisée.

Carter se dressa, inquiet, et se précipita à son côté.

— Je te ramène.

— Non, merci. Je vais prendre un taxi. Ne t'en fais pas, ça va aller, protesta-t-elle avec un sourire forcé. Laisse-moi, s'il te plaît.

Devant le restaurant, elle dédaigna un taxi et traversa pour se diriger vers un parc. Des lampadaires éclairaient le chemin d'une lumière jaune, mais tout autour il n'y avait que du gris : immeubles gris, passages gris, rues grises. Même le ciel illuminé par les lumières de la ville était d'une teinte brumeuse, sans étoiles.

Dans le parc, elle avança sous les arbres. Ce n'était pas prudent de se promener seule la nuit, mais elle ne supportait pas l'idée de retourner s'enfermer à l'hôtel. Elle n'avait pas envie de retrouver la suite silencieuse avec les tristes piles de vêtements qui l'attendaient sur le grand lit rouge.

Elle trouva un banc dissimulé sous des branches tombantes et s'y assit. Le bruit de la circulation était atténué, l'air plus frais, chargé d'une bonne odeur d'herbe humide. Ici, il faisait presque nuit noire. Elle eut une pensée pour Carter et Holland qui dînaient ensemble. Les souvenirs lui revenaient. Le journaliste avait beaucoup vieilli depuis le jour où ils s'étaient rencontrés dans le café. Le Footlight Café.

Ellen ferma les yeux, revit les chaises métalliques alignées autour de tables de bois sombre. Elle voulut passer à autre chose, mais impossible. Elle était perchée sur son tabouret de bar au comptoir. Elle tournait sa cuillère dans une tasse de café noir, très amer, froid depuis longtemps.

— Quel âge aviez-vous, quand vous avez appris à danser ? avait-il demandé.

— Dix ans.

Dix ans. Comme c'était loin…

Ellen leva les yeux vers les branches enchevêtrées. Si elle se remplissait la tête de leurs motifs, peut-être parviendrait-elle à chasser le reste. Mais les souvenirs lui envahissaient l'esprit comme une histoire.

Il était une fois une petite fille, sérieuse et pâle. Elle rentrait de l'école, seule, comme toujours…

11

Les branches des fruitiers en fleurs se courbaient sur l'étroit chemin, et l'herbe jeune poussait dru sur les bas-côtés. Ellen regardait où elle mettait les pieds ; elle évitait les feuilles pourprées du sumac vénéneux pour ne pas se piquer, et les flaques de boue pour ne pas se salir. Ses chaussettes d'un blanc immaculé étaient tirées sans un faux pli jusqu'au genou. Son blazer était boutonné et son chapeau de paille bien droit sur sa tête, alors que l'école était déjà loin derrière elle. Elle avait cueilli un rameau de laurier. Tout en marchant, elle déchirait les délicats pétales blancs et les semait sur son passage.

Elle s'arrêta pour arracher des poignées d'herbe tendre et les offrir à un grand cheval brun qui la suivait de l'autre côté de la clôture. Elle lui en tendit de petites touffes, caressée par les lèvres veloutées qui cherchaient la nourriture sur ses doigts. Il avait la croupe haute et forte. Si elle le chevauchait, il l'emporterait, sauterait les barrières, les ruisseaux, traverserait chemins et routes, irait de plus en plus loin, et l'emmènerait là où elle ne reconnaîtrait plus rien et où personne ne saurait qui elle était…

Elle recula brusquement lorsque, en secouant la tête, le cheval fit voler des gouttelettes de salive verte. L'une d'entre elles atterrit sur sa chaussette. Vite, elle se dépêcha de la frotter avec l'intérieur de sa jupe. Ensuite, elle reprit sa route le long du canal. Elle aimait beaucoup le large ruban d'eau, et les canards qui y barbotaient. Soudain, dans la vase, près du bord, elle aperçut une chose brune. Elle descendit le talus pour mieux voir.

C'était un sac à pommes de terre, attaché en haut par de la ficelle. Dedans, il y avait comme une sorte de boule. Elle tâta du bout du pied et fit un bond en arrière en poussant un cri : la boule avait bougé. Quelle horreur ! Il y avait une bête enfermée à l'intérieur, qui se mit à se débattre pour se libérer. Elle imagina un animal mouillé, sanglant, qui se lacérait de terreur à coups de griffes. Il était enfermé dans le noir, meurtri par la toile rugueuse. Ellen retourna en courant à la route pour voir si quelqu'un venait. Derrière elle retentit un miaulement étouffé. Elle revint sur ses pas.

— Minou, minou, minou, appela-t-elle d'une voix hésitante.

Plus rien ne bougea. Le chat devait être aux aguets. Sans plus attendre, Ellen se baissa et souleva le sac, tout mouillé et boueux qu'il était. Elle le porta en le tenant bien éloigné d'elle, remonta sur le chemin et repartit en courant presque vers la grande maison entourée de pins sombres qui se dressait en haut de la colline.

Les graviers de l'allée crissèrent sous ses pas, au rythme de sa marche et de sa respiration haletante. Elle prit un chemin de traverse tapissé de feuilles humides, puis dépassa des vieux courts de tennis gazonnés, entourés par un grillage rouillé. Elle contourna prudemment une piscine joliment carrelée d'une mosaïque bleu et or. Mais l'eau qui la remplissait était trouble, et l'on devinait d'énormes poissons rouges qui se glissaient entre les entrelacs de nénuphars pourrissants. Ellen évitait de regarder l'eau, comme si elle avait peur de se laisser fasciner par les profondeurs ténébreuses et d'être happée vers le fond.

Elle atteignit une vieil abri de jardin qui ressemblait à un chalet miniature. Comme tout le reste de la propriété, il était en ruine ; les volets percés d'un cœur pendaient sur des gonds rongés de rouille.

À l'intérieur, elle s'agenouilla et défit le nœud du sac avec des doigts maladroits et fébriles. Elle tira sur la ficelle et regarda autour d'elle, à la recherche d'un carton qui pourrait lui servir. Elle en dégagea un qu'elle remplit de boulettes de papier journal jauni. Ensuite, elle dénicha une serviette, raide de vieillesse, accrochée sous un bonnet de bain à peu près dans le même état. Enfin prête, elle rassembla son courage, prit le fond du sac et le souleva. Elle dut secouer, d'abord doucement, puis plus fort.

— Allez, sors de là !

Un petit animal tomba par terre. Il roula sur lui-même, puis se hissa maladroitement sur ses pattes et se redressa, la queue tendue en arrière. Ellen eut un sursaut de dégoût. Le pauvre chaton frissonnait, la fourrure blanche était trempée, plaquée sur les côtes, les pattes maigrelettes. Ses yeux semblaient énormes dans une tête de rat pourvue de grandes oreilles pointues. Il avança vers elle à pas vacillants.

Ellen recula.

— Non ! Va-t'en !

Elle en avait la nausée. L'animal était monstrueux, pataud, dégoûtant. Elle aurait voulu le remettre dans le sac, le jeter au milieu du canal pour qu'il disparaisse dans ses eaux vertes.

Le chaton leva les yeux vers elle tout en continuant d'avancer. L'un était bleu ciel comme un jour d'été, l'autre, marron comme une châtaigne. Il ouvrit grande la gueule comme pour miauler, mais aucun son ne sortit.

Les yeux d'Ellen s'emplirent de larmes de compassion.

— Viens…

Elle s'agenouilla près de lui et le frotta avec la serviette pour le sécher, ses mains légères sur le petit corps frêle. Ensuite, elle le déposa dans le carton et courut dehors. Quelques minutes plus tard, elle revenait avec une bouteille de lait. Elle en versa un peu dans une vieille soucoupe et la plaça à côté de lui. Elle s'arrêta sur le seuil avant de sortir et vit le chaton blanc avancer, se pencher, et une langue rose se mettre à laper.

Un doux bien-être l'envahit. Elle partit vers la maison, se sentant grande, forte, et conquérante.

Ce soir-là, Margaret rentra en retard. Ellen attendait sa mère, comme toujours, bien sagement assise devant ses devoirs et ses cahiers impeccables. Elle avait lavé ses chaussettes tachées et les avait mises à sécher au grenier. Les chaussures boueuses étaient à présent propres et à peine humides à ses pieds. Ses chaussettes blanches de remplacement étaient remontées, sans un pli, jusqu'aux genoux. En dépit de cette apparence parfaite, elle sentit sa gorge se nouer lorsqu'elle entendit le crissement des pneus dans l'allée. L'angoisse monta d'un cran quand les talons hauts claquèrent sur le parquet de l'entrée, puis quand le bruit des pas, assourdi dans la salle à manger, s'arrêta à l'entrée de la cuisine.

— Bonjour, Margaret, dit Ellen sans lever les yeux.

Elle sentit l'odeur de cigarette et de parfum. Son odorat s'accrocha au parfum. Elle connaissait l'odeur de tous les flacons qui s'alignaient sur la coiffeuse de Margaret. Madame Rochas. Elle eut un soudain espoir, une poussée d'optimisme. C'était la senteur qui les avait accompagnées à la plage. Ce jour-là, Margaret lui avait acheté une glace, et avait ri et joué avec elle comme une amie. Ellen en avait presque oublié que c'était sa mère. Dans son maillot de bain neuf, elle était tellement belle qu'Ellen en aurait pleuré.

Aujourd'hui, pourtant, ce serait différent. Margaret se tenait sur le seuil, un long fume-cigarette noir dans une main, et une lettre ouverte dans l'autre. Son visage calme et racé se marquait d'un froncement de sourcils. Ellen essaya de ne pas trop la regarder, sachant que sa mère détestait qu'on la détaille comme une bête curieuse. Mais, même si elle n'avait rien fait de mal, cette lettre l'inquiétait.

— Je suis tout à fait d'accord, commenta Margaret avec un air satisfait.

Elle jeta un coup d'œil sur Ellen pour voir si elle se tenait droite, si elle était propre, si son cahier était bien tenu. Elle ne trouva rien à redire sans pour autant la féliciter.

— Il s'agit des grandes vacances.

Elle s'interrompit, sachant très bien qu'Ellen attendait la suite, suspendue à ses lèvres.

— Tu iras tous les jours à l'école.

Ellen eut soin de cacher sa surprise et son soulagement. Tous les jours à l'école ! Quel bonheur, au lieu de passer de longues journées ennuyeuses seule à la maison, sans pouvoir se salir ni faire du bruit… à n'avoir rien d'autre à faire qu'à attendre la fin des vacances.

— Il va y avoir des cours de danse. De la danse classique le matin, et folklorique l'après-midi. Tu iras aux deux.

Ellen releva la tête, affolée.

— Oh, non ! Je t'en prie ! Je préfère rester ici. Je ne sais pas danser. Je sais que je…

Le ravissement de Margaret la fit taire. De la fumée s'échappait entre les lèvres rouges et brillantes.

— Ne discute pas, chérie. Tu es une grosse pataude… comme le sont souvent les petites filles. (Elle lança un regard dédaigneux aux ongles rongés d'Ellen.) Ça te fera du bien.

Plus tard, ce soir-là, Ellen appuya son front à la vitre fraîche et lisse de la fenêtre de sa chambre. La radio marchait au rez-de-chaussée. Elle recula la tête et regarda son visage qui se reflétait sur le fond sombre de la nuit. Des yeux trop grands, des sourcils trop épais, un front trop haut. Peau très blanche, cheveux noirs. Elle ne ressemblait en rien à Margaret, ni à l'homme doux et fluet aux cheveux clairs qui se tenait près d'elle sur la photo de mariage accrochée dans l'entrée.

Je suis tombée du ciel, songea Ellen. On m'a échangée avec leur vraie fille au berceau. Ou je sors d'un vieux film muet. Je suis aussi maladroite que Charlot. Je n'irai pas ! Ses yeux ressemblaient à des puits noirs. Ou alors j'irai, mais je me mettrai tout au fond de la salle.

Elle compta les semaines jusqu'à la fin du trimestre. Il

restait près de deux mois. Huit semaines d'angoisse à se demander à quelle sauce on allait la manger...

Elle regarda de nouveau le carreau et, au-delà de son propre reflet, chercha la vieille remise, visible à travers les branches sombres des pins. Elle pensa au chaton, bien au chaud, roulé en boule, le ventre plein de lait. Il serait mort, sans elle. Quelle force cela donnait de le savoir ! Ce secret brûlait au fond d'elle comme une flamme, un bouclier de chaleur qui éloignait la nuit.

Ellen ne trouva pas l'occasion d'aller voir le chaton avant de partir à l'école le lendemain matin. Tout en débarrassant la table de la cuisine, elle essaya de cacher sa préoccupation, car Margaret était derrière elle, dépoussiérant avec soin l'un de ses nombreux tailleurs. Elle pensait sans cesse au petit chat. Allait-il bien ? Et que pourrait-elle bien en faire ? Elle avait songé à le garder dans la remise ; elle le nourrirait avant que Margaret ne rentre le soir. Il se promènerait dans le jardin, comme un chat sauvage. Mais Margaret s'en apercevrait. Margaret finissait toujours par tout savoir.

Elle réfléchissait encore à la question lorsque la voiture arriva en vue de l'école. Margaret ne la laissait pas dans la rue, devant l'entrée, comme tout le monde. Fidèle à son habitude, elle pénétra dans la cour de l'établissement avec sa voiture de sport rouge et s'arrêta devant le secrétariat en laissant tourner le moteur. Les professeurs et les autres parents la saluaient au passage, et Margaret répondait par de petits sourires charmants.

— Au revoir, chérie.

Elle se pencha pour embrasser sa fille qui n'avait pas bougé du siège à côté d'elle.

Ellen se sentait observée et enviée. Margaret était la mère idéale : jeune, belle, grand médecin, admirée pour son travail auprès des enfants malades.

— Essuie-toi, ordonna Margaret à voix basse.

Ellen leva la main pour se frotter la joue là où elle savait trouver la trace de rouge de sa mère.

— Je rentrerai tard encore ce soir, annonça Margaret en regardant dans le rétroviseur, soit pour vérifier son maquillage, soit pour voir qui venait derrière elle.

À l'heure du déjeuner, Ellen alla à la bibliothèque pour chercher dans l'annuaire s'il y avait une rubrique « Chats ». Élevages, pensions. Que cherchait-elle au juste ? Elle trouva très vite la solution, simple, claire, comme si on avait tout prévu pour elle. Association de protection des chats... Adoptions de chats...

Après la classe, elle rentra chez elle au plus vite et courut à la remise. Le chaton vint à sa rencontre en miaulant de joie et se frotta contre ses jambes.

Elle le remit dans le carton dont elle ferma le dessus, l'emporta dans la maison et appela un taxi. Ensuite, elle monta dans sa chambre pour récupérer l'argent qu'elle avait reçu pour Noël et qu'elle cachait, scotché sous son bureau. Elle agissait comme en transe : si elle s'arrêtait trop pour réfléchir, elle n'oserait jamais mettre son projet à exécution.

Le taxi klaxonna dans l'allée. Elle sursauta et dévala l'escalier, l'angoisse au cœur.

Elle tendit l'adresse au chauffeur.

— Est-ce que ce sera long d'aller là-bas ? demanda-t-elle en imitant le ton impérieux de Margaret, ainsi que son froncement de sourcils.

— Oh, ce n'est pas très loin... si on y va par-derrière, ça ne prendra qu'un quart d'heure.

— Si vous pouviez vous dépêcher, s'il vous plaît. J'ai un autre rendez-vous dans peu de temps.

Le chauffeur eut un sourire en démarrant.

— À vos ordres, madame !

Il désigna le carton d'un signe de tête.

— C'est un chat perdu, là-dedans ?

— C'est un chaton que j'ai trouvé au bord du canal, enfermé dans un sac.

Ellen raconta toute l'histoire sans omettre aucun détail tant elle avait besoin de se confier.

— Il est tout maigre, et il faut lui donner à manger, mais je ne peux pas le garder chez moi... Je... Ma mère déteste les animaux. Ce n'est pas grave, puisque j'ai trouvé cette adresse dans l'annuaire. (Elle s'interrompit pour lui jeter un coup d'œil hésitant.) Vous pensez qu'ils vont le prendre et bien s'en occuper ?

— Oui, ils vont le prendre. Pour ce qui est de s'en occuper...

Il s'interrompit.

— Quoi ? demanda Ellen avec inquiétude.

— Sans doute qu'ils vont tout faire pour lui trouver des maîtres, mais on ne peut pas demander l'impossible, hein ?

— Comment ça ? Et s'ils ne trouvent personne ? Ils ne le garderont pas ?

— Un petit peu. Et puis ensuite, il faudra bien qu'ils l'endorment.

— Vous voulez dire... qu'ils vont le tuer ? murmura Ellen avec horreur.

— C'est plus humain ! Il y a beaucoup trop de chats. Si on les gardait tous...

Ellen se tut. Elle regardait droit devant elle et serrait le carton sur ses genoux. Il était si léger... Les arbres défilaient, les maisons, les portails, les entrées de propriété. Une pancarte artisanale, accrochée à une boîte à lettres, attira son attention.

— Arrêtez-vous ! cria-t-elle. Arrêtez-vous ici !

Le chauffeur se tourna vers elle avec surprise.

— Hein ?

— Arrêtez, je veux descendre.

— Mais écoute, ma chérie, je crois que tu as tout à fait raison d'aller au refuge.

— Non, j'ai changé d'avis. Laissez-moi ici.

— Je te ramène...

Il amorça un demi-tour.

— Non, je préfère rentrer à pied. Je peux passer à travers champ, c'est tout près.

Elle tendit le doigt vers le grand sapin qui poussait au sommet de la colline.

Le chauffeur la laissa descendre et refusa de prendre le prix de la course.

— Tu n'as qu'à montrer ton chat à ta maman, elle ne pourra pas te dire non ! Mais rentre tout de suite chez toi, tu me le promets ?

Ellen ne répondit que par un sourire. Elle resta au bord de la route, le carton dans les bras, en attendant que le taxi disparaisse après le tournant. Ensuite, elle retourna sur ses pas. Elle retrouva sans difficulté l'entrée de la propriété et s'arrêta devant la pancarte accrochée à la boîte à lettres, qui était peinte à la main en lettres rouges écaillées : CHATONS GRATUITS POUR AMIS DES CHATS.

La maison était grande et ancienne, comme celle de Margaret, mais alors que sa mère ne laissait se détériorer que les dépendances et le terrain, celle-ci était très décrépite. Deux chats dormaient l'un contre l'autre devant la porte d'entrée. C'est bon signe, pensa Ellen. Elle leva la main et frappa fort.

Elle attendit un long moment, mais personne ne vint à la porte. Les chats ne se réveillèrent même pas. Bien que n'en ayant aucune envie, elle envisageait de laisser le carton sur les marches quand elle entendit des pas à l'intérieur. La porte s'ouvrit sur un vieux monsieur dans une entrée sombre, entouré par une multitude de chats. Ils tournaient autour de ses pieds, comme le courant d'une rivière. L'air était chargé d'odeurs félines, de poils en suspension, et vibrait d'un grand ronronnement collectif.

— Bravo ! s'exclama l'homme en ouvrant grands les bras comme pour la serrer sur son cœur. Tu veux un chaton ! Entre, entre vite !

— Non, je...

Mais il repartait déjà dans l'entrée, une file de chats à sa suite.

Ellen le suivit, le carton serré contre elle. Ils traversèrent des pièces sombres tendues de tentures de velours, avec des lustres bas, des canapés chinois, des tapis persans, des animaux empaillés et des urnes plantées de fleurs séchées. Des îlots de verres en cristal étaient regroupés ici et là sur des tables cirées et des consoles, comme si on venait tout juste de les y poser. Mais une épaisse couche de poussière et de poils recouvrait tout. Les bois étaient griffés, les tissus lacérés.

Ils arrivèrent ensuite dans un jardin d'hiver, clair et ensoleillé, simplement meublé de trois longues tables entourées de bancs de bois. Par les fenêtres ouvertes passait un vent frais qui aérait la pièce. Des théières traînaient sur les tables, au milieu de paniers, de brosses, de flacons d'insecticide et de nourriture pour chats.

Ellen s'arrêta sur le pas de la porte.

— Excusez-moi, dit-elle très poliment, mais, en fait, je ne veux pas de chaton. Je vous en ai apporté un.

L'homme se tourna lentement vers elle. Il la considéra, les yeux abrités sous des sourcils proéminents.

— Je l'ai trouvé près du canal, il allait mourir, et je l'ai sauvé, expliqua Ellen. Il a faim. Moi, je ne peux pas le prendre chez moi. Adoptez-le, je vous en prie !

Elle posa le carton sur une table et souleva les rabats.

— Attends, intervint le vieux monsieur en se précipitant. Ne le libère pas trop vite, ou il va se sauver, et on ne pourra plus l'approcher.

— Il n'y a pas de danger, dit Ellen en prenant le chaton. Il n'a pas peur de moi.

Elle le tint tendrement contre elle.

— Ça alors, remarqua-t-il en caressant l'animal. C'est un chat enchanté. Tu as vu ? Il a un œil bleu et l'autre marron.

Ellen hocha la tête. Il eut un claquement de langue réprobateur.

— Pauvre petit…

Il le prit, le tâta et se mit en colère.

— Il meurt de faim !

— Je ne l'ai trouvé qu'hier, s'empressa d'expliquer Ellen. Je lui ai donné du lait.

— C'est bien. Tu as beaucoup de chance, mon chaton.

Il le tourna sur le dos.

— C'est un mâle. Comment s'appelle-t-il ?

— Je ne sais pas.

— Si c'est ton chat, il faut bien que tu lui donnes un nom !

— Ce n'est pas mon chat, je ne peux pas le garder ! Je n'ai pas le droit…

— Oh, que si ! C'est ton chat, puisque tu lui as sauvé la vie ! Je veux bien le garder chez moi, mais ce sera ton chat.

— Alors, je pourrai venir le voir ? demanda Ellen d'une voix tremblante.

— Bien sûr, quand tu voudras.

Le vieux monsieur écarta de nouveau les bras en signe de bienvenue.

Ellen était folle de joie. Quel bonheur ! Plus jamais elle ne mourrait d'ennui pendant des heures, bien sagement assise à attendre le retour de Margaret. Au lieu de cela, elle viendrait en secret après l'école pour rendre visite à son chat… comme les autres enfants qui allaient les uns chez les autres manger des biscuits et boire du lait dans de belles cuisines.

— Tu pourras venir quand tu voudras.

Ellen lui lança un long regard inquiet.

— Il ne faudra le dire à personne…

— D'accord. Tu pourras même te déguiser pour venir si tu veux, et prendre un faux nom. Je m'appelle Eildon.

Il lui tendit la main ; sa peau de vieil homme était couverte de griffures.

Ellen la lui serra et trouva son contact chaud et réconfortant.

— Moi, je m'appelle Ellen. J'ai dix ans.

Ils nommèrent le chaton Perdita, parce qu'il avait été perdu. Quand Ellen lui rendait visite après l'école, il la suivait partout en ronronnant et en se frottant contre ses jambes. Elle aidait Eildon à s'occuper des chats. Ensemble, ils nourrissaient les orphelins, inspectaient les oreilles, détectaient les tiques et enlevaient les graterons collés aux poils, surtout à ceux des persans. Ensuite, ils lavaient les bols, rinçaient les théières et imprégnaient les colliers tissés à la main avec des décoctions de plantes qui éloignent les puces. Quand leur travail était terminé, ils s'installaient dans le salon poussiéreux et prenaient le thé. Chez Eildon, le lait et le sucre étaient considérés comme des fautes de goût ; les fines tasses de porcelaine étaient remplies d'un liquide odorant, d'une couleur ambrée de miel. Le nectar des dieux, disait-il, et Ellen n'était pas loin de le croire. Il y avait du darjeeling le lundi, du thé au jasmin le mardi, puis du thé de Ceylan, de l'assam et du russian caravan. Parfois, ils se racontaient des histoires de chats, mais souvent ils se tenaient simplement compagnie en silence, buvant leur thé à petites gorgées, entourés par les bruits des chats et le souffle du vent dans les arbres.

— C'est l'heure, disait toujours Eildon après la seconde tasse. Il ne faut pas que tu sois en retard.

Quand la voiture de Margaret remontait l'allée, Ellen était assise à son bureau, propre, les vêtements impeccables, le repas que lui laissait sa mère terminé, la vaisselle faite, ses devoirs achevés. En entendant la clé dans la serrure et le martèlement des talons hauts sur le sol de l'entrée, elle baissait les yeux de peur que son regard ne trahisse son secret.

Pour ne pas trop penser à Perdy ou à Eildon, ou à la grande maison poussiéreuse en présence de sa mère, elle s'inquiétait des cours de danse qui l'attendaient dans quelques semaines, à la fin du trimestre. Cette perspective pesait lourd dans son cœur. Des cours de danse classique le matin, folklorique l'après-midi, chaque jour, pendant toutes les vacances. Elle n'avait aucune idée de ce qu'on allait lui faire faire et inventait des tortures qui la terrorisaient. Plus elle avait peur, moins son bonheur risquait de se deviner, et moins sa mère risquait de soupçonner sa vie secrète. Le moment des vacances approchait. Le temps allait fraîchir, les journées raccourcir, la fin du trimestre arriver. Et il n'y aurait aucun moyen d'en réchapper.

12

Les autres élèves enviaient Ellen qui enfilait son justaucorps rose, son cache-cœur rose et ses chaussons de satin roses. Elles ne disaient rien, mais leurs regards parlaient pour elles.

À ses côtés, Caroline tirait son collant noir sur ses jambes courtes. Elle se pencha devant Ellen pour parler à deux filles qui se faisaient des messes basses.

— Hé ! Vous avez vu Nicole ?

Caroline désignait une de leurs camarades, de l'autre côté de la pièce, qui passait une combinaison noire en laine, sans doute très chaude, aux genoux distendus.

— La pauvre, c'est sa mère qui lui a tricoté ça ! La honte !

Elle admira les chaussons roses satinés d'Ellen, dont les longs rubans étaient encore détachés.

— Quelle chance tu as ! Ta mère, elle est super.

— C'est vrai… Sauf qu'elle ne me laisse jamais aller nulle part. Je ne viens à la danse que parce que ça la rassure de savoir où je suis pendant qu'elle est au travail.

Elle baissa les yeux, regrettant d'en avoir trop dit.

Caroline prit un air entendu.

— C'est parce que tu n'as pas de père. Elle n'a que toi… C'est normal, elle te surprotège. En tout cas, c'est ce que dit ma mère.

Ellen releva la tête.

— Ta mère a dit ça ?

— Oui. Pas à moi, mais à Mme Edwards.

Ellen eut du mal à attacher ses chaussons. Elle n'avait pas bien suivi la démonstration de la vendeuse sous l'œil critique de Margaret, qui se plaignait de la difficulté d'élever les petites filles.

Une dame au sourire intelligent apparut à la porte des vestiaires, grande, le dos très droit, avec de longs cheveux relevés en chignon. Elle portait des vêtements amples et des chaussons plats en cuir.

— Bonjour, les enfants, dit-elle d'un ton énergique. Je m'appelle Mlle Louise. Vous êtes prêtes ?

Elle parcourut des yeux le petit groupe qui se rassemblait autour d'elle, puis s'arrêta sur Ellen, la contemplant de haut en bas. Elle avait l'air surprise. Ellen rougit et se mordilla l'ongle du pouce.

Après cette interruption, leur professeur de danse continua son inspection.

— Vous, la jeune fille avec le pull à motifs, dit-elle, enlevez-le. Ensuite, vous pourrez entrer.

Il y eut un silence tandis qu'elle quittait le vestiaire.

Caroline fit une grimace dans son dos et ronchonna.

— Ça va être pire qu'à l'école. Je ne crois pas que je vais revenir.

Leur professeur les attendait à la porte du gymnase, et elles défilèrent devant elle pour entrer. Ellen leva les yeux en passant. De près, son visage semblait moins dur que de loin. Elle était maquillée d'une ligne noire sur les paupières, qui remontait aux coins. Une odeur fleurie de talc émanait d'elle. Elle sourit, et Ellen se dépêcha de regarder ailleurs.

— Bien, les enfants, toutes en place à la barre. Mettez-vous dans cette position.

Elle rassembla les talons, ouvrit les pointes et posa une main légère sur la barre. Un côté de la salle était recouvert d'un grand miroir qui courait tout du long, auquel était fixée une barre de bois.

Les élèves s'empressèrent d'obéir. Ellen se plaça au bout, le plus loin possible. Leur professeur poursuivit ses explications et compta pour donner le rythme tout en leur montrant des mouvements de bras et de jambes. Les élèves écoutaient en l'imitant de leur mieux. Elles s'appliquaient, calmes à présent, leurs plaisanteries et leurs rires domptés par le sérieux de Mlle Louise. Elle avait une voix grave, un peu chantante à cause de son léger accent français qui donnait aux phrases les plus ordinaires une musique belle et mystérieuse.

Tout en s'évertuant à reproduire les mouvements fluides de Mlle Louise, Ellen se sentait nue et maladroite. Sa jolie tenue de danse trahissait le moindre de ses défauts, et elle aurait préféré porter son costume de gymnastique habituel comme presque toutes les autres. Margaret avait peut-être misé sur son malaise à être déguisée en vraie danseuse alors qu'elle était incapable de se mouvoir correctement. Elle baissa la tête, mais pour une fois ses cheveux relevés l'empêchaient de se cacher derrière leur rideau protecteur. Elle avait encore mal au cuir chevelu, après le traitement énergique que Margaret lui avait fait subir. Elle lui avait tiré les cheveux à l'extrême pour lui nouer un petit chignon serré sur le dessus de la tête, fixé par des épingles pointues.

Soudain, elle se rendit compte que tout le monde la regardait. Mlle Louise lui parlait.

— Ellen, viens ici.

Elle obéit en traînant les pieds. Pourvu qu'elle se fasse renvoyer du cours ! (Madame Kirby, je suis désolée, dirait Mlle Louise à sa mère, mais nous perdons notre temps...)

Les mains fermes du professeur se posèrent sur elle.

— Lève-toi sur les demi-pointes. Maintenant étire-toi. Tu sens ton corps ?

Elle obéit et eut un sourire de surprise.

— C'est bien, approuva Louise. C'est très bien, Ellen. Reste devant...

Elle étudia le maintien élégant de leur professeur, le port altier de sa tête, son long cou et fit de son mieux pour copier ses gestes. De temps à autre, elle s'apercevait dans le miroir avec un coup au cœur. Elle se découvrait un nouveau corps, comme si elle dirigeait une marionnette qui lui obéissait au doigt et à l'œil ; un personnage à la grâce étrange et pleine de beauté.

Mlle Louise revint se placer à côté d'elle, corrigea la courbe de son bras, la place de ses doigts.

— C'est mieux. Garde cette position. Grandis le cou. Tu dois chercher à ressembler à un cygne. Regardez-la, les autres.

Leur professeur considéra la ligne des élèves avec un sourire.

— Pour l'instant, vous êtes de vilains petits canards, mais vous pouvez toutes vous transformer en cygne. Exercez-vous chez vous. Mettez-vous devant la glace, dans votre chambre. Comptez, un, deux, trois, quatre. Tous les soirs. Comme quand vous faites votre prière.

À la fin du cours, elle les salua d'une inclinaison de tête et applaudit.

— Merci, mesdemoiselles.

Les deux semaines s'écoulèrent comme dans un rêve. C'était dur, il fallait travailler, transpirer, mais les efforts étaient couronnés de brefs succès. Ellen comprit vite que les mouvements qu'on lui demandait n'étaient pas naturels. On devait lever les bras tout en baissant les épaules, courber le cou tout en gardant le dos droit. Elle apprit à dissocier les différentes parties de son corps, à les faire obéir sans s'accorder de répit. Il fallait exiger de tous les mouvements précision et coordination. « L'esprit doit dominer le corps », disait souvent Margaret. Ellen vit que c'était possible. Ce n'était que la première étape. Une fois les mouvements décomposés, il fallait les synthétiser et les exécuter sans laisser deviner d'artifice, donner l'impression qu'ils coulaient de source. Et, pendant ce temps, le visage prenait refuge ailleurs, dans un monde de sérénité. Il ne fallait jamais se départir d'un léger sourire, même si on souffrait le martyr, si on avait les pieds endoloris et les mollets tétanisés.

Louise obligeait Ellen à rester devant et la poussait toujours plus loin. Elle la guidait d'une main de fer, exigeant qu'elle s'étire davantage, allonge les bras, les jambes, affine ses mouvements. Les autres la regardaient à présent avec une envie toute différente ; elle avait été choisie entre toutes, on avait fait d'elle une nouvelle petite fille. Elle s'éloignait de ses camarades un peu plus chaque jour.

Après la danse, Ellen rentrait chez elle par le chemin habituel, mais désormais il s'étendait devant elle comme une scène. Le cheval approuvait de la tête tandis qu'elle s'exerçait à ses sauts et à ses pirouettes.

Eildon, entouré de sa troupe de chats, l'applaudissait.

— Je crois que je suis douée, lui confia Ellen.

— Évidemment ! C'est parce que tu ressembles un peu à un chat !

Trop vite, la fin des vacances arriva. Après le dernier cours, Mlle Louise la prit à part.

— Ellen, lui dit-elle presque tristement, comme si elle lui apportait une mauvaise nouvelle, tu as un corps de danseuse parfait. Il mérite d'être entraîné.

— Ça me plairait. Vous allez revenir, les vacances prochaines ? Je me suis bien amusée.

— Non, tu n'as pas bien compris. Je veux te proposer quelque chose de plus sérieux. Une nouvelle école de danse classique va s'ouvrir. Elle s'inspirera de l'ancienne école de danse de l'opéra impérial de Russie. C'est un pensionnat. Les élèves sont choisies en fonction de leurs capacités. Ce sera l'élite, ajouta-t-elle avec enthousiasme. Les sélections sont faites à un niveau national. Toutes les capacités seront prises en compte et la formation sera complète. Nous allons former les premières vraies danseuses étoiles américaines.

Elle prit Ellen par les épaules, les yeux brillants, comme si elle la voyait promise à un avenir magnifique.

— Je vais t'inscrire pour une audition et une bourse. Je n'ai jamais eu cette chance, moi. Commencer très jeune, vivre pour la danse !

— Ma mère ne voudra jamais, interrompit Ellen. Je n'oserai même pas lui en parler. Elle ne me permettrait pas d'aller en pension.

— Ne t'occupe pas de ça pour l'instant. Si tu étais prise, ce serait un tel honneur que ta mère réfléchirait sûrement.

Ellen secoua la tête, mais cela ne découragea pas Mlle Louise.

— Je t'assure que c'est possible, insista-t-elle. De toute façon, les auditions pour ta région n'auront pas lieu avant quelques mois. Je m'arrangerai pour que tu passes la tienne ici, pendant les heures de classe. Et nous parlerons à ta mère quand ce sera nécessaire. D'accord ?

— D'accord.

— Ah, une dernière chose. D'ici à l'audition, ne prends de cours de danse avec personne. Il vaut mieux que tu sois… (Elle chercha ses mots.) Il vaut mieux que tu restes intacte.

Quand le jour de l'audition arriva enfin, Mlle Louise apparut à la porte de la classe d'Ellen. Un murmure monta dans la salle car certaines élèves la reconnaissaient. Même l'instituteur eut l'air content de la voir, mais plutôt déçu quand elle demanda si elle pouvait emmener Ellen quelques instants.

Pendant qu'elles se rendaient au gymnase, Mlle Louise la rassura.

— N'aie pas peur, et si tu as le trac, ne le montre pas. Il est essentiel, sur la scène, de savoir dominer sa peur. Un danseur qui ne se contrôle pas ne vaut rien.

Ellen ne ressentait aucune inquiétude. Elle était prête à faire ce qu'on lui demanderait, sagement, poliment, comme on le lui avait appris. L'obligation de danser devant des gens mise à part, il n'y avait aucun enjeu d'importance pour elle, puisque, en aucun cas, Margaret ne consentirait à la laisser entrer à l'école de danse. Elle la punirait même pour avoir osé l'envisager, car ce serait une preuve d'égoïsme. Ellen n'avait pas le droit de se faire plaisir parce que Margaret, elle, consacrait sa vie à sauver les enfants malades. (Elle leur enlevait les reins, leur donnait des médicaments qui leur faisaient pousser des poils de singe...) Et pourtant, Ellen rêvait de se retrouver en pension avec d'autres filles de son âge, où tout le monde obéirait aux mêmes règles et jouerait aux mêmes jeux. C'était aussi merveilleux que de partir au loin à cheval, et trop beau pour se réaliser.

Quand elle pénétra dans le gymnase, trois messieurs en costume l'attendaient. Non loin d'eux se trouvait une dame plus jeune et plus mince avec une sacoche de médecin noire. En la voyant, Ellen eut très peur. Louise la fit approcher.

— Je vous présente la jeune Ellen Kirby, âgée de dix ans. Fais une révérence, Ellen...

Les messieurs la considérèrent avec impatience, pressés d'en finir. Visiblement, ils n'espéraient pas grand-chose de l'audition.

— Ellen, va te changer, ordonna Mlle Louise.

Quand Ellen sortit des vestiaires, elle pensait qu'elle danserait les petits adages appris pendant les vacances. Or elle se trompait. Au lieu de la regarder danser, ils étudièrent son corps. Ils lui demandèrent de faire le grand écart, de tourner, d'étirer les bras, les jambes, pour juger de sa souplesse. Ensuite, la dame maigre ouvrit sa sacoche et en sortit un mètre de couturière. Écœurée par l'odeur de désinfectant, Ellen retint sa respiration et se laissa mesurer sous toutes les coutures. Les os des bras, des jambes, le tour de la tête, de la taille, des hanches. Les chiffres annoncés étaient notés par l'un des trois messieurs. Il les compara à des tableaux imprimés, puis commença à regarder Ellen avec beaucoup plus d'intérêt. Il la scruta de ses yeux pénétrants, enfoncés dans un visage sans âge, et s'arrêta sur les petites bosses de ses seins naissants.

— Elle est formée ? demanda-t-il à Mlle Louise.

— Ah ! Je n'ai pas pensé à le lui demander !

Elle se pencha sur Ellen et lui murmura :

— Est-ce que tu as tes règles ?

Ellen la regarda sans comprendre. Elle avait peur d'avoir fait une bêtise.

— Non, conclut Louise. Elle n'est pas encore pubère.

Le monsieur eut l'air satisfait.

— Bien. Et maintenant... Ellen... peux-tu nous parler de ta mère ?

Ellen sursauta comme si elle avait reçu un coup.

— Est-elle grande ? Grosse ?

— Elle est très grande !

Elle fut interrompue par un rire de Louise.

— Mais non, pas du tout ! Je l'ai vue. Elle n'est pas petite, mais pas trop grande... et très mince.

— Et le père ? continua le monsieur. Il est grand ?

Ellen baissa le nez.

— Je ne sais pas, répondit-elle d'une petite voix.

On ne parlait jamais de lui chez elle, et Ellen avait appris très tôt à ne pas poser de questions. Elle s'y était risquée une seule fois, lors d'une de leurs rares sorties. Ce jour-là, elles se sentaient bien ensemble, elles avaient acheté des vêtements et un nouveau parfum.

— Tu es une grande fille, maintenant, avait dit Margaret. Tu as l'âge de prendre un café avec ta mère !

Elles s'étaient installées dans un salon de thé très chic et avaient bavardé devant un café viennois et un gros gâteau à la crème.

C'est le moment de lui poser des questions, avait pensé Ellen.

— Margaret, où est mon papa ?

Un horrible silence avait suivi ; on aurait dit que le soleil s'était éteint. Le visage de Margaret s'était durci, et une tristesse terrible s'y était peinte.

— Ton père est parti quand tu n'étais encore qu'un bébé. J'ai essayé de le retenir, mais il a dit qu'il ne te supportait pas. Oui, il a dit ça. Ta présence le mettait trop mal à l'aise, le rendait trop malheureux. Alors il est parti.

Margaret avait de vraies larmes dans les yeux.

— Il a disparu sans laisser d'adresse.

Elle avait poussé un grand soupir, et Ellen lui avait pris la main pour la consoler, mais elle s'était dégagée. Elle avait retiré la main et croisé les bras sur sa poitrine, poings serrés.

Louise conduisit Ellen à l'autre bout de la salle et lui demanda de marcher vers le jury, de tourner deux fois devant eux et de revenir vers elle.

Ellen fit ce qu'elle lui demandait, sentant les regards rivés sur elle. Vous aussi, vous me détestez, songea-t-elle. Elle crut qu'elle allait se racornir et disparaître comme une feuille morte jetée sur le feu. Alors elle se réfugia dans son rôle, se cacha derrière la belle marionnette pleine de grâce. Lève le menton, baisse les épaules, tourne la tête et pense au sourire. Souviens-toi que tu es le vilain petit canard qui s'est transformé en cygne blanc immaculé. Tout le monde t'aime...

Un concert de voix rompit sa concentration.

— Parfaite !

— Impeccable !

— Mes amis, voilà la ballerine russe dans toute sa splendeur.

13

Il s'écoula plusieurs longues semaines avant que la lettre n'arrive, adressée à Ellen, à l'école. La nouvelle École de danse de l'opéra américain offrait à Ellen Lingstone Kirby une place assortie d'une bourse, à partir de la rentrée suivante.

Ellen attendit que Margaret se soit un peu reposée après son retour du travail pour lui montrer la lettre. La proposition de bourse était accompagnée d'un mot de Mlle Louise, qui expliquait quel grand honneur on leur faisait, et la fierté qu'éprouvaient tous ses professeurs.

Margaret reposa la lettre avec un éclat de rire. Ellen prit peur et regretta de ne pas avoir jeté l'enveloppe dans le canal, comme elle y avait songé.

Le rire de Margaret s'arrêta net. Un pli d'amertume se dessinait au coin de ses lèvres, ses yeux étaient trop brillants. Elle semblait ne pas savoir que dire.

— Tu veux y aller ? demanda-t-elle d'un ton brusque.

Dis non, dis non, dis non. Le cœur d'Ellen battait à tout rompre.

— Oui, j'aimerais bien. Je voudrais devenir danseuse.

Margaret détourna vivement la tête.

— Tu n'aurais plus besoin de nettoyer derrière moi, hasarda Ellen.

Soudain, un espoir la saisit. Et si Margaret n'avait pas envie de se séparer d'elle ?

— Je reviendrais à la maison pour les vacances. Comme toutes les filles qui vont en pension.

Margaret, impassible, reprit la lettre et la relut rapidement.

— Voyons voir… formulaire d'autorisation… indemnité… signature des parents ou du tuteur…

Elle prit un stylo dans son sac, saisit le document et y apposa d'une main sûre sa signature compliquée. Ensuite, elle plia le papier et le tendit à Ellen avec un regard dur et étincelant.

Ellen monta lentement dans sa chambre, l'autorisation dans la main, précieuse comme une offrande sacrée. Elle avait envie de courir, de danser de joie. Ah ! Si Eildon avait été là, comme il aurait été content pour elle ! Elle aurait voulu prendre Perdy dans ses bras, le serrer bien fort. Elle trébucha en haut des marches, le regard brouillé par les larmes. Pardessus tout, elle aurait voulu que sa mère la félicite et lui montre sa fierté, son amour.

Plus tard, Margaret se rendit dans sa chambre, un verre d'alcool incolore à la main.

— J'espère que tu ne fais pas encore tes valises, proféra-t-elle avec un ricanement. Tu te rends bien compte que tu ne peux pas partir, j'espère. Tu le sais ?

Ellen garda le silence, attendant la suite. Margaret allait jouer son joker. Avec sa mère, inutile d'espérer gagner.

— Ma pauvre, si tu avais obtenu une bourse complète, là je ne dis pas. Je ne pourrais pas te priver de cette chance, vu ton talent. Mais comme tu aurais dû le remarquer si tu avais dépassé les premières lignes élogieuses, la bourse ne couvre que les frais de scolarité, pas ceux du pensionnat, ni ceux de costume… On me réclamera une somme considérable tous les trimestres. Tu sais que je ne peux pas me permettre de débourser le moindre centime supplémentaire. Je travaille déjà assez dur pour t'entretenir.

Elle haussa les épaules, l'air peiné.

— À moins que tu ne disposes de revenus secrets, je suis

désolée, mais ce rêve de t'envoler toute seule comme une grande ne pourra pas se réaliser, ma chérie...

Elle fixa Ellen, le regard terne maintenant, un peu comme si elle avait peur, puis elle tourna les talons. En atteignant la porte, elle lâcha son verre qui se fracassa par terre, laissant échapper une odeur forte et entêtante.

Pétrifiée, Ellen vit qu'elle ne s'arrêtait pas. Elle entendit ses pas précipités dans l'escalier. Comme si elle se sauvait.

Les jours suivants, Margaret rentra tard, selon son habitude. Elle inspectait les devoirs d'Ellen, vérifiait la propreté de ses mains, puis passait toute la soirée à lire dans son bureau. On aurait dit qu'il n'y avait pas eu de lettre, de rêve un peu fou, de risque de séparation. La fillette essayait de se persuader qu'il n'y avait plus d'espoir et qu'il valait mieux ne plus y penser.

Mais, lors d'une visite à Eildon, il sentit qu'elle était triste et la força à parler. Dès qu'il apprit qu'elle avait été acceptée dans la nouvelle école de danse avec une bourse de scolarité, son visage s'illumina de joie et de fierté.

— Bravo ! s'écria-t-il en lui prenant les mains. Je te félicite, c'est magnifique !

— Mais je ne peux pas y aller, soupira Ellen. Il faut payer pour tout un tas de choses, et Margaret n'a pas les moyens.

Le sourire d'Eildon se figea.

— Elle a refusé ? demanda-t-il d'un ton incrédule.

— Oui. Il va y avoir des frais supplémentaires, et elle travaille déjà très dur pour gagner sa vie.

— Oui, elle travaille trop, approuva Eildon sans aucune trace de sympathie.

Il se pencha pour caresser la tête d'un chat qui se frottait contre ses jambes.

— Tu as très envie d'y aller ? demanda-t-il gravement.

— Je voudrais devenir danseuse. Je sais que je peux y arriver... Mais ça ne sert à rien. Elle ne veut pas. Alors tant pis. Elle ne change jamais d'avis.

— Cette fois, il faudra bien qu'elle cède, gronda Eildon.

Il avait l'air très en colère.

— Comment ? demanda Ellen, effrayée.

— Je ne suis plus très reluisant, mais il me reste quelques relations utiles.

Il y eut un instant de silence, rempli par le ronronnement des chats. Eildon s'expliqua calmement, comme si l'affaire était toute simple.

— Ta mère est une pédiatre très respectée, n'est-ce pas ?

— Oui, les gens viennent de très loin pour la consulter, même d'Angleterre.

— En effet. J'ai entendu dire qu'on pensait lui offrir une chaire de professeur honoraire à la faculté de Harvard.

— Ce sera la première femme à y avoir droit, se rengorgea Ellen.

— C'est ce que j'ai entendu dire… C'est étonnant qu'elle passe tellement de temps à aider les enfants des autres alors qu'elle ne s'occupe jamais de toi. Ça m'a toujours surpris.

Il caressait un gros matou qui s'était installé sur ses genoux. Le mouvement était régulier, mais trop fort, et le vieux chat finit par sauter par terre.

— Ce n'est pas normal que tu sois toujours seule chez toi, poursuivit Eildon. Quel âge as-tu ? Dix ans ? Onze ans ? Si ce n'est pas de la maltraitance, ça y ressemble.

Ellen le regardait fixement, choquée. Elle entrouvrit la bouche, bloquée par tout ce qu'elle voulait dire. Sa protestation jaillit d'un coup.

— Mais il faut bien que Margaret rentre tard ! Elle s'occupe des enfants malades ! Ils ont besoin d'elle, à l'hôpital !

— Eh bien, il est grand temps que quelqu'un pense à s'occuper de toi. Je vais avoir un petit entretien avec le docteur Margaret. Et si je ne lui fais pas entendre raison, j'en toucherai deux mots à mes collègues de Harvard. Ils seront plus convaincants que moi, sans le moindre doute.

— Non ! Il ne faut pas lui parler de ça ! Ça va la fâcher !

— Mais moi aussi, je suis fâché.

Il se pencha sur Ellen et la regarda droit dans les yeux.

— Écoute, ne te fais pas de soucis. Je t'assure qu'elle va changer d'avis.

— Mais vous ne...

Elle n'acheva pas.

— Fais-moi confiance. Tout se passera bien, je te le promets.

Il la fixa de son regard bleu délavé jusqu'à ce qu'elle acquiesce d'un mouvement de tête.

— C'est bien, ma grande, commenta-t-il avec un sourire.

Ellen se baissa pour ramasser Perdy et le serra contre son cœur. Elle regarda ses yeux, l'un bleu, l'autre marron.

— Margaret m'aime bien quand même, vous savez, murmura-t-elle dans un souffle aussi léger que les poils qui voletaient dans la pièce.

Eildon s'adoucit aussitôt.

— Mais bien sûr qu'elle t'aime. Le problème, c'est qu'elle se passionne pour son travail, et qu'elle n'arrive pas à s'occuper de toi en même temps. L'idéal pour elle, justement, c'est un très bon pensionnat pour sa fille. Il me semble que l'école de danse fera parfaitement l'affaire.

— De toute façon, elle ne pourra pas dire oui, à cause de l'argent !

— L'argent, aucune importance ! s'exclama Eildon avec un sourire malicieux. J'ai un tas de vieilles affaires ici, ajouta-t-il en montrant son salon. Des antiquités qui valent beaucoup de sous et qui ne font que s'abîmer chez moi. Avec ça, je peux financer tes études.

— Mais...

Eildon lui posa un doigt sur les lèvres pour la faire taire. Elle sentit la pression, la peau sèche et la douceur du geste.

— Tu peux tout avoir, mon cheval, mon royaume... (Il joignit les mains en une prière facétieuse.) Je te donnerais tout ce que je possède pour un sourire.

Les lèvres d'Ellen tremblèrent, des larmes lui remplirent les yeux et glissèrent le long de ses joues. Puis, enfin, son visage s'éclaira d'un grand sourire, un vrai sourire qui repoussait la peur.

Le jour du départ, le ciel était bleu et le soleil brillait. Une foule bruyante se pressait à la gare. Les porteurs zigzaguaient entre les groupes de passagers. Des piles de bagages s'entassaient un peu partout.

Au bord du quai, Margaret tapotait nerveusement le bitume du bout d'un escarpin rouge sang à talon haut. Eildon se tenait à côté d'elle, silhouette massive et silencieuse. Ellen attendait devant eux, inquiète, son regard allant de l'un à l'autre. Ne sachant que faire de ses bras, elle les balançait autour d'elle, ce qui frottait le bas de son uniforme d'écolière neuf contre ses jambes. Dans la poche de son blazer, une petite carte aux bords coupants reposait contre son cœur. D'un côté était collée sa photo d'identité en noir et blanc, avec de grands yeux noirs, et de l'autre était écrit : *« Carte d'étudiant. École de danse de l'opéra américain. »* Elle n'était que trop consciente de sa présence et avait l'impression de cacher la preuve d'un crime.

Margaret tendit les valises de sa fille à Eildon avec un sourire sec et un petit mouvement de tête qui marquait l'accomplissement de sa part du marché.

Le chef de gare souffla dans son sifflet. Eildon monta les valises dans le train et redescendit avec un sourire.

— Eh bien, il est temps de se dire au revoir.

Il serra Ellen dans ses bras ; il sentait le tweed, le chat et le jardin.

— Sois sage, lui dit-il à l'oreille, et écris-moi, d'accord ?

Puis vint le tour de Margaret.

— Au revoir, Ellen.

Quand sa mère l'embrassa sur la joue, Ellen sentit le frôlement de son col de coton bien repassé. Elle eut un mouvement de recul, soudain en proie à une énorme panique. Il n'y avait pas de parfum. Pas la moindre odeur. Cette découverte la glaça de culpabilité, comme si Margaret était morte, et que c'était elle, Ellen, qui l'avait tuée, trahie ; à cause d'elle, sa mère se retrouvait seule.

De la fenêtre du train, Margaret et Eildon lui semblèrent tout petits. Un homme et une femme côte à côte, comme un papa et une maman. Elle fit semblant que c'étaient ses parents ; ils s'aimeraient, ils l'aimeraient, elle allait leur manquer.

Le train s'ébranla. Les deux silhouettes agitèrent la main. Ellen répondit à leurs signes d'adieu. Elle ouvrit la bouche pour crier au revoir, mais aucun son ne sortit.

Elle s'assit à sa place et se laissa ballotter. Sa tête cognait en rythme contre la vitre dure et froide. Son ticket avait molli dans sa main moite. Elle se recroquevilla et laissa couler ses larmes tandis que le train l'emmenait loin de chez elle. Elle se sentait anesthésiée, paralysée par le chagrin, la peur, la nostalgie. Mais une sorte d'espoir encore sourd sommeillait en elle, prêt à se réveiller.

14

Ellen roulait prudemment dans la campagne de Nouvelle-Angleterre, s'arrêtant de temps en temps pour vérifier la carte. Carter lui avait envoyé par fax le chemin à suivre, mais il était facile de se perdre dans le dédale de routes secondaires qui menait à la clinique où Ziggy était soignée.

En voyant défiler le paysage, elle essayait de ne pas se laisser atteindre, de rester dans la bulle de la voiture et de se couper de l'extérieur. En dépit de ses efforts, le passé resurgissait. Elle se souvint du cheval brun dans son pré et de la caresse de ses lèvres veloutées sur sa main ; des baies d'aubépine rouge foncé qui s'écrasaient sur la route ; des feuilles d'érable, grosses et humides, comme des parapluies ; des canards, qui glissaient sur l'eau ; des champs à l'abandon où poussaient de jeunes arbres pas plus hauts que le genou, nouvelles forêts en formation. Il y avait aussi les maisons, froides et aveugles, aux immenses façades et aux fenêtres, toutes semblables.

Elle tourna ses pensées vers Ziggy, s'efforçant de l'imaginer au lit, pâle, malade, fiévreuse. Mais elle ne parvenait à voir qu'une jeune femme pleine de projets, en perpétuel mouvement, ses longs cheveux blonds, ses yeux verts enthousiastes. Combien de souvenirs elle avait de son amie ! Ils remontaient à la surface, certains éphémères, d'autres plus détaillés, accompagnés de bribes de conversation, de fous rires. Rien de tout cela n'évoquait clinique, médecins, dépression.

Elles s'étaient connues à l'âge de dix ans à la nouvelle École de danse de l'opéra américain. Elles partageaient une chambre et chacune était devenue la meilleure amie de l'autre. Leur chambre était au premier, avec une fenêtre qui donnait sur les vieux arbres du parc de l'ancien couvent. En hiver, elles se battaient contre le froid qui s'infiltrait par des interstices, parlaient de la condamner avec des planches ou des couvertures. Au lit, elles lui tournaient le dos pour résister au souffle d'air. En été, au contraire, elles punaisaient dans l'encadrement un rectangle de mousseline en guise de moustiquaire et la laissaient ouverte jour et nuit. Couchées dans le noir, elles se parlaient à voix basse, bercées par le bruissement des arbres.

— Avant, il y avait des bonnes sœurs qui couchaient dans cette chambre, aimait à rappeler Ziggy. Leurs lits étaient étroits comme les nôtres, mais elles dormaient sur des planches. Tous les soirs, quand elles s'agenouillaient pour prier, elles se frappaient avec des petits martinets terminés par des crochets. Pour mortifier la chair.

Ni l'une ni l'autre ne savait au juste ce que l'expression signifiait, mais elles lui trouvaient une certaine noblesse.

Les élèves obéissaient à un emploi du temps très strict, rythmé par le son de la vieille cloche de la chapelle. Elles portaient des vêtements simples, noirs ou blancs, fournis par l'école : justaucorps, maillots, cache-cœurs et jambières, qu'il fallait associer en différentes combinaisons, selon les occasions. À l'heure des repas, elles prenaient place à de longues tables de réfectoire et se nourrissaient de maigres portions. Personne ne demandait à être resservi. Elles avaient appris l'art du silence et de la concentration pour parvenir au parfait contrôle mental et physique qu'on exigeait d'elles.

Malgré le travail éreintant et les nuits entrecoupées par les pleurs des élèves épuisées ou démoralisées, toutes se savaient privilégiées. Elles faisaient partie de l'élite, de la caste des élues. Pour celles qui tiendraient jusqu'au bout, qui se montreraient dignes de la confiance qu'on leur avait témoignée, ce serait la gloire… Nous ne nous marierons jamais, se juraient Ziggy et Ellen. Nous sacrifierons notre vie à la danse.

À la fin de la journée, elles s'asseyaient à la fenêtre, têtes penchées – l'une blonde, l'autre brune –, et se lavaient mutuellement les pieds, inspectaient les ecchymoses, les ampoules éclatées, massaient les muscles endoloris, autant d'insignes de gloire et de stigmates de leur foi.

Elles inventaient sans cesse de nouvelles méthodes pour s'assouplir : baisser les épaules, étirer les ligaments, ouvrir les hanches. Elles s'installaient par terre, genoux repliés, pieds coincés dans le petit espace entre le plancher et le bas de leur lourde commode. Quand elles tendaient les jambes, elles provoquaient une extension de la voûte plantaire. Elles se plaçaient côte à côte et se torturaient jusqu'à ce que les articulations des orteils rougissent et se gonflent sous l'effort. Elles mettaient au point des positions pour obliger les muscles à s'allonger, se relayaient pour accentuer l'effort en appuyant ou en tirant sur le corps de l'autre pour le faire travailler. Elles fixaient à l'avance la durée de l'exercice et se promettaient de ne pas arrêter avant que le temps prévu ne soit écoulé. Elles apprirent à supporter la douleur de l'autre, ses grimaces, ses cris, ses larmes, sans flancher. Elles détournaient la tête pour ne pas voir, ne se trahissaient jamais.

Les jours de spectacle, de pique-nique de fin d'année, ou pour Thanksgiving, les élèves avaient le droit d'inviter leur famille. Toutes ne recevaient pas de visites à chaque occasion, mais Ellen était la seule à ne jamais en avoir. Quand on lui posait des questions, elle expliquait qu'elle n'avait que sa mère, qui était très occupée. Elle travaillait, voyageait, donnait des conférences, parfois même séjournait à l'étranger.

Au contraire, la mère de Ziggy, Lucy, semblait ne vivre que pour sa fille et l'entourait d'un amour passionné. Ellen se souvenait que Lucy prenait le moindre prétexte pour débarquer à l'école, drapée dans ses fourrures, ses foulards, les bras chargés de présents. Elle paraissait toujours accompagnée d'un froissement de papier de soie. Les paquets contenaient des chemisiers, des robes de cocktail, de la lingerie. Ces cadeaux incessants, elles les déballaient sur leurs lits étroits de religieuses.

« Mais qu'est-ce qu'elle croit qu'on fait, ici ? » s'indignait Ziggy en les jetant au fond du placard, derrière les piles de vêtements noirs ou blancs bien pliés.

Pour leurs anniversaires, celui d'Ellen aussi bien que celui de Ziggy, Lucy obtenait la permission de les emmener au restaurant.

— Commandez tout ce que vous voulez ! clamait-elle, enchantée de pouvoir les gâter. Ne regardez même pas la carte, dites juste à monsieur de vous apporter ce qui vous ferait plaisir !

Le serveur attendait, carnet en main, et prenait leurs commandes. Les repas qu'elles concoctaient étaient si étranges que le chef commençait toujours par prétexter que c'était impossible. À force de persuasion, il finissait par céder. Le maître d'hôtel doublait le prix du menu, Lucy laissait un pourboire royal, et tout le monde y trouvait son compte.

Lucy était très protectrice à l'égard d'Ellen, ayant compris qu'elle n'avait pour tout contact avec l'extérieur qu'un oncle riche, un original qui adorait les chats. Il lui envoyait des cadeaux bizarres : des foulards anciens et des broches vieillottes qu'Ellen affirmait adorer. Lucy trouvait cette loyauté touchante, mais se doutait que la présence d'une mère lui manquait.

— Appelle-moi Lucy, avait-elle recommandé dès leurs premières rencontres. Tu n'as qu'à me considérer comme ta... Oh, je ne sais pas...

Elle n'avait pas su compléter, et leur relation était restée dans le flou.

— Vous allez toutes les deux devenir de grandes danseuses, prédisait-elle avec ravissement lors de ses visites. Mes deux chéries, les deux premières vraies ballerines américaines.

Elle racontait souvent qu'elle aurait pu devenir danseuse elle-même. Un rêve qui ne l'avait pas lâchée et s'accompagnait de grands regrets. Ziggy et Ellen ne s'inquiétaient pas pour elle : puisqu'elle considérait la réussite de Ziggy comme la sienne, elle ne tarderait pas à être exaucée.

Et puis Ziggy avait commencé à avoir mal aux orteils. Une douleur bien supérieure à la souffrance ordinaire des courbatures et des ampoules, bien plus intense, vraiment insupportable, même pour elle.

— Il va falloir en parler à l'infirmière, avait déclaré Ellen malgré le désespoir de Ziggy.

L'infirmière l'avait emmenée consulter un grand orthopédiste à New York. Il lui avait fait des radios et avait annoncé brutalement que si Ziggy continuait à danser, elle serait estropiée à vie. Il n'y avait rien à faire, avait-il expliqué sans état d'âme. Ses gros orteils étaient plus longs que la normale par rapport à ses autres doigts de pied. En conséquence, avait-il continué en pointant son stylo sur les radios pour étayer ses propos, les gros orteils supportaient tout l'effort quand elle dansait sur les pointes. Les cartilages s'usaient. « Les dégâts sont déjà très importants. Vous devez souffrir le martyre. »

Ellen et Ziggy reçurent ce verdict en silence. Elles étaient anéanties. Après tout leur travail, le corps de l'une les trahissait. Ziggy ne parvenait pas à imaginer un avenir sans la danse. Ellen n'arrivait pas davantage à envisager une vie où elle ne danserait pas avec Ziggy.

Une réunion fut organisée pour discuter du sort de Ziggy dans les appartements de la directrice, tout en haut de l'école. Ellen accompagna son amie, la main sur son bras, sentant à quel point elle était sous tension. On les fit entrer dans un salon luxueux et on les guida vers des fauteuils anciens à pieds dorés en patte de lion. Elles contemplaient les lieux, sidérées par cet univers dont elles n'avaient pas soupçonné l'existence au-dessus de leurs têtes. Quel contraste avec les longs couloirs froids, les planchers nus auxquels elles étaient habituées !

Les professeurs et les répétitrices s'étaient montrées compréhensives, contrairement à leur habitude. En règle générale, elles n'adressaient que des reproches, ne prodiguaient que des incitations à travailler davantage. Les jambes plus tendues, le port de bras plus gracieux, le cou plus long, davantage de fluidité, et un sourire plus marqué. (« Allons, mesdemoiselles ! Encore un effort. Vous êtes nulles, on dirait des vaches ! Des grosses vaches ! »)

On installa Ziggy sur un canapé, jambes allongées pour qu'elle se repose les pieds. On aurait dit un cadavre au spectacle de son propre enterrement. Et, comme une morte, elle était pâle, le visage calme, les lèvres closes, cireuses, crispées en un sourire figé.

Puis Lucy était arrivée, très agitée, folle de chagrin, de rage. Elle exigea de voir les pieds de Ziggy, puis les radios.

— Mais elle n'a plus qu'un an d'école ! s'entêta-t-elle. Il doit bien y avoir quelque chose à tenter. Une opération, n'importe quoi !

Elle criait, hors d'elle.

— Malheureusement, rien n'est possible dans son cas, lui répondit-on. Il n'y a aucun espoir.

Un terrible silence se fit, tandis que Lucy considérait Ziggy la mort dans l'âme. En la voyant ainsi, Ellen se rendit compte que, pour faire vivre son beau rêve, elle aurait été prête à tout sacrifier, même sa fille.

Ziggy aussi le comprit. Elle eut un frisson et tourna les yeux vers le parquet. Elle suivit le contour des petites lattes en carré, encore et encore, sans s'arrêter.

L'année qui suivit fut très difficile. Ellen se retrouva seule dans la petite chambre. Elle n'avait plus personne pour l'aider à travailler, ni pour la réveiller quand elle criait la nuit. Elle hiberna comme un animal, subsista dans des limbes. Elle n'attendait plus qu'une seule chose : que la formation se termine. Elle consacrait toute son énergie à la préparation des examens de sortie, et au rôle vedette qu'elle devait tenir lors du spectacle final. Après cela, disait-on, elle serait lancée à grand renfort de publicité. La meilleure élève de la première promotion des ballerines américaines.

Pendant ce temps, Ziggy était rentrée chez elle dans le New

Hampshire, puis avait fugué à New York. Carter l'avait repérée un jour dans un café, remarquant sa silhouette élancée aux hanches étroites, qui se frayait un chemin entre les tables avec une grâce qu'il savait rare. Il s'attendait à être déçu en voyant son visage, il l'imaginait déjà avec une peau couverte de boutons, ou des yeux inexpressifs, ou alors elle serait trop vieille. Mais, quand elle s'était retournée, il avait été frappé par sa beauté. On dirait une sirène, avait-il songé, surpris lui-même par tant de lyrisme. Elle riait avec un charme fou.

Elle avait ri de nouveau quand Carter lui avait assuré qu'elle pouvait devenir top model, et expliqué qu'elle gagnerait des fortunes.

— Vous défilerez pour Chanel, pour Yves Saint Laurent, pour Jean-Paul Gaultier, avait-il prédit, parce que vous ressemblez à une sirène.

Du coup, Ziggy n'avait plus eu envie de rire.

— Vous vous moquez de moi.

— Pas le moins du monde.

À l'époque, il était plus mince, presque séduisant.

D'énormes gros titres avaient annoncé le grand soir du gala de fin d'année : « GRAND JETÉ POUR LE RÊVE AMÉRICAIN », « LES NOUVELLES ÉTOILES », « RÉVOLUTION CORPORELLE POUR LA DÉMOCRATIE. »

Le spectacle de la première promotion de l'École de danse de l'opéra américain n'était accessible que sur invitation. Dans les salles de presse, partout en Amérique, les places s'arrachaient, se revendaient au marché noir. C'était l'endroit où il fallait être vu si l'on avait un lien quelconque avec la danse, le théâtre, la jeunesse, l'éducation, la mode, bref, tout ce qui faisait l'avenir de la nation. Andy Warhol avait pris les photos de la couverture des programmes, et les premiers exemplaires étaient déjà envoyés aux archives et aux musées du monde entier.

Le matin, les danseuses furent rassemblées dans le grand salon. Là, silencieuses et tendues, elles firent face aux mêmes messieurs en costume-cravate qui les avaient inspectées quand elles avaient dix ans et tremblaient de tous leurs membres devant eux.

— Voici votre chance de vous distinguer, leur dirent-ils. Le monde entier vous regarde.

Dans le théâtre où avait lieu le spectacle, les membres de la production galopaient dans les coulisses, entouraient les élèves, vérifiaient les costumes, le maquillage, les lumières. Les professeurs circulaient des unes aux autres, essayant de calmer leur trac, tendus, eux aussi, parce que c'était leur travail qui allait être jugé.

Pendant ce temps, Ellen, la danseuse vedette, en costume et maquillée pour le solo d'ouverture, s'était échappée dans la régie. De ce perchoir, elle scrutait les spectateurs en silence. Le troisième rang à partir du fond. Le douzième fauteuil à gauche. Elle était là, les bras sur les accoudoirs, le regard fixe.

— Venez voir ! cria Ellen à un technicien.

Il se posta derrière elle et regarda dans la salle par-dessus son épaule.

— Regardez. Troisième rang à partir du fond. Douzième fauteuil sur la gauche. Il y a un manteau de fourrure blanche sur le dossier.

— Cheveux bouclés ?

— C'est ça...

Ellen avait les larmes aux yeux.

— C'est ma mère. Elle est venue !

— Mais ma petite, toutes les mères sont là ! Elle doit être fière de toi et avoir un trac d'enfer.

— Non, non, pas elle, murmura Ellen. C'est la première fois qu'elle vient à un spectacle. Elle ne m'a encore jamais vue danser.

— C'est pas vrai ! Et pourquoi ?

Ellen se rendit à peine compte qu'il avait posé une question.

— Cette fois, je lui ai écrit. Je l'ai suppliée de venir. Et elle est venue !

Le technicien fronça les sourcils.

— Là, c'est quelque chose...

Un régisseur en survêtement noir et blanc fit irruption dans la pièce.

— Ah ! Vous voilà ! Dix minutes avant l'entrée en scène ! Vous avez été appelée !

Il tendit le bras vers Ellen et prit une profonde inspiration pour se calmer.

— Mademoiselle Kirby, pouvez-vous aller immédiatement à l'entrée jardin, je vous prie ? Et ne courez pas dans l'escalier.

Ellen prit place dans les coulisses, sourire aux lèvres. Elle sentait que les autres danseuses la regardaient, étonnées par son calme. Personne ne se doutait que, pour elle, la soirée était déjà un triomphe, un trésor sans prix.

Elle est là... Elle est là... Elle est venue me voir...

— Donne le meilleur de toi-même, conseilla Katrinka, la maîtresse de ballet russe qui avançait vers elle en boitant.

— Bien sûr.

Katrinka resta derrière elle, ses mains noueuses posées sur les hanches minces et le tutu de satin. La vieille danseuse passait le relais à la nouvelle génération. Elle avait le regard nostalgique, plein du souvenir de sa grandeur passée, de tout ce qu'elle avait perdu. Quand les premières mesures retentirent, elle resserra les mains sur la taille d'Ellen, attendant avec elle les notes qui annonçaient son entrée. Puis elle la lâcha comme elle l'aurait fait d'une colombe dans les airs.

Ellen s'envola, traversa la scène dans un tourbillon de pirouettes à couper le souffle. Elle était folle de joie, mais d'un calme souverain. Son cœur battait au rythme puissant de l'espoir. La discipline lui avait donné une force énorme. Tout contribuait à sa virtuosité : les années de formation, l'accumulation des petites victoires quotidiennes sur son corps, les batailles incessantes remportées sur la douleur physique et l'envie de renoncer. Elle dirigea tout son être vers le troisième rang, vers la maîtresse de son cœur, de son âme, de sa vie.

Sa mère.

Quand elle sortit de scène, Katrinka l'étreignit, les larmes aux yeux.

— Tu es un ange. Un ange avec des ailes.

Mais Ellen ne s'attarda pas. Elle courut reprendre son poste d'observation à la régie. Après son solo, il y avait un court divertissement, puis de nouveau elle devait danser. Ses apparitions étaient indiquées dans le programme – Margaret devait attendre avec impatience que les autres scènes soient terminées pour la revoir.

Elle examina la salle. Troisième rang à partir du fond… Une fourrure blanche dans la pénombre…

Le fauteuil était vide.

Les lumières de la scène éclairaient les fauteuils d'orchestre. Il n'y avait aucun doute possible : elle était partie.

Le décor changea, les lumières s'intensifièrent. Ellen vérifia encore qu'elle ne s'était pas trompée. Le manteau n'était plus là. Le programme, avec la photo d'Ellen sur la couverture, abandonné sur le siège.

Elle remonta sur scène en état de choc, désespérée. Son corps dansait sans se tromper, mais était devenu insensible. Puis, peu à peu, l'espoir se ranima en elle. Margaret était allée aux toilettes. Elle ne se sentait pas bien. Elle reviendrait. Sans doute était-elle déjà de retour à sa place. Le corps d'Ellen se tendit vers cette conviction, s'y donna tout entier. Il fallait que ce soit vrai.

Avant la fin de la scène, il y avait une respiration. En dépit des règles, elle regarda dans la salle. Elle chercha au fond, non pas avec le regard aveugle d'une artiste qui s'adresse à la foule, mais avec une intensité déchirante, une fraction de seconde trop longue. Les spectateurs furent touchés en plein cœur, et des applaudissements éclatèrent. Ellen continua ses pas sans rien voir, sauvée par son impeccable technique.

Lorsque, enfin, elle eut terminé, elle s'enfuit de scène et tomba, en larmes, dans les bras de Katrinka.

— Que s'est-il passé ? Quoi ? Dis-moi ! s'écria la vieille dame.

— Elle est partie.

— Qui ça ?

— Maman ! Maman…

Elle n'appelait jamais Margaret « maman », jamais. Mais sa mère était venue la voir danser. Elle était venue voir sa fille, l'avait découverte gracieuse, belle, admirée. C'était un nouveau début. Rien ne serait plus jamais pareil.

— Allons, allons, arrête de pleurer. Il faut que tu retournes sur scène.

Elle fit signe au régisseur.

— Allez voir l'habilleuse, dites-lui de vous donner un masque de la mascarade.

Elle fit tourner Ellen comme une poupée, lui essuya le visage avec le bas de son tutu, poudré par la poussière de la scène.

— Tu es une grande fille, maintenant, il ne faut pas pleurer.

Sa voix était douce, mais ses gestes fermes.

Quand on leur apporta le masque, elle essuya les larmes d'Ellen une dernière fois et le lui fixa sur les yeux.

— Allez, c'est fini. Tu n'es plus Ellen, tu n'es plus personne. Tu es une future étoile américaine.

Le moment venu, elle poussa Ellen sur scène. Et elle dansa. Ses sanglots furent stoppés par la nécessité de contrôler son souffle, mais les larmes coulaient derrière le masque à paillettes. Ses gestes étaient empreints d'une grande douleur, d'un immense désespoir. Quand vint le tableau final, elle se laissa tomber sur le sol comme le voulait la chorégraphie, baissa la tête et posa le visage sur la scène, les membres lourds comme si, jamais, elle ne pourrait plus se redresser.

On lui fit une ovation. Les gens se levèrent pour applaudir, lancèrent des fleurs. Les pages des programmes tournaient dans les mains des spectateurs qui cherchaient son nom, enchantés par le paradoxe de cette douleur mise à nue, et pourtant masquée.

Malgré les applaudissements qui gonflaient et montaient de toutes parts, Ellen se sentait froide et vide. Ses larmes lui brouillaient la vue. Elle revit Margaret, assise dans son fauteuil. Puis elle l'imagina se levant, s'éloignant dans l'allée sans se retourner.

Non ! avait-elle envie de hurler. *Ne t'en va pas ! Ne me quitte pas ! J'ai besoin de toi ! Je t'aime !*

Tu es ma mère !

La plaque était petite et discrète, avec des lettres noires gravées sur fond d'or : CLINIQUE MARSHA KENDALL. Au-dessus avait été laissé l'ancien nom de la propriété. L'inscription avait été récemment repeinte à l'or, comme elle l'avait dû l'être souvent par le passé. Shangri La, en lettres de style oriental. La maison avait sans doute appartenu à une vieille famille fortunée aux goûts insolites. Des tours encadraient le bâtiment, surmontées de toits en pagode avec des arêtes en forme de dragon. On accédait à la porte d'entrée par une arche chinoise constituée d'épais blocs de pierre grise. Dans le jardin se dressait un petit temple en marbre au pied duquel un bassin reflétait le ciel tranquille.

Ellen passa sous l'arche et vit la porte s'ouvrir devant elle. Le soleil matinal éclaira des tapis chinois et des vases de fleurs exotiques.

Un homme tenait la porte ouverte, le visage courtois et impassible.

— Bonjour, madame.

Ellen entra et découvrit l'épaisseur moelleuse du tapis sous ses pieds. Un parfum de cire et de frangipane, mêlé à un soupçon de café fraîchement passé frappait le visiteur. Autour d'elle, les murs étaient tapissés de photographies – paysages de mer, de montagne, de cascades –, toutes prises avec le même flou artistique. Elle imagina le décorateur s'évertuant à effacer la mauvaise impression laissée par la pancarte de la grille.

— Puis-je vous renseigner ? demanda le portier.

— Oui. Je viens rendre visite à une grande amie. On m'a dit qu'elle était soignée ici. Elle s'appelle Ziggy Somers.

— Mais certainement, madame, répondit-il d'une voix feutrée teintée de compassion. Si vous voulez bien passer au salon.

Il désignait une porte, au bout du hall. Quand Ellen la franchit, une jeune femme assise à un bureau releva la tête. Elle tenait un porte-plume au-dessus d'un cahier de rendez-vous rempli d'une belle écriture.

— Bonjour, je voudrais voir Ziggy Somers.

La jeune femme eut un sourire aimable et dévisagea Ellen.

— Oui, bien sûr... Vous êtes déjà venue...

— Non, c'est la première fois.

La réceptionniste devint aussitôt plus méfiante.

— Oh, pardon ! Je croyais vous reconnaître. Veuillez vous asseoir, s'il vous plaît.

Elle prit un autre cahier sur le bureau, qu'elle feuilleta.

— Nous préférons que les visiteurs s'annoncent à l'avance, expliqua-t-elle sans lever les yeux. C'est une question de respect pour nos patients. Votre nom, s'il vous plaît ?

— Ellen Madison. Non... Kirby ! Ellen Kirby.

— Ah...

Elle hocha la tête, un intérêt passager sur le visage.

— Excusez-moi, je dois quand même vérifier.

Ellen profita de l'attente pour examiner un grand portrait, dans un cadre doré, qui dominait la pièce. Il représentait le buste, de profil, d'une très belle femme d'âge mûr. Elle regardait devant elle, vers le bord droit du tableau, calme et grave. Malgré la simplicité de sa tenue, cheveux remontés en couronne, vêtements pratiques, le fond était spectaculaire. Dans un ciel tumultueux, des rayons de soleil perçaient à travers des nuages menaçants.

— Marsha Kendall, murmura la réceptionniste avec un

respect teinté de mélancolie. Elle a disparu l'automne passé. C'était une sainte.

Ellen remarqua que le calme profil avait été dupliqué, tel celui d'un souverain, sous forme de silhouette. Il figurait sur le papier à lettres, avait été estampé sur un vase en argent, frappé sur le canapé en cuir, imprimé sur les tasses et les soucoupes, et brodé sur les serviettes. En dessous, un monogramme alambiqué, *M. K*, le complétait.

— Je suis désolée, dit la réceptionniste en relevant la tête, le front soucieux. Votre nom ne figure pas sur la liste de Mlle Somers.

— Quelle liste ?

— La liste des visiteurs autorisés, qui est préparée par le patient et sa famille en concertation avec le praticien.

— J'étais en voyage, expliqua Ellen. Elle n'aurait jamais pensé à m'inscrire sur sa liste de visiteurs parce que je… je vivais à l'étranger. Je viens de rentrer.

— Je suis navrée.

— Comment ça ?

— Je suis désolée, mais vous ne pouvez pas entrer.

— Mais je suis sûre qu'elle serait ravie de me voir si elle savait que j'étais là ! J'étais sa meilleure amie. Je viens de New York exprès pour elle !

— Je comprends, madame. Je peux prendre votre nom et le proposer à la prochaine réunion d'équipe. Si vous voulez me laisser votre adresse…

Le ton calme et professionnel hérissa Ellen. Ainsi, on la congédiait.

— La clinique Marsha Kendall est très stricte sur la sécurité, ajouta la jeune femme avec délicatesse.

Ellen imagina le portier dans le rôle de champion de kung-fu, en train de repousser les amants éconduits, les sœurs, les filles, les fils et les pères… Il les traînait par le col sous l'arche chinoise puis les envoyait dévaler la pente derrière le temple.

— Je vais noter votre adresse, annonça la jeune femme en trempant sa plume dans son encrier à monogramme.

— Non, c'est inutile.

Ellen repartit d'un pas furieux qu'amortissait l'épais tapis, retraversa le hall et passa devant le portier. Elle sentit qu'il la suivait du regard tandis qu'elle traversait la pelouse, montait dans sa voiture et refranchissait la grille en fer forgé.

Quelques centaines de mètres plus loin, elle se gara sur le bas-côté et descendit de voiture en prenant bien soin d'éviter le sumac vénéneux. Elle entra dans la forêt qui bordait la route et, après quelques minutes de marche, elle aperçut les dragons qui pointaient au-dessus des cimes. Bientôt, elle atteignit une haute clôture en grillage.

Ziggy, ça t'amuserait de me voir faire de l'escalade, songea-t-elle en grimpant sur les branches d'un grand pin. Maintenant, c'est moi qui joue les casse-cou au lieu d'attendre que ce soit toi qui rentres par la fenêtre.

Ziggy, où étais-tu passée ?

J'ai fait du stop pour aller au village.

Tu es folle. Tu vas te faire renvoyer.

Mais non, nous sommes trop douées.

Je n'ai rien à voir là-dedans !

(Sourire.) Mais sans moi, tu mourrais d'ennui.

(Sourire.) Sois prudente, je t'en prie.

Ellen sauta de l'autre côté du grillage, remit de l'ordre dans ses cheveux et ses vêtements et traversa le parc vers l'arrière du bâtiment. Elle passa devant un vieux monsieur assis sur un banc. Il regardait fixement ses mains et ne la remarqua pas. Ensuite, elle croisa une statue de Marsha Kendall dont le profil sévère s'adoucissait sous les crottes d'oiseaux et le lichen. Elle avisa une porte et entra, l'air de rien.

Ici, les exigences médicales prenaient le pas sur l'élégance ouatée. À l'acajou et à l'ivoire s'ajoutaient l'acier trempé et la porcelaine blanche. Des fleurs exotiques ornaient les vases comme dans le hall, mais à leur parfum se mêlaient des odeurs d'antiseptique. Ellen faillit renoncer ; elle plaqua la main sur son nez et rassembla tout son courage pour continuer. Elle longea le couloir d'un pas rapide. Il desservait une série de chambres qui portaient des noms d'arbres, gravés sur des plaques : myrte, cornouiller, érable, hêtre, cyprès, mélèze. Une seule d'entre elles était ouverte. Ellen s'arrêta pour jeter un œil à l'intérieur. On aurait dit un hôtel de luxe, avec une table basse et des fauteuils. Mais, en bas de la longue courtepointe en tapisserie d'Aubusson, les pieds du lit brillaient d'un éclat métallique, et aux fenêtres, ni stores ni voilages, juste une grille, ornementée mais solide. L'absence d'angles saillants donnait une étrange impression de rondeur à la pièce : tous les meubles, tous les objets étaient inoffensifs.

Ellen tourna la tête en entendant un pas léger dans le couloir. Un homme avançait vers elle, pâle, les traits tirés. Ce visage lui était familier, mais elle n'arriva pas à le situer. Il ne lui prêta pas attention, et elle laissa son regard glisser sur lui.

Des bruits sourds montaient des profondeurs de la maison, étouffés par les tapis, les lourdes tentures et les murs épais. Ellen respirait à peine, ne prenant que de petites inspirations prudentes.

Elle alla jusqu'au bout et tomba sur un deuxième couloir encore plus long, également bordé de portes closes. Elle tenta d'en pousser quelques-unes et s'aperçut qu'elles étaient fermées à clé. Une seule s'ouvrit, mais la chambre était vide. Il n'y avait qu'une paire de mules roses à talons hauts abandonnées au milieu de la pièce. Elle poursuivit ses recherches d'un pas rapide, essayant les portes sur son passage. Sans doute avait-elle très peu de chances de trouver Ziggy de cette manière, mais peut-être tomberait-elle sur une infirmière, ou un patient, à qui elle raconterait un mensonge pour se faire aider. Soudain, elle s'arrêta, l'œil attiré par une plaque. « SUITE DU MARRONNIER. » Le gros arbre qu'elles avaient tant aimé devant leur petite chambre était justement un marronnier. Elles adoraient les marrons d'Inde luisants qui semblaient toujours chauds quand elles les ramassaient. La poignée de cuivre tourna dans sa main, et la porte s'ouvrit.

Une femme était couchée dans le lit, endormie. Ses cheveux, sagement nattés, s'étalaient en deux lignes parallèles sur le drap blanc. Ellen entra sans bruit et s'approcha du lit. Des contusions couvraient ses bras et son visage. Seules ses paupières et ses lèvres n'étaient pas meurtries. Sous la peau rougie, pleine de croûtes, on devinait des traits fins, une ossature délicate. Elle aurait été belle, songea Ellen. Alors qu'elle la contemplait, la malade s'agita, et une expression de dégoût se peignit sur ses traits. Elle leva lentement les mains vers son visage, doigts crispés, ongles prêts à lacérer la chair… jusqu'à ce que ses bras soient bloqués par les lanières qui la retenaient. Ses yeux s'ouvrirent, des puits profonds d'un brun doré. Quand elle vit Ellen, elle eut un sourire pensif.

— Pardon, marmonna Ellen en reculant. Je me suis trompée de chambre.

De retour dans le couloir, elle courut vers une porte où était accroché un dessin, une petite tête de femme, à l'opposé du profil de Marsha Kendall. Un panneau indiquait « TOILETTES ».

Elle se précipita à l'intérieur, ignora les miroirs, les lavabos et s'engouffra dans une des trois cabines. Elle se pencha sur la cuvette et eut de violents haut-le-cœur. Malgré sa nausée, elle ne parvint pas à vomir. Ses yeux la brûlaient, des quintes de toux lui arrachaient la gorge comme des sanglots.

— Vas-y mon ange, lâche-toi.

Ces mots provenaient de la cabine voisine, légers, presque langoureux.

— Tu te sentiras beaucoup mieux après.

Ellen redressa la tête.

— Pardon ? Vous m'avez parlé ?

Pas de réponse.

— Qui est là ?

Cette façon de dire « mon ange » lui rappelait quelque chose. Elle grimpa sur le siège des toilettes et se dressa sur la pointe des pieds pour regarder par-dessus la paroi.

Une femme était assise sur le couvercle fermé des toilettes comme sur une chaise. On aurait dit un dessin d'enfant composé de bâtons. Des membres décharnés et anguleux dans des vêtements noirs collants, repliés pour se caser dans l'étroit espace. La tête était penchée en avant, trop lourde pour le cou filiforme et les maigres épaules. Un béret bleu marine cachait les cheveux.

Ellen toussota pour signaler sa présence. La tête tourna, puis se leva, révélant un visage blême et émacié, et des yeux d'un vert profond magnifique.

Elles se regardèrent toutes les deux un long moment, aussi étonnées l'une que l'autre. Puis la femme squelettique se mit debout et grimpa aussi sur le siège des toilettes, se retenant en haut de la paroi pour garder l'équilibre. Elles se retrouvèrent face à face, les mains toutes proches, visage contre visage.

— Merde, Ziggy, souffla Ellen, qu'est-ce qu'on t'a fait ?

Ziggy eut un frisson, un sanglot dans la gorge, puis ses yeux se fermèrent, et un sourire éclaira son visage livide.

— Ellen, Ellen, Ellen…

Quand elle rouvrit les paupières, ses yeux brillaient de larmes.

— Je savais que tu viendrais.

Soulagée par cet accueil, Ellen se força à sourire.

— Dis, je te remercie d'avoir laissé mon nom à l'entrée !

Elles sortirent des cabines. Autrefois, elles se seraient sauté dans les bras, se seraient embrassées, se seraient mutuellement essuyé les traces de rouge à lèvres sur les joues, puis auraient fait un pas en arrière pour mieux se voir. « Tu as l'air en pleine forme ! » était leur cri de ralliement.

Cette fois, elles restèrent à distance, sans rien dire, les embrassades ravalées, les compliments envolés comme des fantômes. Ellen tâchait de ne pas trop s'attarder sur le corps famélique de Ziggy, les os saillants comme s'ils allaient transpercer la peau. Quel effet cela ferait-il de la toucher ? L'idée lui fit horreur. Pour se rassurer, elle ne regarda plus que les yeux de Ziggy, la seule partie de son corps qu'elle reconnaissait.

— C'est Carter qui m'a dit où te trouver, expliqua-t-elle.

— Ça alors ! répondit Ziggy avec un rire. Tu sais qu'il m'en veut beaucoup. Il s'est donné la peine de venir jusqu'ici pour me faire une scène. Ensuite, il a envoyé des roses tous les jours pendant une semaine. Des roses ! Quelle idée !

Amusée, Ellen se rappela qu'elles avaient toujours détesté les roses, surtout celles à tige longue dont on avait ôté les épines. Elles y avaient vu le symbole de la beauté dénaturée.

— Qu'est-ce que tu fais ici ? demanda-t-elle.

— Il paraît que je suis en train de me tuer parce que je ne mange rien, répondit Ziggy d'un ton léger.

— Non, je veux dire, qu'est-ce que tu fais ici, dans… dans ces toilettes.

Ziggy se crispa, son regard vert devint méfiant.

— Je faisais pipi.

— Ah, d'accord, fit Ellen en se penchant vers le miroir pour s'enlever un cil imaginaire. On peut aller ailleurs ? Dans ta chambre ?

— Heu… Oui… Si tu veux… Mais j'ai une visite.

Elle sembla se secouer et fit un grand sourire.

— C'est maman. Elle sera ravie de te voir. Allez, viens.

Ziggy avançait à pas lents en se tenant au mur. Ellen, qui la suivait, avait du mal à la regarder. Devant la porte de sa chambre, une de celles qui portaient un nom d'arbre, Ziggy s'effaça pour la laisser passer.

Ellen entra et s'arrêta avec surprise en voyant une silhouette agenouillée devant la commode, qui fouillait dans les tiroirs.

— Lucy !

La tête aux boucles blondes tourna avec un sursaut coupable.

— Ellen ! Chérie !

Elles s'embrassèrent, et Lucy laissa sur la joue d'Ellen une marque de rouge à lèvres pastel.

— Tu es tellement bronzée que j'ai failli ne pas te reconnaître, s'exclama Lucy. Tu es superbe !

— Je te remercie, toi aussi. Tu n'as pas du tout changé.

Pourtant, il y avait quelque chose de nouveau et de très étrange dans son visage. Une impassibilité qui donnait l'impression qu'une partie de son cerveau avait cessé de fonctionner. Ou alors c'était un lifting. Ellen imagina un chirurgien qui lissait les rides de Lucy en tirant sur la peau pour lui redonner l'inexpressivité de la jeunesse.

Lucy se tourna vers sa fille qui était entrée lentement.

— Où étais-tu passée ? J'allais appeler quelqu'un.

Ziggy s'assit dans un fauteuil, visiblement épuisée.

— Laisse-moi tranquille, dit-elle d'une voix lasse.

Pincée, Lucy se tourna vers Ellen.

— James est avec toi ?

Ne sachant que répondre, elle se contenta de secouer la tête.

Un regard perçant la dévisagea. Lucy se doutait que quelque chose n'allait pas. Les bruit étouffés de la clinique remplirent le silence.

— Ma pauvre..., soupira Lucy. Rien ne va plus pour personne...

Sur quoi, elle éclata en sanglots.

— Arrête, maman, ordonna Ziggy sans même la regarder.

Ellen alla à la fenêtre et appuya le front contre la vitre fraîche. Derrière elle, Lucy se préparait à partir : elle prenait son sac, son parapluie, cherchait ses clés de voiture. Elle se tourna pour lui dire au revoir et eut soudain pitié d'elle. Son regard de femme vieillissante était perdu, accablé. Elle était impuissante face à cette ombre qu'était devenue sa fille, ce déversoir dans lequel elle avait mis tant d'elle-même.

— Raccompagne-moi, Ellen, implora Lucy en se penchant pour embrasser le haut du béret de Ziggy.

Ellen sortit de la chambre avec elle. Elles marchèrent en silence jusqu'au bout du couloir. Quand elles eurent franchi le coin, Lucy s'arrêta et lui prit le bras.

— Ça fait trois ans qu'elle passe pratiquement tout son temps à la clinique. Quand elle sort, ce n'est jamais pour longtemps. Elle a failli mourir deux fois. Il paraît que son cas est désespéré. Il n'y a rien à faire. Dans la chambre à côté d'elle, il y avait une chanteuse de folk très connue. Elle avait de l'argent, elle était très aimée… et elle vient de mourir d'anorexie. Je n'y comprends rien. La carrière de Ziggy marchait tellement bien. Carter avait de grands projets pour elle.

Un instant, l'espoir revint dans ses yeux.

— Ellen, tu es sa meilleure amie. Peut-être pourrais-tu…

Sa voix s'éteignit. Son optimisme l'avait abandonnée net.

Ellen hocha la tête mécaniquement. Lucy la dévisagea et, ne la jugeant visiblement pas très solide elle-même, elle eut un sourire forcé.

— Bon, nous sommes toujours à la même adresse. Tu m'appelles, d'accord ?

— Bien sûr. Merci. Tu pourrais donner mon nom à l'accueil pour les visites, en partant ? On m'a interdit d'entrer.

Lucy eut un sourire.

— Je dirai que tu fais partie de la famille.

Quand Ellen retourna à la chambre de Ziggy, elle trouva la porte close. En approchant l'oreille de la porte, elle entendit parler à l'intérieur.

— Voilà, tout va bien…

Une voix gentille, comme pour rassurer un enfant.

— Une petite piqûre de rien du tout, dit une autre voix.

— Ça va la calmer. Elle fait toujours une crise après les visites de sa chère maman. J'ai dit au psy qu'on ferait mieux d'interdire à cette vieille sorcière de venir.

Des rires étouffés.

— C'est sans doute elle qui règle les notes de la clinique.

Ellen fit demi-tour et repartit par le salon. Au passage, elle jeta un coup d'œil sur le portrait de Marsha Kendall. La réceptionniste redressa la tête et lui fit un signe. Le portier lui sourit.

Dehors, des oiseaux s'aspergeaient dans le bassin du temple et ridaient le ciel tranquille.

15

Ellen avait trouvé refuge dans un café sombre. Elle grignotait sans faim des nachos trempés dans de la salsa, tout en buvant une bière pour apaiser la brûlure de la sauce pimentée. Elle était l'unique cliente, et le patron mexicain ne la quittait pas des yeux. Il l'observait de derrière son comptoir encombré, la tête encadrée par d'énormes bouteilles de tequila qui contenaient de gros vers confits dans l'alcool.

Elle leva la main pour commander une nouvelle bière. Il ouvrit le réfrigérateur derrière lui, toujours sans la quitter des yeux. La bière fut servie avec une tranche de citron vert et un menu maculé de traces de doigts huileuses.

Elle le lui rendit.

— Je ne veux rien, merci.

— Il faut manger. Boire la bière avec le repas, c'est meilleur. La bière seule, ce n'est pas bon.

Il dévisageait toujours Ellen, et elle baissa les yeux, impatiente de le voir partir.

— Tacos, enchiladas ?

— D'accord, comme vous voudrez.

— Je choisis pour vous, je vous apporte le meilleur.

Il partit gaillardement vers la cuisine, investi d'une mission. Ellen s'étira contre son dossier et regarda le plafond. Il était noirci par les ans et la fumée, taché de nourriture. Elle imagina des bagarres d'amoureux, de grandes batailles à coups de haricot rouge et de piment.

Nous ne nous disputions jamais, songea-t-elle soudain avec un coup au cœur. Nous étions très calmes. Elle se rappelait James, toujours raisonnable, alors qu'elle ne savait plus rien et s'enfermait dans des silences paralysants.

Et à présent, c'était fini. Seuls l'accompagnaient les souvenirs qui revenaient sans cesse, comme les extraits d'un film qu'elle aurait préféré ne pas être allée voir...

D'abord, la femme écrit une lettre à son amant parce qu'elle ne sait pas s'exprimer autrement et est incapable de lui parler. Il faut qu'elle parte. Ce serait trop dangereux pour eux qu'elle reste. Elle est mauvaise, ou folle, ou les deux à la fois. Leur enfant est en danger. Elle continue, écrit tout ce qu'elle a sur le cœur. Ensuite, elle froisse le papier et recommence. Que s'est-il passé ? Pourquoi n'est-elle pas heureuse ?

Puis l'homme rentre chez eux plus tôt que prévu. Il aperçoit aussitôt la valise faite et la lettre roulée en boule. La femme est paralysée de terreur. Il défroisse le papier et lit.

— Ce n'est pas vrai ! proteste-t-il.

Mais elle voit à son regard qu'il la croit. Il a appris à ne pas se fier à l'eau qui dort, aux profondeurs insoupçonnées de l'âme. Il n'a jamais eu l'impression de bien la connaître, s'est toujours demandé ce qui sommeillait en elle.

— Je savais que tu finirais par me quitter, dit-il finalement. Au moins, maintenant, ça sera fait.

Il soupire ; il est presque soulagé. Le malheur, inévitable, est enfin arrivé, et la douleur de la rupture n'est pas pire que celle de l'attente.

Sous les yeux de la femme, son attachement craque, cède, et il renonce à elle. Elle voit se consumer et mourir les derniers vestiges de son amour. Les dernières tendresses, il les arrache et les jette loin de lui. Il ne garde que son enfant dans son cœur, la seule personne désormais capable de lui donner du bonheur.

— Va-t'en, dit-il. Laisse-nous tranquilles. Ne reviens jamais.

Fin du film. Mais d'autres scènes affleurent, des moments

de leur vie qui repassent en boucle dans sa tête, un fil conducteur qui la fait remonter dans le temps, là où tout a commencé.

La première rencontre a eu lieu dans le bureau de l'homme, une pièce lambrissée, avec des meubles massifs de capitaine de bateau. Ils sont assis face à face, de part et d'autre d'une large table de chêne, marquée par des coups, des traces de brûlure.

— En quoi puis-je vous être utile ? demande l'homme.

Il jette un coup d'œil sur les mains de la femme pour voir si elle porte une alliance et découvre une bande de peau blanche depuis peu exposée.

— Ce n'est pas grand-chose. Je voudrais simplement que vous lisiez un contrat pour moi. Un contrat que je dois signer avec mon agent artistique.

— Qui est-ce ?

Il est devenu plus attentif et remarque ses yeux, grands et noirs.

Elle aussi le regarde. Il a les cheveux un peu roux, couleur de sable humide.

— M. Meroe, répond-elle. Carter Meroe.

Elle prononce son nom à voix basse comme si sa traîtrise pouvait atteindre ses oreilles, courir le long des couloirs et traverser la ville jusqu'à lui.

L'homme fronce les sourcils.

— Vous êtes connue ? Carter ne travaille qu'avec les plus grands…

— Non, je viens juste de sortir de l'école : l'École de danse de l'opéra américain. Il a vu un article sur moi. Celui qui est paru dans *Teen*.

— C'est ça ! s'exclame-t-il en frappant la table du plat de la main. L'article sur le Philanthrope aux chats ! La première ballerine américaine ! J'aurais en effet été très surpris que Carter ne se précipite pas sur vous !

— Il m'a beaucoup aidée.

— Je n'en doute pas.

— Je vous assure, je lui dois tout. Le seul problème, c'est que je préfère...

— Mais bien sûr. Vous avez raison de prendre un conseil juridique. Vous avez besoin d'un avocat pour protéger vos intérêts. Quelqu'un qui ne se souciera que de vous. (Il se penche vers elle, la voix douce et bienveillante.) Vous pouvez me faire une confiance absolue.

La femme le dévisage, examine sa bouche comme pour mieux visualiser les mots qui en sortent. Elle sourit et se détend dans le grand fauteuil de cuir, profond et protecteur. Elle s'y sent à l'abri comme dans un château fort. Bien en sécurité.

Début du film. Mais le moment important, l'instant où elle a compris qu'il se passait quelque chose entre eux, est arrivé plus tard. Un matin de novembre glacé...

Ellen sortait de son immeuble avec James. C'était l'heure de pointe, et depuis le hall on entendait déjà la circulation, bruyante et asphyxiante. Elle sourit au portier et passa la porte. Dès qu'elle fut sur le trottoir, son regard fut attiré par une masse rouge. Elle s'arrêta. Sa voiture était couverte de roses. Des centaines de roses amoncelées sur le capot et le toit, qui dégringolaient par terre.

L'angoisse monta comme un serpent qui se dresse dans la poitrine. Charles. Encore Charles...

James, lui, fut imperturbable. Il alla tranquillement à la voiture et ouvrit avec la clé d'Ellen.

— C'est quoi, cette merde ? commenta-t-il avec un petit froncement de sourcils.

Il balaya les roses de quelques mouvements de bras et les envoya dans le caniveau sans autre forme de procès.

Elle le regarda faire, anéantie par la culpabilité. Elle avait laissé à James le soin de régler ses problèmes avec Charles. Leur relation n'avait guère compté pour elle, en revanche

Charles ne cessait de lui téléphoner. Il l'aimait toujours… la désirait toujours… ne pouvait pas vivre sans elle…

Ils montèrent en voiture et partirent. Une seule rose restait coincée dans l'essuie-glace. Quand ils prirent de la vitesse, le vent en arracha les pétales. Ellen se tourna vers James. Il sifflotait en conduisant, un coude appuyé à la vitre ouverte, une main sur le volant. Il sentit son regard et lui adressa un sourire complice qui la fit éclater de rire. C'était là qu'elle avait su. Elle était amoureuse de lui… et voulait vivre avec lui toute sa vie.

Le restaurant mexicain commençait à se remplir pour le déjeuner, mais Ellen, toute à ses pensées, les yeux baissés sur la nappe colorée, avait à peine remarqué la présence des autres clients.

Ce n'était pas de l'amour… Tu ne l'aimais pas vraiment.

Cette certitude soudaine, violente, lui fit très mal. C'était vrai. Elle avait cru être amoureuse de James, vouloir vivre toute sa vie avec lui. En fait, elle avait plutôt désiré être comme lui : forte, tranquille, courageuse et libre.

Le visage de Carter revint, son air blasé vaguement teinté de compassion. Je te l'avais bien dit, baby ! J'ai tout de suite su que ça ne marcherait pas. J'ai essayé de t'avertir, tu te souviens ?

Il lui avait parlé le jour de sa rencontre avec le patron des Plastiques américains. À l'époque, Carter travaillait encore dans son cabinet du centre de New York. Dans ses bureaux, l'air était toujours lourd, froid, mort. Les sons s'étouffaient dans le tapis épais et les tentures.

Ellen s'arrêta dans la rue avant d'entrer. Elle sentit Rex, son garde du corps, s'immobiliser derrière elle. Malgré la pollution, elle respira à fond et leva les yeux vers la fenêtre du troisième étage, puis se décida à pénétrer dans l'immeuble.

Une secrétaire, un sourire artificiel aux lèvres, les accueillit devant l'ascenseur.

— Vous êtes l'agent de sécurité ? demanda-t-elle à Rex.

Rassurée par son hochement de tête, elle lui indiqua une rangée de chaises vides.

— Suivez-moi, je vous prie, mademoiselle Kirby, ajouta-t-elle.

Elle la guida à travers l'aire de réception. Ses talons cliquetaient sur le dallage de marbre, au rythme rapide d'enjambées restreintes par l'étroitesse de sa jupe. Ellen, elle, était libre de ses mouvements dans son collant vert tilleul et avançait à grands pas.

— Entrez, mademoiselle Kirby.

Même sourire factice plaquée sur les lèvres, elle repartit, mais à reculons afin de pouvoir dévisager Ellen un peu plus longtemps.

Ellen entra dans le bureau de Carter, consciente de sa mini-jupe et se retenant de vérifier si elle était bien tirée en arrière. Elle savait qu'elle n'était pas si courte que ça.

— Ah ! Ellen…, dit Carter lentement, comme s'il y mettait beaucoup de cœur.

Il traversa la pièce pour venir l'embrasser. Elle sentit les poils de son menton, déjà piquants, et l'odeur musquée de son after-shave. Après un sourire rapide, elle se réfugia près d'un palmier en pot.

Carter tourna un peu autour d'elle avant de regagner son fauteuil.

— Je suis content de te voir.

Il y eut une pause pendant qu'il l'inspectait de la tête aux pieds, s'attardant là où sa jupe en daim s'arrêtait sur ses cuisses.

— Tu te nourris convenablement ? demanda-t-il en lui jetant un regard en coin.

Elle arracha une feuille de palmier qu'elle laissa tomber dans le pot, puis elle leva lentement les yeux vers la bedaine de Carter. Son pantalon tenait avec une vieille ceinture en cuir. Chaque année, il la desserrait d'un cran. Les trous correspondaient à autant de dates : 1966, 1967, 1968, comme des graffitis de nouvel an.

— Je sais, je ne suis pas un exemple ! Mais moi, ce n'est pas mon métier d'être beau.

Il attrapa un calepin.

— Assieds-toi, Ellen... s'il te plaît.

Il patienta tandis qu'elle choisissait soigneusement sa place sur le long canapé de cuir.

— Le patron des Plastiques américains sera là d'une minute à l'autre. (Il se pencha vers elle.) Merci d'être venue à l'heure au rendez-vous.

Elle fut surprise.

— Je ne suis jamais en retard. Je crois même que ça ne m'est pas arrivé une seule fois.

Il y eut un silence. Carter regarda sa montre comme s'il se demandait s'il avait le temps de poursuivre la discussion.

— Ces temps-ci, j'ai toujours peur que tu ne me fasses faux bond.

Derrière Carter, à sa gauche, il y avait une photo accrochée au mur. La statue de la Liberté par un soir d'hiver, au soleil couchant. De longs traits de lumière dorée rayonnaient autour de la tête couronnée de pointes.

— Je sais que tu n'aimes pas James... mais je ne vois pas...

— Aucun rapport ! Ce n'est pas l'homme qu'il te faut, c'est tout. Tu sais bien que je suis très sensible à ce genre de choses.

— Tu le connais à peine.

Carter écarta son objection d'un geste de la main.

— Peu importe. J'ai entendu parler de lui, j'ai lu des articles sur lui. Je l'ai souvent croisé. Chemises noires et jeans, il ne met que ça en toutes circonstances. Le complet je-m'en-foutiste. Il se prend pour qui ? Bob Dylan ?

Ellen éclata de rire et garda son sourire pour forcer Carter à lui sourire aussi. Il se dérida un peu, mais n'avait pas fini.

— Ellen, tu ne peux pas te permettre de sortir avec

quelqu'un qui insulte les photographes. Les gens de la presse sont tes alliés. Sans eux, tu ne serais qu'une… (Il chercha l'expression adéquate.)… une danseuse lambda.

— Nous avions choisi exprès un petit bar tranquille. Et tu étais le seul à savoir où j'allais.

— Holà ! Hé ! Ne me mêle pas à cette histoire ! Si j'avais voulu donner un scoop à un journaliste, je n'aurais pas choisi Smithies, je ne peux pas le sacquer.

Il lâcha un énorme rire.

— J'aurais bien voulu voir sa tête ! Complètement sonné, l'arrière de son appareil photo arraché, et la pellicule enroulée autour du cou.

Le téléphone retentit. Dès qu'Ellen bougeait, son fauteuil craquait de façon désagréable.

Carter répondit.

— Oui ? D'accord, faites-le entrer tout de suite. Pas de café. Et dites-lui bien qu'il a fait attendre Mlle Kirby.

Il raccrocha.

— Il est là.

Earl Hollister semblait mourir de chaud malgré l'air conditionné. Il tendit la main à Carter, puis s'arrêta, devinant la présence d'Ellen derrière lui.

— Asseyez-vous, Earl, dit Carter en lui indiquant un fauteuil. Je n'ai pas besoin de faire les présentations, j'imagine. Mlle Kirby ressemble tout à fait à ses photos, et nous savons qui vous êtes.

— Bien, dit Earl avec un sourire incertain, alors passons directement à ce qui m'amène…

Il débloqua les fermoirs de son attaché-case, ouvrit le couvercle, puis se tourna vers Ellen.

— Notre designer a fait de l'excellent travail. Vous allez être enchantée.

Il sortit une boîte en carton fermée d'un côté par de la cellophane, imprimée de grosses lettres rouges, avec des bandes blanc et bleu.

— Je vais d'abord vous faire voir la poupée garçon, parce

qu'elle est déjà terminée. Ça vous donnera une vision plus juste du concept.

Il leva la boîte pour la montrer à Carter et Ellen. À l'intérieur, une poupée habillée en astronaute était posée sur un socle en carton qui représentait la Lune. Un casque de combinaison spatiale était attaché à la main, ce qui permettait de voir le visage souriant et confiant.

— C'est à peu près la même taille qu'une Barbie ou une Sindy. Le costume est la réplique exacte d'une combinaison de la Nasa, bien sûr. Ressemblant, n'est-ce pas ?

Carter lança un coup d'œil à Ellen en répondant.

— En effet. C'est son portrait craché. Un petit pas pour l'homme, un grand pas pour l'humanité...

Il avait ajouté cela à l'intention d'Ellen qui n'avait toujours pas l'air de comprendre.

— Neil Armstrong, précisa-t-il.

— Je suis tellement occupée que je n'ai pas le temps de suivre l'actualité, marmotta-t-elle, trop consciente du regard d'Earl fixé sur elle.

— Tu sais, le type qui vient de marcher sur la Lune.

— Ah oui ! C'est ça.

— Donc, vous avez ici le produit d'accompagnement de Liberty, continua vaillamment Earl. Nous les lancerons en même temps.

— Vous nous faites voir ? demanda Carter.

— Tout de suite.

Earl fouilla de nouveau dans son attaché-case sans quitter Ellen des yeux. Il la regardait toujours quand il brandit l'autre poupée.

— La voilà, c'est elle ! annonça-t-il avec un sourire ravi. Enfin, plutôt, c'est vous !

Ellen contempla la figurine en plastique sans rien dire. Un long moment passa. Elle sentit ses traits se recomposer de façon inconsciente en imitation du petit visage : yeux arrondis, bouche pincée aux coins, menton relevé. Les deux hommes attendaient sa réaction.

— Ça me fait un drôle d'effet… C'est vraiment moi…

— Regarde-la de plus près, conseilla Carter en prenant la poupée à Earl et en la lui posant sur les genoux.

— Les cheveux… Il faut que je vous explique pour les cheveux, embraya Earl en leur jetant des coups d'œil nerveux.

— Ils sont roux, commenta Carter.

— Voilà, exactement, ils sont roux. Nous savons que vous n'avez pas les cheveux roux, mademoiselle Kirby, mais nous avons pensé que… des cheveux châtain foncé aussi longs… (Il s'interrompit, presque tremblant.) Bien sûr, ça fait très danseuse étoile mais, dans l'entreprise, nous trouvons que ça vous donne l'air un peu trop… russe.

Un bruit étouffé de machine à écrire crépita dans le silence.

— Nous avons d'abord envisagé des cheveux courts, ou bouclés ; mais les cheveux longs, c'est le dernier cri pour une poupée de ce genre. Donc…

— Vous voudriez que Mlle Kirby se teigne pour ressembler à votre poupée ?

— Voilà, c'est tout à fait ça… Oui, il faudrait qu'elle se teigne.

— Comment ça ? Tout le temps ? demanda Ellen. Ou seulement pendant la promotion ?

— Chérie, intervint Carter, tu vas incarner Liberty tout le temps. C'est bien ce qui est prévu, souviens-toi. Armstrong est une vraie personne. Ça sera pareil pour toi. Tu ne seras plus Ellen Kirby. Tu vas devenir Liberty.

— Un peu comme Twiggy, compléta Earl.

Carter le toisa d'un regard froid, puis se tourna vers Ellen.

— Pour les cheveux, c'est toi qui décides, bien sûr. Tu sais que tu auras toujours le dernier mot.

Ellen prit la poupée et passa les doigts dans les cheveux en nylon. Elle écarta les longues mèches. Elles étaient plantées par petites touffes, alignées régulièrement, et formaient des lignes sur la tête. Elle trouva cela horrible.

— Le roux n'est pas du tout carotte, insista Earl, les mains crispées d'angoisse. Vous n'aurez qu'à ajouter un reflet à votre couleur naturelle. Nous avons consulté des spécialistes capillaires.

— Ce qui me dérange, ce n'est pas tellement la couleur des cheveux, c'est le crâne. Il est trop blanc. On voit les racines. C'est très laid.

— Parfait ! s'écria Carter beaucoup trop vite. Alors nous sommes d'accord. Vous n'avez qu'à changer la couleur du crâne sous les cheveux, et vous avez le feu vert. Et les vêtements, vous les avez ?

— Oui, je vous les montre, répondit Earl, au comble de la satisfaction.

Il sortit une liasse de croquis qu'il étala sur le bureau. On voyait la poupée Ellen en robe de cocktail, en jupe disco, en tailleur pantalon, en pantalon de cuir et chemise de cow-boy cloutée. Un motif de marguerites jaunes apparaissait sur tous les costumes.

— Vous avez eu une excellente idée de demander à Young Designs de créer les vêtements, dit Earl à Carter. Ils les réalisent aussi grandeur nature pour Mlle Kirby. Plus tard, ils lanceront peut-être une ligne de prêt-à-porter Liberty pour les jeunes, mais ça, c'est leur domaine.

Il sortit d'autres dessins, avec des tenues de cheval, de ski, de tennis et de vélo.

— Nous avons ajouté le thème du sport. Le principe, c'est qu'on puisse lui faire porter ce qu'on veut. Il faut avoir le choix, l'habiller comme on le souhaite.

— Mais elle... Liberty... elle ne peut pas faire tout ça, protesta Ellen.

Earl lui jeta un coup d'œil interloqué.

— C'est-à-dire ?... Ah, je vois, vous parlez de la poupée... La poupée ne peut pas vraiment...

Il se tourna vers Carter, quêtant un éclaircissement.

— Elle a raison. Les danseuses ne peuvent ni faire de ski, ni monter à cheval, ni pratiquer d'autres sports. Nous assurons leurs jambes, et il y a des quantités de clauses suspensives. Ses jambes valent des millions de dollars. Des milliards. Il ne faut surtout pas qu'elle se les abîme. Mais ce n'est pas très grave. Personne dans le public n'est au courant de ce genre de détail.

— Aucune importance, approuva Earl. On m'a aussi parlé d'une robe de mariée. Peut-être quelque chose de très…

— Non, coupa Carter. Pas de mariée. Nous cultivons l'image adolescente, donc c'est hors de question. Notez-le bien, c'est un non ferme et définitif.

Il posa les deux mains à plat sur le bureau, prêt à se lever.

— Je crois que c'est à peu près tout pour l'instant.

Earl tendit la main pour récupérer la poupée.

— Je voudrais la garder, dit Ellen.

— Ah, j'aurais aimé pouvoir vous la laisser, mais…

— Allez, vous pouvez bien la lui donner, intervint Carter. Bientôt vous en aurez des milliers pour faire joujou.

Après le départ d'Earl, Carter commanda un café frappé. Pour Ellen, il prépara une boisson à base d'une poudre orange qu'il remua dans un verre d'eau.

— C'est tout nouveau, annonça-t-il en lui tendant le verre. Un produit mis au point pour les voyages dans l'espace. Tu aimes ?

— Ça va.

— Ils disent que c'est meilleur que du vrai.

Il but son café en quatre longues gorgées, puis sortit une feuille blanche.

— Donc, l'idée, c'est le parallèle entre Neil Armstrong qui marche sur la Lune, et Liberty, la ballerine américaine, qui danse pour le monde entier. Il est fort, courageux… célèbre. Elle également, mais en plus elle est féminine, délicate, belle. On va faire un malheur, je te le garantis ! 1970 va être l'année de ta gloire, baby. On ne parlera plus que de toi !

— De moi… enfin, plutôt de Liberty.

— Oui, de Liberty. À toi la liberté, le succès. C'est la récompense de tout ton travail. Tu vas symboliser le rêve américain. Quel honneur ! Mais j'insiste, c'est justement pour cette raison qu'il faut être prudente. Ta relation avec James

Madison m'inquiète, je t'assure. C'est un contestataire. Il est… contre les traditions, contre les convenances. Je parie même qu'il est contre la guerre du Vietnam ! Il est contre tout, c'est un traître à la nation.

— Il m'aime…, dit Ellen à voix basse.

— Mais bon Dieu, Ellen ! Tout le monde t'aime ! Tout le monde t'adore. Tu n'as qu'à claquer les doigts pour avoir qui tu veux.

— Il se fiche de la danse, de la mode, de tout ce milieu. Il n'est pas comme les autres. Il s'intéresse vraiment à moi, en tant que personne.

— J'ai déjà entendu ça quelque part, soupira Carter. Chérie, est-ce que tu sais combien de femmes belles et célèbres m'ont servi le même refrain dans ma carrière, mot pour mot ? L'amour, ce n'est pas ça, tu sais. Ce qu'il te faut, c'est un homme qui voudra t'épauler, travailler avec toi, pas contre toi. Tu mérites qu'on te soutienne. Pense aux années que tu as sacrifiées pour arriver où tu es. Il te faut un homme qui admire ton art, pas seulement qui tu es. Les deux sont indissociables. L'altruisme n'est pas le point fort de James Madison. Ce n'est pas un homme pour toi !

Carter tourna la clé d'un tiroir de son bureau et en tira un mince dossier bleu. Sa voix se fit plus douce, plus persuasive.

— Ce n'est pas seulement mon opinion personnelle. J'ai souvent rencontré ce genre de situation, crois-moi. Je connais un psychologue à qui je demande parfois d'étudier la personnalité des gens à travers leur vie, leur famille, l'opinion de leurs collègues. Il m'a rédigé une évaluation.

Carter frappa sur le dossier.

— Tout est là, Ellen. Enfance malheureuse : mère hystérique, père brutal. Résultat, c'est un anxieux. Il ne sera pas capable d'assumer ta célébrité. Il va se sentir profondément déstabilisé par l'admiration et l'amour que te portent les gens. Il sera jaloux, soupçonneux, possessif. Il ne sera même pas satisfait que tu gagnes beaucoup d'argent.

Ses phrases coulaient avec aisance. Il s'interrompit pour lui laisser la possibilité de répondre, mais Ellen se taisait, le visage impassible. Il poussa un soupir.

— Je sais que ça peut sembler prématuré, mais je devais t'avertir. Plus tôt tu t'en débarrasseras, mieux ce sera. Ça ne marchera pas entre vous. Si tu le gardes, il te fera du mal. Si tu l'épouses, il détruira ta carrière. Et souviens-toi que ce n'est pas un grand avocat pour rien. Il sait très bien manipuler les gens pour parvenir à ses fins.

Il tendit le dossier à Ellen dans l'air immobile. Le silence était total.

— Comme je te l'ai dit, il ne s'agit que de vieilles histoires, mais lit quand même, si tu veux bien.

Ellen détourna la tête. Pour se calmer, elle s'obligeait à garder les mains sur ses genoux, mais son pied battait contre le bord du canapé.

Carter l'observa un moment, puis soupira.

— Excuse-moi. Je vais toujours trop loin avec toi. C'est ta faute, aussi. Si je n'en avais dit que le quart à n'importe qui d'autre, j'aurais eu une réaction depuis longtemps. Mais toi, tu restes là sans bouger…

Ellen parut surprise.

— J'ai l'habitude que tu me fasses la morale. Tu me critiques sur tout, depuis le début.

— Oui, je sais, je sais.

— C'est ton travail. C'est ça que tu m'expliques à chaque fois.

— Ellen, je ne te comprends pas du tout. Je n'arrive pas à te cerner. C'est pour ça que je m'inquiète. Je te parle de James uniquement pour te protéger. Si j'étais plus âgé, ajouta-t-il plus bas, d'une voix presque intime, je te dirais que je t'aime comme ma fille, et je t'assure que ce serait vrai.

Il fit le tour du bureau et approcha tout près d'elle, attendant qu'elle lève les yeux vers lui et qu'elle lui sourie.

La pluie tambourinait contre les vitres en verre fumé. Ellen prit la poupée qu'elle avait posée en équilibre sur le bras du fauteuil. Elle la fit danser en l'air, une jambe tendue en arrière, ses cheveux roux sautillant de gauche et de droite.

— Quand j'étais petite, je n'aimais pas les poupées... J'en avais, bien sûr, mais je ne jouais pas avec.

Elle secoua la tête, sourcils froncés, comme si elle ne savait plus où elle en était.

Carter lui posa doucement la main sur l'épaule.

— Allez, viens. Je t'invite à déjeuner. Profitons-en, glissa-t-il avec un sourire complice, avant que tu ne deviennes trop célèbre pour mettre le nez dehors !

Il était beaucoup trop tard. Rien n'aurait plus pu les séparer. James avait pris possession d'Ellen comme jamais personne avant lui. En public, il était attentif, affectueux, mais sans excès. En revanche, dès qu'il le pouvait, il s'arrangeait pour se retrouver seul avec elle. Il lui faisait quitter les réceptions avant même que la plupart des invités soient arrivés ; ils sortaient au beau milieu des films et des pièces de théâtre ; ils abandonnaient des déjeuners somptueux alors que les plats fumaient encore sur la nappe blanche.

Et quand James se retrouvait enfin seul avec elle, une ardente passion le transfigurait. Il lui faisait retirer ses vêtements, son maquillage, détacher ses cheveux ; il la dépouillait pour chercher à dénuder son âme.

— Je te veux, disait-il pendant qu'ils faisaient l'amour, je te veux tout entière.

Il l'explorait avec les doigts, la langue, comme s'il voulait débusquer un secret.

Ellen accédait à tous ses désirs, fascinée par ce manque énorme qu'il ne parvenait pas à combler. Elle s'ouvrait à lui, lui offrait son visage, son corps, tout en dissimulant une peur tenace : quand elle lui aurait tout donné, tout révélé, il s'apercevrait qu'elle était creuse.

Leur histoire venait à peine de commencer, et James parlait déjà de lui faire un enfant... leur enfant.

— Nous sommes liés pour la vie, tu le sais, disait-il, nous ne nous séparerons jamais.

Quand ils se regardaient dans les yeux, elle se sentait soulevée de terre, emportée par leurs rêves de bonheur à deux. Les bras de James lui faisaient comme une amarre. C'était un port où les vents froids et les terribles tempêtes de la vie ne pourraient plus l'atteindre.

Dans le restaurant mexicain, Ellen regardait dehors. Elle observait les passants, essayant de deviner qui ils étaient, où ils allaient, ce qu'ils avaient acheté. Mais ses pensées revenaient sans cesse au cabanon. Elle revoyait l'île, ce havre de paix qu'ils avaient cherché au bout du monde. Et Zelda, l'enfant que James avait voulu pour parachever leur bonheur.

Zelda…

Heureuse, Zelda agitait la main pour lui dire au revoir, la dernière fois. Le bonheur de la serrer dans ses bras, son odeur, son goût.

Je t'aime, mon ange, pensa-t-elle. Tu me manques tellement.

Dans ce cas, pourquoi es-tu ici ? La question faisait mal. Pourquoi as-tu voulu partir ?

Elle courba la tête. Des larmes lui remplirent les yeux. La perte de sa fille était trop lourde à porter. Il fallait trouver autre chose, se raccrocher à un autre souvenir. Un endroit, un nom ; n'importe quoi pour éloigner la douleur.

Karl.

Elle ferma les yeux pour mieux retrouver son visage. Karl Steiger, le chorégraphe, l'homme qui l'avait choisie, l'avait sortie du cloître de son école de danse et l'avait lancée. Elle le revoyait appuyé au mur, pieds et bras croisés, suprêmement sûr de lui, qui l'étudiait de son regard brun.

Deux jours avant son dix-huitième anniversaire, on l'avait appelée dans le bureau de la directrice afin de le rencontrer. Le cours du matin venait de se terminer, elle était encore en nage, une odeur de transpiration fraîche sur sa peau, âcre sur son pull noir, mêlée aux effluves d'huile de massage et de lessive au citron.

— Bonjour, Ellen, dit Karl quand elle entra dans la pièce.

Elle lui jeta un coup d'œil tandis qu'elle hésitait devant Katrinka. Fallait-il toujours lui faire la révérence maintenant qu'elle n'était plus pensionnaire et venait seulement prendre des cours ?

— Ellen, je te présente Karl Steiger.

La directrice tourna un regard excédé vers le jardin vide. Sous l'accent russe, on discernait un net agacement.

— Le conseil d'administration a décidé de te prêter à monsieur.

Ellen leva avec intérêt les yeux sur Karl, puis les rabaissa.

— M. Steiger appartient à l'Ensemble de danse contemporaine de New York, continua la directrice. Il veut faire une chorégraphie spécialement pour toi.

Son ton ne trahissait que trop son mépris. Ne vous compromettez pas avec ces gens, mesdemoiselles, leur disait-elle souvent. Ça danse les pieds nus, couverts de crasse, en dedans. Et ça se roule par terre ! Vous êtes de vraies danseuses, ne l'oubliez jamais !

— Tu iras aux répétitions tous les matins, et vous jouerez cinq représentations.

Katrinka s'adressait à elle avec de la pitié et une grande tristesse, comme si elle confiait le plus beau chiot de la portée à une mauvaise famille d'adoption.

Peut-être se doutait-elle, avait pensé Ellen plus tard, qu'il fumerait du hachisch avant les répétitions et qu'il passerait la moitié du temps non pas à danser, ou à montrer les pas, mais à discuter, à réfléchir et à boire des tisanes assis par terre, ses longues jambes musclées étendues devant lui, sans aucune discipline.

Le jour de la première répétition, elle constata avec surprise qu'elle était la seule danseuse présente.

— Il faut que je commence par toi, expliqua Karl de sa voix douce et claire. Ma chorégraphie est une métamorphose. Toi, tu danses le rôle d'une danseuse classique. Ton corps est dressé à la perfection, ta personnalité est prise dans le carcan du style et des costumes. Dans mon spectacle, tu changes, tu te découvres. Tu vois où je veux en venir ? Tu te libères ! Cette pièce raconte l'histoire de cette transformation. En fin de compte, c'est comme *La Belle au bois dormant*, ou *Le Vilain Petit Canard.*

Ellen se mit à rire. Elle s'imaginait racontant l'entrevue à Ziggy. Attends, je te jure ! Karl Steiger est un hippy complètement dingue ! Elle eut envie de partir, mais il lui fit voir les lettres qu'il avait reçues de l'École de danse. « *Un projet unique*, disaient-elles. *Il est plus que temps de collaborer. Ce travail commun ne peut qu'enrichir la danse. Nous soutenons votre démarche avec enthousiasme.* »

Pendant que Karl lui montrait les pas, Ellen ne se regarda pas dans le miroir pour mieux sentir les nouveaux mouvements, les gestes naturels, libres, ou même délibérément gauches et laids. Elle eut l'impression d'avaler un poison qui allait changer son corps à tout jamais. Elle en voulait à ses professeurs de l'avoir sacrifiée, mais se sentait aussi très coupable d'éprouver autant de joie. La transgression du mouvement, cette liberté la faisait exulter.

Ils continuèrent à travailler seuls, comme si ce ballet était une aventure honteuse qu'il fallait garder secrète. Un jour, Ellen demanda à Karl quand les autres danseurs allaient venir travailler avec elle. Il lui apprit qu'il répétait avec sa troupe à d'autres moments et qu'ils ne se rencontreraient que le jour de la première.

— Nous n'aurons même pas de générale ? s'enquit Ellen avec angoisse.

— Non, pas de générale. Le soir de la première, c'est moi

qui te préparerai et qui t'enverrai sur scène. Ton costume changera à tous les actes, mais tu ne l'auras pas vu avant.

— C'est de l'inconscience !

— Non, de l'innovation.

Le soir de la première, Ellen se retrouva dans sa loge, vêtue d'un tutu tout simple, tandis qu'on la maquillait selon des plans secrets collés au miroir. Une brosse humide passa sur ses paupières fermées, formant une courbe montante, puis une couche de poudre, légère comme une plume. Une ligne de colle, froide sur la peau, puis le poids de longs faux cils recourbés qui lui chatouillaient les joues. Elle desserra les doigts des accoudoirs auxquels elle était agrippée. Karl surveillait le travail derrière elle, appuyé au mur comme toujours.

— Voilà, vous pouvez ouvrir les yeux.

La maquilleuse recula pour examiner son travail. Karl attendit qu'elle se déclare satisfaite avant de venir vérifier à son tour.

Ellen se regarda sans réagir. C'était pour le premier acte : la danseuse étoile avant sa sortie de la chrysalide, costume et visage traditionnels. Le tout était très beau, très bien fait, sans rien d'inhabituel. Ce serait lors des deuxième et troisième actes qu'elle émergerait de son cocon pour déployer ses ailes et s'envoler, transformée à tout jamais.

À la fin de la représentation, quand le rideau tomba, Ellen attendit sur scène, tremblante. Le silence de la salle l'enveloppait comme un nuage humide et froid. Karl, qui observait depuis les coulisses, avait l'air très tendu. Seule devant la troupe, elle n'avait pas de partenaire qui aurait pu la prendre par la main pour la faire saluer sous les applaudissements. Le ballet construit autour d'elle, la soliste, racontait son histoire. Ou plutôt, l'histoire de Karl.

Un murmure parvint de la salle. Ce n'était pas le chuchotement civil qui commence au moment où les applaudissements s'éteignent et où les mains fatiguées se préparent à ramasser les manteaux et les programmes. C'était un bruit de conversations bas et animé, qui monta et se mêla à la première vague d'applaudissements, puis enfla alors que le public se levait pour l'acclamer.

Des fleurs furent lancées sur scène. Parmi les roses habituelles, il y avait de grosses marguerites jaunes, pareilles à celles qui étaient imprimées sur ses collants. Cela ne pouvait avoir été orchestré que par Karl… mais les applaudissements, eux, étaient spontanés.

Elle inclina la tête et laissa rouler le tumulte autour d'elle, chaud et réconfortant. Tout allait bien. Mais sous son soulagement persistait, comme toujours après chaque représentation, l'énorme solitude, le vide terrible qui l'habitait en permanence.

Karl entra sur scène et la fit avancer sous les projecteurs, jouant d'une main avec le mandala qu'il portait au cou.

— T'as vu, ils ont adoré ! chuchota-t-il en lui pressant la main.

Elle sourit, remercia le public comme on lui avait appris à le faire.

Des cris, « Bis ! Bis ! », s'élevèrent.

— Vas-y, commanda Karl.

— Comment ça ? s'écria-t-elle, affolée.

Ils n'avaient rien préparé.

— Reprends où tu voudras, l'orchestre suivra, dit-il calmement.

Pendant que les spectateurs refaisaient silence et se rasseyaient, Ellen tâcha de réfléchir, très désorientée. Soudain, le ballet lui semblait tenir d'un seul bloc, sans articulation discernable. Par un réflexe inconscient, elle se rabattit sur l'une des premières scènes. Une partie difficile mais purement classique, qui lui permettait de mettre sa technique à son service, de puiser dans son expérience de danseuse étoile – six heures de travail quotidien, tous les jours, au cours des sept dernières années.

Elle fit les premiers pas lentement pour laisser à l'orchestre le temps de s'y retrouver, et ne comprit qu'aux premières mesures ce qui allait se passer. Karl, qui avait reculé au bord de la scène, fut aussi surpris que le public. Tous la virent danser un morceau de *Giselle* avec brio, en perruque courte, collant décoré de grosses marguerites, pull moulant à rayures multicolores et minijupe en plastique transparent.

À la fin du mouvement, quand elle fit le grand écart, sa jupe lui remonta jusqu'en haut des cuisses. Tout en penchant la tête sur son genou, elle attendit avec appréhension que le rideau tombe. Elle entendit Karl approcher d'elle, mais ne voulut pas relever les yeux.

— Voilà ce qui s'appelle voler la vedette, remarqua-t-il de sa voix traînante. Giselle en minijupe, c'est dément !

Ellen le regarda alors, prenant conscience que les applaudissements avaient repris.

Flash, clic, flash. Un appareil photo… sur scène ? Ellen, en un bond, fut debout. Flash, clic. Flash, clic. Elle essaya de se cacher derrière Karl, mais il avait fait un pas de côté en même temps qu'elle.

— Virez-moi ce type tout de suite ! hurla-t-il.

Des agents de sécurité accoururent pour débusquer le journaliste qui se dissimulait dans les plis du rideau. Karl s'empara du bras d'Ellen et la ramena dans les coulisses.

— Il y aura ta photo dans tous les journaux demain, s'enthousiasma-t-il. Tout le monde va parler de nous !

— Tu crois ?

— Tu es trop jeune pour comprendre ce que ça représente. Moi, j'attends ça depuis quinze ans. Tu vas voir les gros titres ! « LA PREMIÈRE DANSEUSE ÉTOILE AMÉRICAINE DEVIENT MOD ! »

Il adressa des sourires à la ronde tandis que les gens criaient des félicitations.

— Super, Giselle en minijupe !

Il s'assura que tout le monde les regardait, la troupe, ses amis, les critiques et les reporters, et se pencha pour l'embrasser sur la bouche. Il insista plus que nécessaire, essayant même de lui ouvrir les lèvres avec la langue. Des bouchons de champagne sautèrent et une pluie de mousse blanche les aspergea.

Ellen considéra la cohue. Karl a raison, songea-t-elle. Les gens m'aiment, ils me désirent. Un énorme espoir, doublé d'un immense soulagement, l'envahit, comme si tous ces admirateurs qui se pressaient autour d'elle allaient la protéger et lui donner l'amour dont elle avait tant besoin.

Le restaurateur lui apporta une énorme assiette qu'il posa devant elle avec un signe d'encouragement.

C'était écœurant : fromage fondu, tomates, bœuf, crème fraîche et tranches de piment vert sur fond de crêpe de maïs. Dix milliards de calories, songea-t-elle. Probablement l'équivalent de trois rations journalières.

Et dire que Ziggy était en train de s'affamer, enfermée dans sa clinique. Elle n'avait plus que la peau sur les os, un visage cadavérique. En relevant la tête, Ellen vit son reflet dans la vitre. Des ombres douces modelaient sa peau dorée, ses cheveux ondulaient sur ses épaules. Elle respirait la santé comme si son corps, par réflexe de défense, s'ingéniait à masquer le mal qui la minait.

Alors, elle se mit à manger, à enfourner d'énormes bouchées qui lui remplissaient tellement la bouche qu'elle parvenait à peine à mâcher.

Délicieux, se dit-elle en vidant son assiette. Elle bravait Ziggy qui, après avoir décidé un jour qu'elle ne voulait plus rien avaler, ne pouvait plus revenir en arrière. Lucy avait tout expliqué à Ellen au cours d'un long coup de fil éploré. D'après elle, Ziggy souffrait d'un problème très profond. La seule solution était de faire sortir le poison, d'arriver à la faire parler. Tous ses amis devaient essayer de l'aider.

Quand Ellen retourna à la clinique, elle traversa la réception sans encombre et se dirigea d'un pas rapide vers la chambre de Ziggy.

Elle ouvrit la porte et avait déjà fait deux pas à l'intérieur lorsqu'elle réalisa qu'elle s'était trompée de pièce. Celle-ci était sombre et vide. La baie ne donnait pas sur le jardin, mais sur une chambre. Ellen approcha de la vitre. Quatre hommes en blouse blanche entouraient une femme très pâle, allongée sur un lit. Ellen se figea en reconnaissant le béret de Ziggy par terre. Puis elle remarqua sur la coiffeuse le genre de bouquet enrubanné qu'affectionnait Lucy, et les affaires de Ziggy, étalées un peu partout dans la chambre.

Elle s'assit dans un fauteuil pivotant placé tout contre la vitre et se souvint, lors de sa première visite, d'un grand miroir qui tapissait tout un mur et agrandissait la chambre, la rendant très lumineuse. Maintenant, elle comprenait sa double fonction : il s'agissait d'un miroir sans tain qui dissimulait une salle d'observation.

Sur le lit, les yeux grands ouverts, Ziggy secouait la tête de droite à gauche comme pour éviter un infirmier qui tenait une seringue. Les autres entreprirent de lui tenir les bras et les jambes... Ils la manipulaient avec des gestes fermes mais attentionnés, et leurs visages calmes étaient bienveillants. Ziggy sembla prendre conscience qu'il ne servirait à rien de crier ou de se débattre. Elle s'immobilisa, yeux tournés vers le plafond, et attendit qu'ils terminent.

Non ! pensa Ellen. N'abandonne pas ! Ne te laisse pas faire ! Une énorme panique montait en elle. L'homme leva la seringue pour se préparer à piquer. Elle dut détourner les yeux tant elle souffrait pour Ziggy. Elle savait exactement ce qui allait se passer : une goutte de liquide jaune allait apparaître au bout de l'aiguille et y rester en équilibre. Elle ne savait d'où surgissait cette image terrifiante.

Ellen se recroquevilla au fond du fauteuil, tête rentrée dans les épaules, et contempla la scène d'un regard vide. Un infirmier se pencha sur Ziggy, un tube transparent à la main. Il en appliqua une extrémité contre sa bouche, le fit passer le long de son visage vers l'oreille, puis descendre jusqu'à son ventre, comme pour en vérifier la longueur. Satisfait, il enduisit le bout avec du lubrifiant, puis le lui introduisit dans le nez.

Une voix d'homme éclata dans le silence.

— Merde !

Ellen eut un sursaut et chercha autour d'elle, interdite, puis elle repéra un petit haut-parleur fixé au mur, à hauteur du genou.

— Faites-la asseoir, et penchez-lui la tête en arrière, ordonna la même voix d'homme.

Les infirmiers s'exécutèrent. Ziggy se laissait faire, molle comme une poupée de chiffon. Elle était consciente, mais avait l'air indifférente.

— Bon, voyons si ça passe, maintenant...

Ils lui ouvrirent la bouche, et l'homme regarda dans sa gorge.

— Oui, je le vois, il est là.

Il poussa sur le tube pour le faire passer dans l'estomac. Ziggy fut prise d'une toux qui secoua ses frêles épaules. Des genoux vêtus de blanc se pressèrent contre elle pour la soutenir.

— Oh, pardon !

L'infirmier tira sur le tube pour revenir en arrière, puis reprit la manœuvre. Cette fois, elle eut des haut-le-cœur, et ses mains, libres à partir des poignets, se crispèrent de panique.

— Ça y est, c'est bon ! Branchez-la.

Le portier les interrompit. Il entra, referma la porte derrière lui, tourna la clé dans la serrure, puis inspecta la chambre du regard.

— Personne n'est venu ? demanda-t-il.

Les infirmiers répondirent que non.

— Tant mieux. Excusez-moi. J'ai cru voir entrer quelqu'un. J'avais peur qu'on vous dérange.

Ils firent rallonger Ziggy, et un infirmier fixa l'extrémité du tube qui entrait dans le nez à une poche de liquide opaque accrochée à une potence métallique. Ils l'entourèrent quelques instants pour s'assurer que l'écoulement se déroulait normalement.

— On a qui, ensuite ? demanda le responsable.

— Hêtre, cornouiller et acajou.

Ils sortirent tous, sauf un qui s'assit sur l'appui de la fenêtre et surveilla la malade tout en se coupant les ongles.

Dans la salle d'observation, Ellen regardait aussi Ziggy, et le mélange de sels minéraux et de sucres qui passait du sac dans son estomac pour redonner des forces à son corps épuisé. L'intubation forcée lui paraissait cruelle, inutile et malhonnête. Pourquoi ne pas la laisser mourir, si c'était ce qu'elle désirait ? Ce serait tellement plus facile que la nature suive son cours. Cette pensée lui sembla très séduisante. Si elle le voulait, elle pourrait, elle aussi, échapper au monde. Pourquoi pas ? Elle envisagea deux scénarios possibles. Dans le premier, elle était sauvée, comme Ziggy, par des personnages en blanc qui la soigneraient avec efficacité. On la placerait entre les mains expertes d'un médecin qui tenterait de découvrir ce qui la rendait malade. Dans l'autre hypothèse, elle se tuerait, non pas en imitant la danse macabre, lente et répugnante de Ziggy, non pas en s'enfonçant dans une mer de ténèbres. Non, pour elle, ce serait une fin rapide, elle serait pleinement consciente. Elle plongerait tête la première. Elle se demanda quel effet cela faisait de sentir la mort entrer dans le corps, comme un produit chimique par intraveineuse. Elle imagina l'attente, la seconde où le produit coulait dans ses veines pour venir à sa rencontre.

Adieu, James.

Adieu, Zelda.

Mon ange.

Chérie.

Puis ce serait la fin, qui exploserait en apothéose.

Maman t'aime.

16

— Je suis venue te dire au revoir.

Ellen était debout, et Ziggy était assise par terre en tailleur, enveloppée d'une couverture en cachemire mauve, délicatement brodée du monogramme de la clinique.

Ziggy lui jeta un regard en coin.

— Où tu vas ?

— Je ne sais pas… Je ne supporte plus d'être ici.

Il y eut un silence. Ellen se mordilla les lèvres, le regard perdu au loin.

— Pas ici, précisa-t-elle. Je veux dire ici à New York. En Amérique.

— Tu vas retourner avec James ?

— Non.

— Pourquoi ? jeta Ziggy brutalement.

— Parce que…

Elle s'interrompit, regrettant soudain la Ziggy d'autrefois, si forte, si énergique, dans les bras de laquelle elle pouvait pleurer.

— Ce serait trop long à expliquer.

Ziggy eut un rire ironique.

— Tu pourrais toujours essayer. On verrait si ça te prend aussi longtemps qu'à moi de débarrasser le plancher.

Ellen était toujours très déconcertée par l'autodérision dont faisait preuve son amie.

— Si on sortait sur le balcon ? proposa Ziggy en se levant péniblement. Au moins, on respirerait l'air du dehors.

Elles s'assirent côte à côte face aux arbres, comme autrefois, même si à présent un maillage métallique les séparait des frondaisons.

— Raconte-moi tout depuis le début, ordonna Ziggy, les yeux mi-clos. Tu as disparu un beau matin ! Tout le monde pensait que ça cachait un scandale. La presse était en effervescence, mais les journalistes n'ont réussi qu'à prendre des photos de votre maison vide ! Carter me soupçonnait de savoir quelque chose. Il pensait que tu m'avais mise dans la confidence.

— Nous n'avions rien préparé du tout. Nous sommes partis sur un coup de tête. James a engagé quelqu'un pour liquider la maison et le reste de nos affaires. Nous avons juste fait nos valises et nous sommes montés dans un taxi.

— Tu n'as même pas envoyé une malheureuse carte postale, protesta Ziggy.

— Nous n'avons contacté personne. Nous ne parlions même pas de nos anciennes connaissances, ni de notre vie passée. Même pas de l'Amérique. Ç'a été une coupure radicale.

— C'est formidable ! Si tu savais comme je t'ai enviée. Tout le monde parle de partir pour se consacrer à ce qui compte vraiment, s'occuper de soi. Mais toi, tu l'as fait ! Alors que tu étais au sommet de la gloire, que nous aurions tous voulu être à ta place. Quel effet ça t'a fait, de tout abandonner ?

— Je ne sais plus… Je crois que je ne ressentais rien. J'ai suivi James, c'est tout.

Elle fronça les sourcils, forçant sa mémoire.

— Je me souviens quand même du jour de notre départ… mon dernier jour de travail. J'avais participé à une séance photos pour Liberty. Il y avait des chameaux.

La longue voiture noire avançait lentement dans les encombrements de fin de journée. Sur la banquette arrière, Ellen se reposait en regardant défiler les lumières de la ville.

— Dure journée, mademoiselle Kirby, commenta le chauffeur.

Ellen hocha la tête. Il la conduisait depuis près d'un an et avait gagné le droit de bavarder avec elle. J'ai une fille aussi mince que vous, lui avait-il confié. C'était grâce à sa fille qu'il savait l'importance de prendre de vrais repas, de bien se couvrir, et de faire attention à qui vous suivait dans la rue.

— C'était quoi, aujourd'hui ?

— Liberty en Perse.

— Qu'est-ce qu'ils ne vont pas inventer ! Le décor était comment ?

— Plein de tapis, avec des figurants qui fumaient des narguilés, danse orientale, femmes voilées couchées sur des coussins, ce genre de choses. Et Liberty, bien sûr.

Le chauffeur tourna dans l'allée d'accès de la résidence et roula au pas entre les piliers de marbre. Il s'arrêta pour laisser le vigile les dévisager.

— Je vous accompagne à l'intérieur, insista-t-il quand Ellen descendit de voiture.

Mais, à cet instant, la porte de l'immeuble s'ouvrit, et James apparut.

Le chauffeur toucha le bord de sa casquette.

— Bonsoir, monsieur Madison.

— Salut, James, dit Ellen d'une voix monocorde.

Elle passa devant lui sans le regarder et courut dans le hall.

— Ne me touche pas, je suis encore maquillée.

Dans la salle de bains, elle prit des mouchoirs en papier et de la lotion pour ôter le fond de teint et la poudre qui lui couvraient le visage. Ensuite, elle se servit d'un blaireau et de savon à raser pour achever de se nettoyer la peau.

Elle émergea une heure plus tard, enveloppée dans un peignoir en velours, les cheveux défaits et mouillés sur les épaules. Elle s'affala sur le canapé.

— Sers-moi un verre, chéri ! cria-t-elle à James qui était dans la cuisine.

— Sers-le-toi toi-même.

Il y eut une seconde de flottement, puis elle attrapa le téléphone et composa un numéro.

— Freddie ? dit-elle d'une voix sonore. C'est vous, Freddie ? Préparez-moi un Harvey Wallbanger et faites-le-moi monter, je vous prie.

James se posta à la porte du salon, une cigarette à la main.

— Tu as passé une bonne journée ? demanda-t-il avec indifférence.

— Non. Carter m'a encore prise en traître. Il a fait venir l'équipe d'un magazine qui tournait « Un jour dans la vie de… ». Tu imagines ? Ils voulaient me raccompagner jusqu'ici.

— Oh, cela n'a rien d'étonnant.

Il désigna d'énormes bouquets empilés dans un coin.

— Ces gens-là aussi, j'imagine.

Ellen s'allongea sur le canapé et ferma les yeux.

— Je suis crevée.

Le cocktail arriva, apporté par un serveur en livrée. Elle apposa son initiale sur la fiche et lui fit signe de se retirer.

— On n'est pas à l'hôtel, ici, bordel ! cria James en refermant la porte.

— Mais si, on est à l'hôtel.

— Oui, bon, d'accord, tu as raison. De toute façon, vu le temps qu'on y passe, je ne vois pas ce qu'on gagnerait à être ailleurs.

Ellen ne répondit pas. Elle but une gorgée et attrapa une cigarette.

— Je ne sais pas comment tu arrives à danser et à fumer en même temps !

— Ce n'est pas de la vraie danse, répliqua Ellen d'un ton las. Je me contente de poser. Tant pis, ajouta-t-elle avec un petit rire, Carter m'a dit que j'étais la femme la mieux payée de toute l'histoire des États-Unis.

— C'est déjà ça.

Ellen le dévisagea, sans deviner s'il était sérieux.

— Si on sortait ? proposa-t-elle.

— Où ça ?

— Je ne sais pas, on pourrait aller quelque part. Tu voudrais faire quoi ?

— Tu veux vraiment savoir ce que je voudrais faire ?...

James se tut un long moment, puis vint se planter devant elle.

— Je voudrais balancer tous mes dossiers à la mer. Et puis ensuite... (Il arrêta son regard sur une sculpture de ballerine grandeur nature qui ornait un coin de la pièce.)... je voudrais casser les mains de cette horreur.

Ellen se redressa en riant de bon cœur.

— Moi non plus, je ne l'aime pas. Ce n'est pas poli de montrer les gens du doigt comme elle le fait.

— Et puis après, je voudrais aller à la pêche.

— Aller à la pêche, c'est facile, tu peux aller pêcher quand tu veux... Tu n'as qu'à prendre cet avion qui se pose sur l'eau, tu sais...

James alla à la fenêtre et regarda dehors.

— Ellen, je n'aime pas notre vie. Ce n'est pas bon pour nous. Je trouve qu'on devrait changer.

Elle se rallongea en refermant les yeux.

— Nous avons déjà discuté de ça mille fois. Ça ne nous mène jamais nulle part.

Elle parlait d'une voix enfantine, douce et triste. Elle était toute menue, perdue dans son peignoir de velours, avec ses cheveux mouillés qui cascadaient sur ses épaules.

— Non, cette fois, c'est sérieux. Souviens-toi, c'est moi qui ai rédigé ton contrat. Il est exclusif, ce qui veut dire que tu ne peux ni danser ni faire le mannequin pour une autre entreprise que Young Designs, mais en revanche tu n'es pas tenue de travailler si tu n'en as pas envie. Tu n'es pas non plus obligée d'assurer la promotion de Liberty.

Il traversa la pièce, ouvrit sa serviette et en sortit un gros livre enveloppé dans du papier kraft.

— Tu n'es pas obligée de travailler du tout. Et moi non plus.

Il arracha le papier et révéla un atlas.

Il l'ouvrit à une double page qui présentait le monde et le posa sur la table.

— Allez, on part, Ellen ! On se trouve un endroit qui nous plaît... et on disparaît de la circulation !

Ellen le scruta du regard et se prit au jeu. Quel effet cela ferait-il de tout quitter ? Plus de Carter, plus de danse, plus d'appareils photo, plus de public. Fini l'obligation d'être sans cesse en forme, belle, courageuse, parfaite. Ce serait la liberté ! Elle eut soudain une envie folle de partir.

— Tu parles sérieusement ? demanda-t-elle en s'asseyant.

— Oui, bien sûr.

— Toi, tu y as déjà réfléchi !

De plus en plus enthousiaste, elle se pencha sur la carte.

— J'aime bien la montagne.

Cela n'eut pas l'air de plaire à James.

— Pas pour faire du ski, corrigea-t-elle, mais de loin, dans le paysage. J'aime bien voir des montagnes à l'horizon.

— Parfait.

— Et toi, tu voudrais quoi ?

— Un bateau de pêche.

Ils étudièrent la carte du nord au sud. Une heure s'écoula ainsi. Le serveur en livrée revint et leur apporta de la truite de mer grillée sur des assiettes en argent.

— Et ils appellent ça du poisson frais ! soupira James.

Ils soupesèrent les divers inconvénients des régions qu'ils envisageaient : climat trop chaud, trop humide, trop froid, trop sec. Pays trop étranger, protestait régulièrement Ellen sans pouvoir expliquer précisément ce qu'elle entendait pas là.

Finalement, ils trouvèrent l'idéal. Tout en bas de l'Australie, une petite île, la Tasmanie. Ils tournèrent les pages à la recherche d'une carte à plus grande échelle. Il y avait deux grandes villes, une au nord et l'autre au sud. Ellen proposa de tirer à pile ou face.

— Attends une minute, dit James. Regarde, là.

Presque sous son pouce se cachait une île encore plus petite, à peu près à mi-chemin entre le continent et la Tasmanie.

— Elle s'appelle comment ? demanda Ellen en poussant sa main.

— Flinders.

— Voilà, c'est là que nous allons.

Ils se sourirent.

— Mais on fera quoi, là-bas ? interrogea Ellen.

— Nous allons faire connaissance. Je veux dire, nous allons pouvoir découvrir qui nous sommes vraiment.

Cela la fit sourire.

— Non, je t'assure. Nous avons besoin de nous retrouver un peu seuls tous les deux. Nous sommes mariés depuis presque un an et nous nous voyons à peine.

Ellen baissa les yeux sur le tapis folklorique si soigneusement choisi par le décorateur de Carter. Elle garda le silence un moment, puis releva les yeux avec un sourire.

— On emporte quoi ?

— Presque rien.

— Alors, vous êtes allés directement sur cette île ? demanda Ziggy, fascinée.

— Oui. Nous n'avons même pas fait d'étape en route. Nous sommes juste passés d'un gros avion à un tout petit... C'était très beau, là-bas. J'ai quand même eu un peu de mal à m'habituer, au début. Le bush, les animaux sauvages, la mer. Et je n'avais rien à faire. Tu imagines ? Ne rien avoir à faire ! James, lui, était tout le temps occupé. Il a tout de suite acheté son bateau et il s'est mis à la pêche à la langouste. Et puis je suis tombée enceinte.

— Tu as eu un enfant !

— Une fille. Zelda.

Ellen lui raconta, à voix basse, ce que cela faisait d'avoir un enfant, et de l'adorer. Les petites mains qui se tendaient vers vous, confiantes, pleines d'amour, et qui vous donnaient l'impression d'être Dieu.

— Ça ne m'étonne pas, c'est tout à fait ce que j'imaginais.

— Oui, mais… mais c'était… bizarre. Il y avait beaucoup de choses qui me donnaient une joie immense, comme de la voir me tendre les bras au réveil, ou agiter ses petits doigts de pied. En même temps, cela éveillait en moi…

Elle semblait réfléchir, cherchant ses mots.

— C'était comme dans un film. La scène est normale, tout va bien, mais quelque chose dans les lumières, dans la musique, vous avertit qu'un événement terrible va se produire. Voilà, c'était ça. En pire. Je n'y comprenais rien moi-même, poursuivit-elle en secouant la tête, alors, tu imagines, impossible d'en parler à qui que ce soit. J'avais une amie, Lizzie. J'ai tenté de lui expliquer ce que je ressentais, mais ça n'a servi à rien. Elle a pensé que j'avais besoin de repos. Et James… je n'arrivais pas à…

— Évidemment, interrompit Ziggy. Tu ne pouvais pas confier à James une chose pareille.

— Pourquoi dis-tu ça ? demanda Ellen, surprise par le ton catégorique de Ziggy.

— Tu as toujours pensé que James t'idéalisait, et tu avais peur de le décevoir.

Ellen la regarda fixement.

— Comment ça, il m'idéalisait ?

— Oh, comme tout le monde ! Le grand fantasme de la danseuse étoile américaine. Gracieuse, forte, saine, belle. Tu sais, l'égérie de la nation, genre statue de la Liberté. Toujours un sourire aux lèvres, le cœur grand comme ça.

Ellen réfléchit.

— Au début, peut-être, mais, après notre départ, nous avons laissé tout ça derrière nous.

— Peu importe le fantasme, tu l'as remplacé par un autre. Tu as toujours eu peur de décevoir. Toute ta vie. Tu as toujours eu peur.

Ellen lui jeta un regard en coin.

— Et d'où tu tiens ça ?

— De mon psy. C'est ce qu'il dit de moi.

— Ah !

— Bref, nous nous égarons. Tu ne l'as quand même pas quitté parce que tu avais quelques angoisses de temps en temps.

— Non, c'était bien pire que ça ! Cette… angoisse, comme tu dis, s'est mise à dominer mes pensées, à me souffler comment me comporter. Ça arrivait d'un coup, sans prévenir. J'avais comme un flash, et je me voyais en train de faire des choses.

Elle se passa une main sur le visage.

— Je ne sais pas d'où ça venait. Et puis un jour…

Elle éclata en sanglots, des sanglots secs, sans larmes, qui la secouaient, lui coupaient la respiration, lui arrachaient les poumons.

— Quoi ? s'écria Ziggy. Continue !

— Je ne peux pas !

— Mais si. Vas-y.

— C'est pire que tout, tu n'imagines pas ! J'ai essayé de la tuer.

Ziggy se figea et ne dit plus un mot.

— J'ai essayé de la tuer… de tuer Zelda, répéta Ellen. J'ai failli la noyer. Dans la mer.

Noyer. Le mot était trop évocateur, on avait l'impression d'étouffer, d'être engouffré dans l'obscurité pour toujours.

— Ça ne sert à rien de parler de ça ! s'écria-t-elle en se ramassant sur elle-même, comme si elle allait se relever. Je n'y comprends rien moi-même, je ne vois pas comment quelqu'un d'autre pourrait m'aider…

Ziggy s'appuya la tête contre le mur. Elle laissa s'écouler du temps avant de répondre.

— Ce que je sais, c'est que parfois on arrive à un point de non-retour. Regarde-moi ! C'est comme se réveiller au milieu d'un cauchemar. Au début, on est soulagé. On se dit, ouf ! ce n'était qu'un rêve. Mais le rêve continue. Ce n'est pas réel, on s'en rend bien compte, mais ça continue quand même... Et ça fait aussi mal que si c'était vrai.

Elles restèrent là sans rien dire, à regarder les branches se balancer dans le vent.

— Alors, où tu vas aller ? finit par demander Ziggy.

— Je ne sais pas... En tout cas, je m'en vais. Je ne veux plus voir un seul érable de ma vie, plaisanta-t-elle. Plus de maisons en bois, plus de Ford, plus de sumac vénéneux...

— Plus de Carter, ajouta Ziggy.

Ellen se mit à rire.

— Ni de Marsha Kendall...

Ziggy posa son regard sur elle, lèvres entrouvertes.

— Non, je plaisantais, s'empressa d'ajouter Ellen.

— Mais si ! s'exclama Ziggy en se redressant. Et si on partait toutes les deux ?

— Ne dis pas de bêtises. Tu as vu dans quel état tu es ?

— Je vais beaucoup mieux.

— Tu es malade, lui rappela gentiment Ellen. Tu as besoin qu'on s'occupe de toi.

— Toi, tu t'occuperas de moi.

— Je ne suis pas médecin. Je ne sais même pas donner les premiers secours.

— Je ne suis pas si malade que ça.

— Mais si ! insista Ellen, voyant qu'il fallait être plus brutale. Tu es dans un état lamentable. Regarde-toi, tu tiens à peine debout. On ne te laisserait même pas monter dans un avion.

Ziggy lui agrippa le bras. Ses doigts osseux s'enfoncèrent dans la chair.

— Emmène-moi, supplia-t-elle. Il faut absolument que je sorte d'ici !

— Mais... et Lucy ?

— Lucy, tu parles !

— Mais vous étiez tellement proches. Que s'est-il passé ?

Ziggy ne répondit pas. Elle se leva et se tourna vers la chambre, passant en revue les meubles fonctionnels, puis s'arrêtant sur le grand miroir. Elle eut un air de dégoût.

— Tu me dois bien ça, Ellen, murmura-t-elle.

Son regard parlait pour elle : je t'ai sauvée de ta place au fond de la classe. Tu ne savais même pas raconter d'histoires drôles, ni avoir des secrets avec les autres. Tu attendais que toutes les cabines des toilettes soient vides avant d'oser faire pipi. Tu criais la nuit en dormant et tu te réveillais en pleurant. J'ai toujours été ton amie. Je t'ai défendue contre les autres. J'ai fait pipi devant toi avec la porte ouverte. Je t'ai sauvée.

— Bon, mais d'abord il faut que tu recommences à manger, trancha Ellen.

Un sourire éclaira le visage de Ziggy.

— Pas de problème.

— Je ne dis pas ça en l'air ! Je vais rester devant toi pour m'assurer que tu le fais vraiment.

Maintenant que Ziggy l'avait suppliée de l'emmener, elle se sentait plus calme, plus sûre d'elle, comme si la faiblesse de son amie lui donnait de la force. Les rôles s'étaient inversés.

Ziggy hocha la tête, le visage toujours fendu par un large sourire.

— Bon, où on va se sauver ? C'est toi l'experte, ajouta-t-elle en pouffant. Tu imagines la tête de Carter quand il va se rendre compte qu'il t'a de nouveau perdue ?

TROISIÈME PARTIE

17

Ellen appuya la tête sur son bras et essaya de se rendormir. Elle se remplissait la tête du bourdonnement des réacteurs pour effacer le murmure de voix qui venait des places derrière elle. Ziggy n'avait pas dormi, elle en était presque sûre, et son amie non plus. Elles ne cessaient de bouger, de se tourner, de se retourner pour soulager l'inconfort que leur infligeait leur maigreur, malgré le moelleux des sièges. Le souvenir de sa dernière visite à la clinique la dérangeait encore.

Ziggy était déjà devant la porte quand la voiture était arrivée. Elle avait l'air inquiète, lançait des coups d'œil anxieux à Ellen, aux billets d'avion et aux passeports qu'elle tenait à la main.

— Il faut que je te dise quelque chose...

Sa voix s'étrangla.

Ellen patienta. Sans doute Ziggy allait-elle lui annoncer qu'elle avait changé d'avis. Elle se demanda si elle partirait quand même seule. Difficile de répondre.

— Je, heu... je voudrais te...

Ziggy jeta un coup d'œil autour d'elle, et, comme si elle avait attendu cet instant pour entrer en scène, une femme se détacha des grands arbres qui ombrageaient le temple. Elle traversa lentement la pelouse fraîchement tondue, un sourire de maîtresse de maison poli aux lèvres.

— Enchantée, dit Ellen.

Elle la dévisagea discrètement. Malgré ses cheveux noirs et ses yeux d'un bleu étonnant, elle ressemblait à Ziggy. La disproportion de la tête, trop grosse pour son corps, les pieds trop longs, les genoux proéminents, les bras squelettiques aux veines saillantes.

— Je te présente Skye, dit Ziggy. Je… je lui ai proposé de venir avec nous en Inde.

Dans le silence qui suivit, un oiseau pépia près du bassin du temple.

— Je te demande pardon ?

— Je lui ai dit qu'elle pouvait nous accompagner.

Ellen laissa échapper un rire nerveux tandis que Ziggy continuait les présentations comme si elles se trouvaient à une réception mondaine.

— Skye vient de Los Angeles… Hollywood. Son père, c'est Richard Fontain. Tu sais, le magnat de la presse. Elle a été mariée à Al Macy, mais tu ne peux pas connaître. Elle est bourrée de… enfin, elle est tout à fait capable de financer son voyage.

Ellen, encore sous le choc, ne réagit pas. Ziggy commençait à perdre contenance.

— Nous… nous passons tout notre temps ensemble… Nous avons suivi la même psychothérapie. Elle a appris que je partais. Je ne peux pas l'abandonner. Ellen, elle est ici depuis des années. Je ne pouvais pas faire autrement que d'accepter qu'elle vienne.

— Tu as peut-être dit oui, mais moi je dis non ! Enfin, c'est absolument impossible ! Nous partons dans moins d'une semaine. J'ai tout organisé pour nous deux. Il y aurait trop de formalités : les vaccins, le passeport, le billet.

Ziggy balaya ses objections d'un bras décharné.

— Ne t'en fais pas, nous nous sommes occupées de tout. Son passeport est encore valide, et j'ai pris le billet.

Ziggy regarda Ellen droit dans les yeux. Une étincelle de son ancienne personnalité fusa, puis elle baissa le nez.

— Mais merde, Ziggy ! C'est dingue. Vous êtes folles, toutes les deux.

Elle se tourna vers Skye.

— Si tu crois que j'ai envie de t'emmener, tu te trompes.

Ziggy et Skye posèrent sur Ellen un regard désespéré. Leur silence la culpabilisa ; elles lui donnaient l'impression d'être une profiteuse, dont le corps privilégié retirait quelque chose du leur, tellement affamé.

— Écoutez, je comprends, mais je ne peux rien faire, je vous assure. Quelqu'un d'autre pourrait sûrement…

Elles posaient sur Ellen des yeux de chatons trop grands qui leur mangeaient le visage.

— Je t'en prie, ne me laisse pas ici, supplia Skye d'une voix douce. J'ai tout essayé. Autrement, jamais je ne m'en sortirai.

Elle se couvrit la bouche de ses longs doigts osseux. Ellen s'efforça de ne regarder que cette main pour éviter le regard pitoyable.

— On ne peut pas la laisser ! s'écria Ziggy. Je lui ai promis…

Skye ne dit plus rien, tête inclinée comme un tournesol qui attend le soleil du matin. Ce visage tellement maigre avait la beauté déchirante et digne des réfugiés qui ne veulent même plus espérer.

Elle se mit à pleurer. Ses frêles épaules étaient secouées de sanglots tandis que, voûtée, elle se cachait sous le voile de ses cheveux noirs.

— Je ne sortirai pas de cette clinique vivante.

Horrifiée, Ellen dirigea le regard vers la forêt et croisa les bras pour cacher ses mains tremblantes. Il lui semblait que Skye était aspirée par des sables mouvants et qu'elle tendait des bras désespérés pour implorer son aide. Les mains affolées s'agitaient dans le vide, puis s'enfonçaient lentement et disparaissaient. Elle allait mourir à cause d'elle.

— Même si tu viens, ça ne t'empêchera sans doute pas de mourir, jeta-t-elle.

Ziggy sourit.
— Je savais que tu ne nous laisserais pas tomber !
Skye joignit les mains, les yeux brillants.
— Merci ! Merci !
— Hé ! une minute…
— Tu ne le regretteras pas.
— Mais enfin, Ziggy, c'est de la folie !
— Non, non, pas du tout. Tu verras, ça va très bien se passer.

Un steward s'était arrêté à la hauteur d'Ellen. Il hésita, puis se pencha sur la place vide à côté d'elle pour lui parler à mi-voix.
— Madame ? Vos amies n'ont pas l'air d'apprécier les repas. Je me demandais s'il y avait un problème. Je n'ai pas reçu de commande spéciale, mais…
Ellen dut se retenir de se retourner pour regarder en arrière.
— Elles n'ont pas mangé ?
— Non, madame. Elles refusent tout ce qu'on leur propose. Nous avons essayé, mais…
— C'est normal. Elles ne s'alimentent pas. Elles sont malades.
Elle sentit qu'elle l'avait alarmé.
— Ne vous inquiétez pas, ce n'est pas contagieux.
Elle se massa la nuque, épuisée.
— Combien de temps reste-t-il avant l'atterrissage ?
— Quatre heures, madame. Nous allons servir une légère collation d'ici peu.
— Pouvez-vous m'apporter un verre de quelque chose ? Un Bloody Mary.
— Certainement, madame.
— Double dose de vodka.
Ellen se leva, consciente d'attirer les regards curieux des rares passagers encore éveillés en classe affaire. Pour une fois,

ce n'était pas lié à sa célébrité, mais à l'allure des personnes qui l'accompagnaient : deux squelettes ambulants qui ressemblaient à des victimes de la famine, mais voyageaient avec des sacs Louis Vuitton et portaient des vêtements de haute couture.

Ellen jeta un coup d'œil derrière elle. Ziggy et Skye gisaient, inertes, leurs longs bras posés sur les accoudoirs, les jambes étendues sur le repose-pieds, le dos soutenu par des coussins. On aurait dit des poupées de chiffon vidées de leur rembourrage. Skye tenait un magazine ouvert sur les genoux. Ses mains d'oiseau tombaient sur le gros plan d'une femme à la peau de pêche. Dès qu'elle s'aperçut qu'Ellen la regardait, elle s'efforça de prendre l'air bien portante.

— Nous atterrissons dans quatre heures, annonça Ellen qui se faisait l'effet d'être une tortionnaire. Il sera deux heures du matin, heure locale. Nous aurons sans doute du mal à nous faire servir un repas avant le matin. Alors, quand on vous apportera le prochain plateau, mangez. Et allez aux toilettes avant de débarquer. S'il vous plaît.

Elle leur lança un petit sourire, gênée de les infantiliser. Mais comment faire autrement ? On aurait dit des enfants : malhabiles, fragiles, incapables de se débrouiller. Comment allait-elle réussir à mener sa petite troupe ? L'avenir aurait été moins inquiétant si elles avaient voyagé vers une destination plus facile, un pays propre et discipliné, la Suisse, par exemple. Or, pour des raisons qui maintenant lui semblaient des plus vagues et irrationnelles, elles avaient décidé d'aller en Inde. « Village à la montagne en Inde », qu'elles avaient placé au milieu de leur dernière liste, était remonté en tête, dépassant Zurich, Johannesburg, Lisbonne, Bali, et l'île de Man.

L'agence de voyages leur avait conseillé Simla, une station climatique au pied de l'Himalaya, ancien lieu de villégiature des notables de l'Empire britannique. En été, ils y envoyaient épouses et enfants pour les éloigner de la chaleur étouffante de Delhi. Les femmes jouaient au tennis et organisaient des garden-parties tout en rêvant de transgresser les conventions. Leurs maris les rejoignaient parfois. De petites fêtes s'improvisaient, où l'on buvait du gin de Bombay avec du tonic à la quinine dans la fraîcheur du soir, tout en se remémorant la mère patrie.

Simla avait permis aux Britanniques de ne pas se sentir trop dépaysés. Chère Simla, charmante, désuète, respectable et ravissante Simla. Petite parcelle d'Angleterre.

En passant au crible les cartes et les guides de voyage, Ziggy avait découvert Mussoorie. La ville jouissait du même climat himalayen que Simla, frais et pur, des mêmes paysages de montagne ; son architecture était semblable, avec des demeures de style anglais et des chalets suisses. La différence, avait-elle lu dans les brochures, c'était que le peuplement y avait été un peu différent. À Mussoorie, les princes indiens avaient installé leurs maîtresses étrangères, tandis que leurs femmes bafouées vivaient cloîtrées dans des maisonnettes en haut des falaises ; des play-boys se pavanaient sur la promenade. On rapportait des histoires de personnes égarées dans les gorges, d'amants cachés dans des ruines. On s'y délectait de rumeurs de meurtres et de légendes de harems.

Ce passé sulfureux conférait à Mussoorie un statut particulier : on ne posait pas trop de questions. C'était l'endroit idéal pour aller se cacher si on voulait oublier qui on était, fuir sa réputation. Là-bas, on pouvait disparaître en toute quiétude.

— C'est exactement ce qu'il nous faut ! avait décrété Ziggy. Il y a même un hôtel Savoy.

— Tu plaisantes !

— Non, je t'assure. Il paraît qu'une princesse anglaise y a organisé une garden-party un jour.

— Je ne sais pas… L'Indonésie me tente quand même.

Ellen feuilletait des pages ornées de photos de cocotiers et de plages de sable blanc.

— Bali, ça fait rêver…

Ziggy avait levé vers elle des yeux songeurs.

— Mon grand-père vivait dans le Missouri. Dans le massif des Ozark. C'était un vrai montagnard. Énergique et drôle, avec un cœur énorme.

Le sourire de Ziggy adoucissait son visage aux joues creuses.

— J'adorais mon vieux pépé du Missouri. C'est un signe du destin !

Ellen n'avait pu s'empêcher de rire.

— Tu es folle !

Ainsi donc, elles avaient choisi Mussoorie.

Quand l'avion atterrit, plusieurs stewards aidèrent les trois femmes à récupérer leurs bagages à main, leurs chapeaux, leurs manteaux et leurs magazines.

Arrivée au sas, Ellen eut envie de retourner se pelotonner sur son siège. L'avion était propre, confortable, frais. La nourriture ne risquait pas de vous rendre malade et était servie avec le sourire par des stewards américains bronzés qui avaient des dollars dans les poches et sentaient bon l'after-shave. Mais Ziggy et Skye avançaient déjà vers elle. Derrière, les passagers de la classe touriste se pressaient dans l'allée en attendant de sortir. Ils contemplèrent Ellen avec curiosité, qui, tel un bon pasteur, supervisait la descente de ses deux ouailles efflanquées, posant une main bienveillante sur leur épaule pour les faire passer devant elle.

À l'immigration, le policier inspecta un long moment le passeport de Ziggy. Il passait de la photo au visage, l'air dubitatif. Ellen approcha pour intervenir.

— Madame, s'il vous plaît, restez dans la file d'attente, ordonna-t-il.

Elle retourna dans la queue et demanda à Skye de lui montrer son passeport. Lorsqu'elle vit la photo, la réaction du policier indien ne la surprit pas. Elle avait toutes les peines du monde à trouver un lien entre le visage émacié devant elle et celui de la belle femme d'alors, pourtant à peine plus jeune.

La différence ne résidait pas seulement dans la rondeur des joues, la grâce du cou. Le port de tête, le regard aussi avaient changé. Quelque chose en elle, sa racine, sa moelle, s'était flétri, était mort.

Quand elle releva les yeux, Ellen vit qu'un supérieur était arrivé en renfort. Elle avança en le regardant bien en face et se plaça entre lui et son subordonné.

— J'espère que vous voudrez bien nous laisser passer, dit-elle avec un sourire. Ces deux femmes viennent ici pour suivre un traitement médical. Comme vous pouvez le constater, elles sont très malades.

— Malades ? s'exclama le gradé. Dans ce cas, pourquoi venir ici ? Elles feraient mieux de rentrer chez elle, en Amérique.

— On ne peut pas les guérir en Amérique, répliqua Ellen tristement.

Elle lui donna le certificat de sortie que lui avait délivré la clinique Marsha Kendall. Le policier prit l'attestation et s'attarda sur le profil gaufré à l'or en haut à gauche. La lettre expliquait qu'elles souffraient d'anorexie mentale, un trouble de l'alimentation sévère, mais que, mis à part les complications générées par la malnutrition, elles n'étaient porteuses d'aucune maladie.

— Trouble de l'alimentation. De l'alimentation…, répéta le policier comme si cela n'avait aucun sens.

Il compara les noms cités dans la lettre à ceux des passeports et fit signe à son subalterne qu'il pouvait les tamponner.

— Mais elles ont quoi, finalement ? demanda-t-il. Elles mangent mais elles restent maigres ?

— Non. Elles n'arrivent pas à manger.

Il eut l'air très surpris.

— Ça n'est pas courant.

— C'est vrai. Pas courant du tout. Merci pour votre aide, ajouta-t-elle avec un sourire.

— À votre service.

Il lui adressa un bref salut militaire et s'éloigna d'un pas rapide.

Quand elles arrivèrent aux tapis à bagages, elles ne trouvèrent que deux de leurs six valises. Ellen jeta un coup d'œil sur ses compagnes de voyage. Elles étaient affalées chacune sur son chariot, flétries comme des plantes assoiffées. Elle partit donc seule à la recherche du comptoir de la Pan Am. À deux heures du matin, l'aéroport était désert, silencieux et mal éclairé. Elle traversa une salle d'attente sombre aux sièges vides et s'arrêta près d'un homme en uniforme militaire, allongé par terre. Son képi lui couvrait le visage, et il avait les mains pliées sur sa bedaine, tranquille comme s'il faisait la sieste au bord de la piscine de son jardin. Une balayeuse, drapée dans un sari blanc, marchait sans bruit, courbée sur le balai qu'elle passait lentement sur le sol.

— Heu... Excusez-moi... le bureau de la Pan Am ?

Sa voix lui parut trop sonore dans le silence.

La femme posa sur elle des yeux bruns enchâssés dans un visage à la peau de miel. Elle sourit, découvrant une rangée de dents magnifiques.

Un instant, Ellen eut un réflexe à la Carter. Elle évalua ce qu'on pourrait tirer de la beauté de ces yeux, de ces dents parfaites et de l'étonnant sourire.

— Bureau de la Pan Am. Bureau des bagages ? répéta-t-elle.

La femme secoua la tête, puis tendit la main. Ellen regarda la paume calleuse, la peau rêche, tout en tirant un billet de sa poche. Elle le lui tendit, et quand il passa d'une main à l'autre le contact vibra dans son bras.

Au moment de partir, elle vit la femme se redresser de surprise en contemplant le billet. Ce devait être une grosse coupure, pour elle.

Quand elle retourna à la salle des bagages, Ziggy la cherchait.

— Ellen ! Nous les avons récupérées ! Cette dame nous a aidées.

Elle indiquait une énorme Indienne dont le mari et les fils, sous ses ordres, finissaient d'empiler sur les trois chariots les valises retrouvées. À côté d'elle, ils semblaient petits et frêles, comme si la dame avait puisé sa taille phénoménale dans leur vitalité. Skye la contemplait, bouche bée, avec une expression de dégoût non dissimulé. Elle avait l'air particulièrement horrifiée par les trois bourrelets du ventre qui émergeait du sari rouge et or. Tête haute et dotée d'un triple menton, cette reine gargantuesque régentait ses hommes en agitant des bras massifs ornés de lourds bracelets en or.

— Tout est là ? demanda Ellen.

Elle recompta les bagages, puis adressa un sourire de remerciement à la famille indienne.

Elle passa vite à la suite, attentive à tout. Autrefois, elle rêvassait en voyage, traversait les aéroports sans y penser, parce que tout était organisé pour elle. Une voiture l'attendait à l'arrivée, l'agent de sécurité avait été engagé, les hôtels avertis, les boissons mises à rafraîchir. Elle n'avait qu'à prendre son mal en patience et se laisser porter, le visage impassible derrière ses grandes lunettes noires. À l'abri de cet écran, elle avait tout le loisir d'observer les passagers ordinaires, défraîchis et froissés, qui ne la quittaient pas des yeux. Cette fois, c'était tout autre chose ; elle organisait le voyage elle-même. Par-dessus le marché, par la faute de Ziggy, elle s'occupait non pas d'une mais de deux malades.

Elle avisa une flèche qui indiquait la douane, à leur gauche.

— Venez ! cria-t-elle.

Elle prit la tête et longea le couloir, se retournant de temps à autre pour vérifier que les deux autres la suivaient.

Ses compagnes, elle s'en rendait compte, avaient une allure hautement suspecte. Elles étaient maigres comme des toxicomanes, et riches comme des trafiquantes. Il n'y eut donc rien d'étonnant à ce qu'on fouille leurs bagages à la douane. Les vêtements tombèrent sur la longue table crasseuse. La lingerie de soie glissa entre des doigts indiscrets ; les chaussures à talons aiguilles furent retournées par des mains inquisitrices. On feuilleta leurs livres, inspecta les doublures, vida les trousses de toilette.

Ellen tâchait de ne pas regarder les affaires de Skye, n'ayant pas la moindre envie de connaître ses goûts ni ses centres d'intérêt. Pour elle, c'était un nom et un visage, sans plus. Un sourire sardonique lui échappa. Au fond, on lui avait fait le coup de l'auto-stoppeuse. Une fille fait du stop sur le bord de la route, souriante, tandis que son compagnon attend caché dans les buissons et monte avec elle dès qu'une voiture s'arrête.

Ellen rencontra le regard du jeune douanier fatigué qui fouillait ses bagages. Il jeta un coup d'œil sur ses seins puis laissa retomber dans la valise le soutien-gorge noir en dentelle qu'il tenait.

— C'est quoi, ça ?

Ellen se tourna vers un autre douanier qui agitait une petite fiole brune sous le nez de Skye. Elle prit l'air coupable et quêta le regard d'Ellen au lieu de répondre.

— Et ça, et ça ?

Deux autres flacons venaient d'être découverts dans le bout pointu d'une chaussure. Puis un autre, puis un autre... tous dissimulés avec soin. Deux douaniers accoururent, l'un portant des galons dorés sur l'épaule. Il lut les étiquettes, et leva vers Skye un regard accusateur.

— Sulfate... de magnésium ?

— Du sel d'Epsom, indiqua Skye à voix basse en regardant par terre.

— À quoi ça sert ? demanda le chef des douaniers.

Il ouvrit l'un des flacons, en renifla le contenu, puis goûta avec le bout du petit doigt.

Skye semblait trop gênée pour répondre, d'autant que tout le monde se taisait.

Finalement, ce fut Ziggy qui parla à sa place.

— C'est un laxatif.

Les douaniers ne comprenaient toujours pas.

— On en prend pour aller aux toilettes.

Cette phrase fut accueillie par de grands rires.

— Pas besoin de ça avec les saletés qu'on attrape ici ! remarqua le chef.

Les rires redoublèrent. Il rassembla les flacons – il y en avait sept en tout – et scruta Skye comme pour lire dans ses pensées.

— Et pourquoi avez-vous besoin de toutes ces bouteilles de ce produit ?

— C'est à cause de notre maladie, expliqua Ziggy en désignant l'attestation de la clinique, posée sur la table.

Il fit un signe de tête à un subordonné qui la ramassa et la lui tint devant les yeux pour lui permettre de lire.

— Vous avez une ordonnance ? demanda-t-il à Skye.

— Non, bien sûr que non ! s'indigna Ziggy. On n'a pas besoin d'ordonnance pour en acheter. Ça se trouve dans toutes les pharmacies.

Le douanier médita la question un moment tout en étudiant les flacons. Il se tourna vers Ellen.

— Vous êtes responsable de ces personnes ?

— Enfin, pas exactement…

Elle s'interrompit puis haussa les épaules avec fatalisme.

— Oui, je m'occupe d'elles.

Il avait sans doute remarqué qu'elle était moins bien habillée que ses compagnes de voyage et en avait tiré la conclusion qu'elle était une accompagnatrice au service des deux malades.

— Je suis désolé, madame, dit-il finalement à Skye avec un énorme froncement de sourcils. Nous devons confisquer ces médicaments.

— Mais ce ne sont pas des médicaments ! protesta celle-ci en jetant des coups d'œil éperdus à ses fioles qui disparaissaient dans un sac en papier. Ce n'est pas illégal. Il n'a pas le droit de me les prendre ! ajouta-t-elle en suppliant Ellen du regard. Empêche-le !

— Je ne peux pas, répondit Ellen. Elle n'en a pas besoin, continua-t-elle à l'intention du douanier. Vous pouvez les garder.

Ce pouvoir tout neuf la grisa. Elle évita le regard de Skye tandis que les douaniers les aidaient à remettre leurs affaires dans leurs valises, puis leur faisaient signe de partir. Le chef se tenait à l'écart. Les pouces accrochés aux passants de la ceinture de son pantalon kaki, il oscillait d'avant en arrière en les observant, yeux mi-clos.

Elles poussèrent leurs chariots le long d'un couloir sombre qui menait à la sortie. Peu à peu, la fraîcheur de l'air conditionné s'atténua, et, avec elle, l'agréable neutralité des aéroports internationaux. Des traces de crachats de jus de bétel rouge maculaient les murs. Une blatte géante décampa sous leurs pieds. Enfin, des porteurs vêtus d'uniformes en très mauvais état apparurent devant elles. Tous les passagers étaient déjà partis, et ils se levèrent en bloc à leur approche. Elles leur apparaissaient comme un don du ciel : des femmes seules, fatiguées, étrangères, et qui de surcroît poussaient des chariots chargés de valises Samsonite et de porte-habits énormes. Elles donneraient de gros pourboires, en bons dollars américains, de l'or en barre...

— Attendez, dit Ellen aux autres.

Elle avança seule et choisit le porteur le plus âgé qui se présenta à ses yeux.

— Nous avons besoin de plusieurs hommes, annonça-t-elle. Et d'un taxi.

Elle s'adressait à lui d'un ton ferme, sentant qu'elle brisait les conventions, mais bien décidée à se faire obéir.

Le vieil homme choisit trois autres porteurs et se contenta de les diriger, laissant dans son sillage une légère odeur de transpiration, de friture et de fumée de charbon.

— Vous avez réservation dans un hôtel ? demanda-t-il à Ellen.

— Oui, l'Oberoi. L'Oberoi Maidans.

— Mais... très loin. Dans la vieille ville. Vous changer. Le Hilton est très bien.

Son visage s'illuminait à la pensée de la commission qu'il obtiendrait pour trois chambres, ou même trois suites.

— Non. Je veux un taxi, c'est tout.

Le porteur fut magnanime.

— Pas de problème. Voiture de l'hôtel ici. Par ici, mem-sahib.

Il poussa une des portes en verre fumé qui les séparait de l'extérieur. Dehors, l'air brûlant l'enveloppa, envahit ses sens au point qu'elle eut peur de se dissoudre dans ses étouffantes vapeurs, de se dissiper dans la pestilence et les parfums puissants de cette nuit d'été indienne.

Le trajet s'effectua en silence, Ellen devant, les deux autres côte à côte sur la banquette arrière. Elles regardaient par les fenêtres, ébahies par le spectacle qui s'offrait à leurs yeux. Il y avait de nombreux petits feux de camp, de grands arbres semblables à des parasols, des vaches errantes. Les formes sombres de camions, de voitures, de charrettes et de vélos jaillissaient de l'obscurité, comme dans un rêve, apparaissaient et disparaissaient en un instant. Soudain, Ellen se redressa sur son siège, tirée de sa somnolence par l'étrangeté de ce qu'elle avait cru voir. Elle fouilla l'obscurité des yeux. Des corps étaient allongés partout : dans la contre-allée, sous des charrettes ou des rickshaws, sur des sommiers installés devant les cabanes et les boutiques, dans le caniveau, sur le bord de la route. Une multitude de dormeurs par terre. Ellen se sentit mal, touchée par la pitié et par la peur. Tous ces gens n'avaient donc nulle part où aller ?

— Ces gens... dorment dehors..., dit-elle au chauffeur.

— Oui, mem-sahib, répondit-il poliment. Ce n'est pas encore le matin.

Ellen était allongée au milieu de son grand lit ; elle étendit les jambes, les pointes dans les diagonales. Ensuite, elle roula avec lenteur sur le ventre et sentit le drap en coton tirer doucement sur sa peau. Des rais de lumière filtraient à travers les rideaux. Elle prit sa montre et vit qu'il était presque midi. Elle tâcha de raisonner son inquiétude : Ziggy et Skye étaient quand même capables de se prendre en charge pendant quelques heures dans un hôtel quatre étoiles. Elle les imagina dans le hall, tremblantes sous les hautes voûtes mogholes, apeurées par le ciel étranger au-dehors. Serrées l'une contre l'autre, elles se parlaient à voix basse, ayant du mal à croire qu'elles s'étaient échappées. La clinique, les médecins, les visites, les cartes et les fleurs, tout cela, c'était fini. Et elles étaient ensemble, elles n'étaient pas seules. Elle ferma les yeux très fort, en proie à une immense solitude. Un terrible poids lui écrasait la poitrine. Elle, elle n'avait personne, elle n'avait rien.

Elle imagina Zelda et James en train de manger d'énormes sandwiches dans le soleil de midi. Assis côte à côte, dos appuyé au mur chaud du cabanon, ils avaient tellement faim qu'ils avalaient sans rien dire. En face d'eux s'étendait la mer, très bleue, le détroit, le golfe, puis l'océan jusqu'en Amérique… où maman était partie.

Elle se mordit la main. Souviens-toi de moi, je t'en supplie.

La voix de Zelda. Papa, elle rentre quand, maman ?

Elle ne va pas rentrer, mon ange. Il faut nous habituer à vivre sans elle.

Ellen ne bougeait plus, respirant à peine. Un lézard traversa tranquillement le plafond. Peut-être que… Un faible espoir s'insinua en elle, ténu comme la lumière qui passait entre les rideaux. Peut-être que, quand Zelda serait un peu plus vieille, quand elle serait plus… plus indépendante… Quand elle ne serait plus une enfant qui a besoin de sa mère mais presque une adulte… Alors, peut-être que ce jour-là…

Non. Elle referma les yeux, clouée de douleur au souvenir de ce que James lui avait dit.

— Tu ne reviendras jamais, Ellen. Tu comprends ça, j'espère ?

Il était furieux, haineux, il avait peur.

— Nous allons apprendre à vivre sans toi. Quand tu seras partie, tu n'existeras plus pour nous. Ça sera fini, terminé.

Elle s'assit dans le lit, prit le menu du service d'étage et décrocha le téléphone.

— Oui, madame ?

— Faites-moi monter du café, bien fort.

— Bien, madame.

— La salade de fruits frais, elle se compose de quels fruits ?

— De mangues.

— Et le fruit du jour, c'est quoi ?

— De la mangue.

— Ah... D'accord, je vais prendre ça.

— Lequel, madame ?

— Heu... la mangue. La mangue du jour.

— Bien, madame. Dix minutes, s'il vous plaît.

Ellen s'étira comme un chat, se cambra. Puis elle ferma les yeux et essaya de se détendre. Le mieux serait de prendre son petit déjeuner, puis d'aller nager dans la piscine. Il fallait profiter de cette brève liberté. Dire que c'était elle qui décidait de tout, maintenant ! Très drôle ! Jusqu'à présent, elle se débrouillait à merveille. Quand elle ne savait pas quelle décision prendre, elle se demandait ce que Carter, ou James, ou la Ziggy énergique d'autrefois feraient à sa place. Ensuite, elle mettait ce qu'elle avait imaginé à exécution. Pas plus difficile que ça. Plus elle s'efforçait de leur ressembler, plus elle se sentait forte et sûre d'elle.

Elle refit le point sur les prochaines étapes du voyage. Le lendemain, elles iraient à la gare, à temps pour attraper le train. Ensuite suivraient huit longues heures de voyage fatigant et cahotant dans la chaleur poussiéreuse. Le train leur ferait traverser la plaine du Gange. À Dehradun, elles descendraient et monterait dans un taxi. (Il ne fallait pas oublier de faire attendre les chauffeurs trop empressés pour prendre le temps d'inspecter les pneus.) Quand elle aurait fait son choix, elles s'entasseraient dans la voiture avec tous leurs bagages, et, enfin, elles se dirigeraient vers la montagne, graviraient les contreforts de l'Himalaya sur une route en lacet et arriveraient à leur destination finale.

18

Ellen suivait le vieil homme, fascinée par ses plantes de pied, tannées comme du cuir, qui avançaient sans bruit sur le sol couvert de feuilles. Le flanc de la montagne était abrupt et le chemin étroit. Du ravin montait une brume qui cachait la vallée, et Ellen avait l'impression de flotter dans un rêve.

Son guide se tourna vers elle pour l'encourager d'un sourire.

— Nous sommes arrivés ! La maison est tout près, annonça-t-il en tendant le doigt vers les hauteurs.

Ils passèrent une grille en fer forgé partiellement ouverte, accrochée entre deux piliers gris à moitié éboulés, encore garnis de vestiges de moulures sculptées. Cette entrée ne faisait que marquer une frontière abstraite en travers du sentier. Aucune clôture n'entourait la propriété ; la haute futaie continuait, avec son sous-bois tacheté de soleil. Ellen fit une halte pour se délasser. Son guide revint sur ses pas et l'attendit, la respiration régulière, le regard dans le lointain.

— Comment vous appelez-vous ? demanda Ellen, gênée par le silence.

— Djoti, mem-sahib. Il ne faut pas parler. Se reposer. L'altitude est très haute, et vous n'êtes pas habituée.

Ellen regarda son guide : les vêtements de travail usés, la corde de coolie passée sur ses épaules voûtées, les mains rudes, le visage ridé.

— Vous parlez très bien anglais, commenta-t-elle.

— Bien sûr !

Il avait l'air enchanté. Son grand sourire découvrit des dents brunes, mais le métamorphosa en donnant à son visage une douce beauté.

— Je sais lire et écrire, aussi. J'étais messager quand j'étais enfant. Les mem-sahibs me donnaient des lettres à porter. Souvent, ils me les lisaient, pour que j'explique le message aussi. Ensuite, pendant que je marchais, je regardais ce qui était écrit et j'apprenais les mots par cœur. J'ai vite appris l'anglais comme ça ! Il eut un rire joyeux comme s'il avait joué un bon tour à quelqu'un.

Ils reprirent leur route, Djoti devant, qui parlait toujours à Ellen.

— Je serai votre messager. Vous aurez besoin de moi souvent. Comme vous voyez, il n'y a pas de téléphone, pas de taxis, ici. On marche partout à pied.

En effet, la route qui montait de la plaine s'arrêtait au village en croissant de lune, entre deux sommets. Certains hôtels, établissements scolaires et grandes propriétés disposaient de chemins carrossables sur leurs terres, plusieurs routes menaient dans l'arrière-pays, mais c'était tout. Cela mis à part, il n'y avait que des sentiers pour les chevaux, les rickshaws et les piétons. Là où ils se rendaient, du côté de Landour, tout au bout de Mussoorie, les véhicules ne pouvaient circuler au-delà du petit hôpital. Ensuite, on continuait à pied sur un sol couvert de feuilles glissantes qui craquaient sous les pieds, au milieu des arbres en fleurs et des chants d'oiseaux.

Les couleurs présentaient des nuances allant du rouge au violet : mauves des jacarandas, rose clair des bougainvilliers, rose flamboyant des rhododendrons et violet profond des grands iris. Ici et là, des balayeurs rassemblaient des tas de feuilles qui, en brûlant, remplissaient l'air d'une fumée odorante. Ellen regardait tout autour d'elle en marchant. Malgré la montée très raide, elle se sentait légère, détendue.

C'était comme se promener dans un jardin subtil, dans un monde paisible, beau et bienveillant.

Ce serait de la folie de choisir cette maison, elle en était consciente. La description était idéale, mais Ziggy et Skye ne pourraient jamais y accéder. Hélas, il n'y avait pas le choix. Jusqu'à présent, aucune des maisons à louer n'avait convenu : trop petites, trop proches du marché, en trop mauvais état, trop inconfortables. Elles ne pouvaient pourtant pas rester toute leur vie à l'hôtel où les lunettes de toilettes poussiéreuses les faisaient rire, ainsi que les vieux trophées de chasse miteux au-dessus des portes majestueuses. Tant pis, Ziggy et Skye se feraient porter. Elles ne pesaient pas bien lourd et n'épuiseraient pas les coolies habitués à ployer sous des ballots de bois et de métal.

Alors qu'ils approchaient de la maison, des fleurs de jardin se mêlèrent à la forêt ; des bleuets, des banksias jaunes émaillaient les buissons, s'insinuaient entre les lianes. Elle aperçut d'abord le sommet du toit, pentes vert foncé derrière l'entrelacs des branches. Ensuite, elle vit un long mur couvert de glycine blanche et des fenêtres aux volets fermés. Le sentier les avait menés au bord d'un champ d'herbes folles, près d'une fontaine de marbre blanc, asséchée et bouchée par les feuilles. La maison, devant eux, était ombragée par une longue et large véranda tendue d'une toile verte en mauvais état.

Le carrelage en était ébréché, et de vieux fauteuils en osier fatigués semblaient y attendre des visiteurs.

— La maison est très vieille, mem-sahib, avertit Djoti. Nous avons fait un grand ménage hier, mais elle était mieux avant.

Il sortit des plis de son vêtement un trousseau de grosses clés anciennes, ouvrit une porte-fenêtre et tira les rideaux. Ellen fut accueillie par une odeur de moisi et de renfermé, mêlée à un parfum d'encaustique et d'insecticide. En regardant autour d'elle, elle découvrit de lourdes tentures, des vases orientaux et des boiseries sombres et patinées. Il y avait des tapis persans, des livres reliés, des portraits à l'huile et les couleurs fanées de fleurs de montagne séchées. Elle tourna lentement sur elle-même, la gorge serrée par une émotion qui remontait à la surface. Il n'y avait pas de verres à vin délaissés ni de traces de griffes sur les fauteuils, pas de poils dans l'air, pas de chats qui vous tournaient autour des jambes en miaulant. N'empêche, cela lui rappelait le passé, lui évoquant un désordre de théières, de colliers de chat, la douceur de la fourrure contre les mollets, et le regard vif et bienveillant d'un grand ami.

Malgré les yeux de Djoti qu'elle sentait sur elle, avec son regard pareil à un phare lointain qui la rappelait au rivage, elle s'abîma quelques instants dans ses souvenirs.

Son cher ami Eildon lui avait promis de subvenir à ses besoins. Tout ce qu'elle voudrait, il le lui donnerait, avait-il assuré dans la poussière de son royaume, Perdy dans les bras. *Tu n'auras qu'à demander, et tu l'auras.* Alors, elle lui avait envoyé les factures, proprement rassemblées. Au début, il n'y avait eu que les chaussons de danse, les rubans, les tutus, les longueurs de tulle, les justaucorps et les collants ; plus tard, les sommes avaient monté, pour des cours particuliers, des déplacements, des vêtements, des frais médicaux. Il les lui retournait avec la mention « Réglé » inscrite en travers. Parfois, il ajoutait un petit mot, comme : « Chandelier en argent de Sheffield de maman », ou « Commode Chippendale », ou « Tu te souviens des planches d'Audubon ? ». Elle se l'imaginait passant sans état d'âme de pièce en pièce pour choisir son prochain sacrifice, avant d'appeler M. Carroll, l'antiquaire. C'est pour ma femme entretenue, l'imaginait-elle expliquer avec un petit sourire. Elle me coûte cher, j'admets, mais elle en vaut la peine.

Et puis il avait disparu. Les factures s'étaient accumulées sans être réglées. Plus personne n'avait répondu au téléphone. Finalement, elle avait reçu une note de M. Carroll, qui lui apprenait qu'Eildon s'était éteint en laissant, quel scandale, tous ses biens à sa colonie de matous. Elle avait pleuré toute la nuit mais n'avait jamais eu véritablement l'impression qu'il était mort. Au contraire, elle le sentait près d'elle, partout et nulle part à la fois, vieillissant éternellement mais jamais vieux, comme Dieu. Et maintenant, elle le retrouvait ici, presque au bout du monde.

Elle sourit à Djoti. L'atmosphère de la maison était chaleureuse et réconfortante.

— Elle me plaît.

Il alla à une fenêtre et tira sur la cordelette en soie pour remonter le store. Quand elle lui resta dans la main, il la contempla d'un air chagrin.

— La famille venait de Delhi tous les étés. C'étaient des Anglais. Un jour, ils ne sont pas revenus. Depuis dix ans maintenant.

— Mais qui est le propriétaire ? demanda Ellen.

Djoti secoua gravement la tête.

— Pas de propriétaire, mem-sahib. Il n'y a que le messager.

Ellen retourna à la maison tôt le lendemain matin, accompagnée de Ziggy et de Skye. Elles étaient d'excellente humeur. Leurs éclats de rire et leurs bavardages s'élevaient dans la montagne, tandis qu'elles gravissaient la pente, portées à dos d'homme. Les coolies les tenaient fermement par les cuisses, penchés en avant, la tête éloignée le plus possible de leur passagère par courtoisie. Encouragés par la perspective de courses fréquentes et faciles et de bons pourboires, ils faisaient de leur mieux pour donner satisfaction, marchant à pas réguliers, la mine sérieuse, discrète. Une longue procession de provisions et de bagages suivait : leurs affaires personnelles, ainsi que de la nourriture achetée au marché et une bonbonne de gaz pour le réfrigérateur. (Il y avait eu un malentendu à propos du réfrigérateur. Ellen avait payé le double du prix au coolie qui devait s'en charger, s'attendant à ce qu'il prenne un aide pour le monter. Or, il le portait seul et titubait sous son fardeau comme un scarabée sous une charge trop volumineuse.)

Ellen fermait la marche avec Djoti, trop consciente de ses bras ballants. Déjà, le soleil tapait fort, et les stridulations indolentes des cigales vibraient dans l'air.

— Là-bas, vos voisins, indiqua Djoti.

Il tendit le bras vers un toit de tôle bleu entre les cimes. On aurait dit la voile d'un navire solitaire dans une immense mer verte.

— Le colonel Stratheden et sa femme. Ils habitaient ici il y a très longtemps. Ils sont vieux, maintenant, et ils sont revenus finir leurs jours ici, parce que c'est chez eux. Et là-bas... (Il montra une fine flèche argentée au loin.)... c'est la maison de Ravi Nair. Un acteur très connu. Très beau. Très riche. Encore célibataire.

Il jeta un coup d'œil sur Ellen.

— On dit que Ravi Nair a dépensé plus de trois millions de roupies pour construire sa maison. Il a fait couvrir tous les murs avec des miroirs, et le plafond aussi, dans sa chambre à coucher.

— Arrêtez ! J'ai l'impression de le connaître !

Elles n'eurent pas de mal à choisir leurs chambres. Ziggy préférait sentir quelqu'un près d'elle. Skye ne voulant pas non plus être seule, elles s'installèrent l'une à côté de l'autre dans les deux chambres du haut. Ellen prit le bureau du rez-de-chaussée. Elle était ravie d'être un peu loin des deux autres, tout en se rendant compte que cet avantage la mettait d'autant plus à l'écart, lui conférant un rôle de surveillante d'internat, de guide touristique – ou même de parent. Elle se souvint de la vieille plaisanterie qui avait cours à la pension à l'heure du thé. « Allez, c'est moi qui fais la mère de famille ! » disait, d'un air entendu, celle qui servait. Ellen aussi suivait cet usage, s'obligeait à prononcer la phrase en prenant un ton enjoué malgré le nœud qui lui tordait le ventre.

Pendant que Ziggy et Skye défaisaient leurs valises et prenaient possession de leurs chambres, Ellen, à l'autre bout de la maison, s'était mise à la fenêtre. Devant elle, une rambarde métallique prenait appui contre la falaise, dernier rempart contre le précipice. Ainsi, on aurait dit que la chambre était posée au bord d'un monde plat où l'on pouvait être aspiré dans le vide à tout moment.

Elle dénicha une vieille malle vide et y entassa pêle-mêle tout ce qu'elle put. Les trophées de chasse, les armes à feu, les souvenirs de cricket et les livres d'ornithologie et de politique. Elle vida la pièce et se retrouva dans une chambre nue et neutre comme une toile blanche. Quelques coups timides furent frappés à la porte ouverte. C'était Skye, qui dut baisser la tête pour passer sans se cogner. Un long tissu de satin bleu ciel traînait de ses bras jusqu'à terre.

— Nous avons pensé que ça serait agréable, expliqua-t-elle d'une voix hésitante, alors nous t'en avons acheté pour toi aussi. Des draps en satin. On s'est dit que ça sécherait plus vide, ajouta-t-elle en désignant le jardin. Il suffit de les étendre sur l'herbe.

Ellen contempla les draps, atterrée, imaginant les rumeurs qui allaient courir sur elles, comme celles qui circulaient sur les miroirs de Ravi Nair.

— Merci, génial.

Skye hésitait encore.

— C'est… c'est tellement beau, ici. Toutes ces fleurs…

Elle semblait vouloir continuer, mais n'acheva pas et repartit dans le couloir.

Pensive, Ellen suivit du regard la frêle silhouette qui s'éloignait.

Djoti leur apprit que sa femme, Prianka, pouvait leur faire la cuisine. Quoique son anglais fût rudimentaire, elle avait déjà travaillé pour des étrangers et possédait à son répertoire une série de menus simples. Leurs fils, eux, leur apporteraient du bois pour le feu et balaieraient la cour. Leurs nièces feraient les courses et la lessive. Les petits enfants aideraient à entretenir le jardin.

« Nous sommes là pour vous aider », lui dit Djoti, et Ellen lui en fut très reconnaissante.

Au fil du temps, elle apprécia de plus en plus l'aide du vieil homme. Il devançait les problèmes, s'arrangeant pour organiser à temps ce qui devait l'être, tout en donnant l'impression que c'était elle qui avait été prévoyante. Ils échangeaient alors un regard qui disait bien que ni l'un ni l'autre n'était dupe de la situation.

— Mem-sahib, vous êtes ennuyée par le manque d'eau. Les dames américaines se lavent beaucoup.

— Oui ?

— J'ai demandé aux coolies d'apporter de l'eau pour remplir une deuxième citerne.

— Bien, merci, Djoti.

— Oui, mem-sahib. Vous avez raison. Il vaut mieux prévoir.

Il parcourait la propriété tel un général qui veille au bien-être de ses troupes. Il envoyait un enfant accompagner Skye dans la forêt quand elle allait cueillir des fleurs ; il montrait à un gamin comment grimper sur le toit de tôle chaud pour mettre les serviettes de toilette à sécher ; il expliquait à Ellen comment se débarrasser d'une puce en montant dans la baignoire pour secouer ses vêtements.

À l'heure des repas, il faisait de brèves apparitions à leur table et dispensait ses conseils.

« S'il vous plaît, mem-sahibs, je demande que vous ne laissiez pas les fenêtres ouvertes la nuit, pour empêcher que beaucoup de papillons entrent dans la maison. »

« Faites très attention aux serpents, surtout près des citernes. »

« Bien secouer les chaussures avant de les mettre aux pieds. »

« Ne pas laisser la nourriture dehors, parce que le manger attire les singes. »

« Toujours laisser une bougie près du lit au cas où l'électricité est coupée. »

« Attention aux chiens, ils peuvent avoir la rage, et s'ils vous mordent, on ne peut pas vous sauver. »

Ziggy et Skye l'écoutaient avec attention. Ellen avait le sentiment qu'elles se délectaient de tous les nouveaux dangers, de tous les inconforts, car chaque avertissement de Djoti les éloignait un peu plus de l'univers aseptisé de la clinique Marsha Kendall. Quelle meilleure preuve qu'elles s'étaient bien échappées ? Elles étaient arrivées dans un monde nouveau et sauvage où plus aucune règle connue ne s'appliquait. Elles risquaient de rencontrer un tigre dans la forêt. Elles pouvaient se faire emporter par un glissement de terrain, ou trébucher dans le sentier tortueux et tomber dans le ravin. Les choses les plus folles pouvaient avoir lieu.

Elles pourraient même reprendre des forces et recouvrer la santé. Et même être heureuses.

On ne parlait pas de nourriture : manger, avaler, assimiler étaient des mots interdits. Il n'y avait pas de balances pour traquer les changements de poids. Un seul grand miroir restait dans la maison, et il se trouvait derrière la porte de la chambre d'Ellen, face au mur. On servait les repas, puis on débarrassait, qu'ils soient consommés ou pas. Ellen ne mettait jamais les pieds dans les chambres de Ziggy et de Skye, et ne faisait pas le guet derrière leur porte pour écouter ce qui se passait à l'intérieur. Après des années perdues à compter vainement les calories, à se faire espionner aux toilettes, et à subir des fouilles humiliantes au cas où elles auraient caché des substances illicites dans leur chambre, elles essayaient une autre méthode. C'était leur dernière chance. Elles pouvaient gagner la bataille ou la perdre, ou même rester dans une zone intermédiaire, mais ce serait elles qui auraient choisi la marche à suivre.

Un matin, des nièces de Prianka rapportèrent du marché des pyjamas du Pendjab et des châles du Cachemire. Elles les exposèrent dans la véranda pour les leur vendre. Djoti leur expliqua que les vêtements traditionnels en coton convenaient mieux à la façon de faire la lessive de la région. Les mem-sahibs enfilèrent les vêtements, échangèrent les hauts et les bas en riant et en se disputant comme des gamines. Ellen choisit une tenue bleue ; Ziggy, habituée aux grands défilés de mode parisiens, acheta un pantalon jaune et une chemise brodée de motifs alambiqués. Skye arpenta la pelouse et leur fit admirer un pyjama marron, recouvert d'un grand châle tissé aux couleurs de terre.

Prianka l'observait depuis la porte de la cuisine, tapotant une grosse boule de pâte blanche entre ses mains enfarinées.

— Très bien ! cria-t-elle. Très belle fille indienne !

— Elle ressemble à une religieuse, commenta Ellen.

— Plutôt à un ascète, rectifia Ziggy. Elle devrait essayer de dormir sur une planche à clous. Ou elle pourrait passer des mois sans manger, ajouta-t-elle avec une fausse innocence, le regard impénétrable.

Ellen lui jeta un coup d'œil, et Ziggy éclata d'un énorme rire.

Djoti rit avec elle et poursuivit la plaisanterie.

— Oui, c'est ça ! Très maigre, comme un saint homme. Nous avons ici deux sadhus d'Amérique…

Ses rires s'étouffèrent dans une quinte de toux sifflante.

— Il faut descendre à Rishikesh, la ville des saints, reprit-il en arrivant tout juste à garder son sérieux. Là, vous seriez vraiment… vraiment à la mode !

Ziggy riait toujours, les mains sur les hanches. Quand elle eut fini, elle s'appuya à un pilier de la véranda et regarda le jardin, un sourire aux lèvres.

— Je vais faire pousser des fleurs, annonça-t-elle. Juste là, derrière la fontaine.

Les portes et les fenêtres étaient grandes ouvertes, et une douce brise pénétrait dans la maison ensoleillée, faisant voleter les rideaux de chintz. Les fleurs ramassées par Skye remplissaient tous les vases, débordaient jusque dans des bocaux à confiture et des mugs commémorant le couronnement de la reine d'Angleterre. Il y en avait partout ; des fleurs robustes, colorées, cueillies dans la forêt. Elles tenaient longtemps, gardaient la tête droite et répandaient une forte senteur épicée dans les pièces.

Dehors, dans le jardin, Ziggy s'appuyait à une bêche, tout en surveillant trois adolescents qui retournaient pour elle un carré de terre. Deux autres ramassaient des pierres pour former une bordure. Elle montrait ce qu'il fallait faire avec de grands gestes et leur tenait de longs discours sans se soucier qu'ils ne parlent pas anglais, comme Djoti le lui avait précisé. Les garçons ne simplifiaient pas la communication : ils écoutaient, très attentifs, répondaient « Oui, mem-sahib ! » puis continuaient, n'ayant pas compris un traître mot de ses explications.

Ellen observait la scène depuis une fenêtre de l'étage, heureuse de voir son amie reprendre goût à la vie. Ziggy était encore maigre et affaiblie, mais elle ne passait plus ses journées à ne rien faire, apathique, à poser sur le monde son regard cynique à travers des yeux mi-clos. Maintenant, elle souriait. Elle touchait les objets avec des doigts curieux, explorait les formes, les sensations, comme si elle avait été paralysée ou aveugle très longtemps. Elle refusait toujours les repas qu'on lui servait, mais elle mangeait les chapatis de Prianka, parce que, disait-elle, les galettes de pain avaient un goût de terre et non de nourriture.

Encouragée par son exemple, Skye avalait aussi quelques bouchées. Elle parlait toujours très peu mais semblait plutôt heureuse et se promenait dans la forêt pour cueillir des fleurs.

Leur transformation rendait Ellen plus forte, moins vulnérable, comme si leur guérison, une fois amorcée, s'était aussi étendue à elle. La scène tranquille qui se déroulait à ses pieds la fit sourire. Elles avaient trouvé leur havre de paix.

Dans le jardin, au milieu du parterre, Ziggy, regardait autour d'elle pour décider de la disposition des plantes quand

Djoti apparut en haut du sentier. Il portait un énorme paquet qui l'empêchait presque de voir où il mettait les pieds. Le soleil matinal se reflétait sur un papier transparent.

Ellen se pencha à la fenêtre, mains crispées sur le rebord. Elle eut un coup au cœur en reconnaissant la cellophane rigide d'un bouquet de fleuriste.

Elle descendit l'escalier quatre à quatre, imaginant la petite carte blanche épinglée au côté. Une pensée folle avait surgi dans son esprit, comme les fleurs qui naissent dans le désert après la pluie. Elle entendait James dicter son message au téléphone, de sa voix autoritaire.

Ma très chère Ellen.

Vous pouvez épeler, monsieur ? Un seul *l* ou deux ?

Je ne peux pas vivre sans toi.

C'est tout ?

Je t'en prie, reviens. Je t'aiderai. Ensemble nous triompherons de tout. Nous t'aimons, James et Zelda.

Bien, j'ai noté. Je relis...

Djoti tendit le bouquet à Ziggy en inclinant la tête. Ziggy ne le prit pas. Ses bras restèrent crispés le long de son corps, ses yeux fixés sur les fleurs disposées à l'intérieur de la feuille transparente.

En approchant, Ellen vit la carte et les quelques mots tracés d'une écriture régulière : « Mlle Ziggy Somers. Mussoorie. Essayer hôtel Savoy. » À la fois soulagée et déçue, elle échangea un regard avec Djoti qui ne savait que faire.

— Voyons de qui elles sont, proposa Ellen de la voix rassurante de l'infirmière de l'école quand elle s'apprête à vous faire mal.

Elle détacha la carte et la retourna pour lire le message au dos.

« Ma petite chérie, je t'en supplie, donne-nous de tes nouvelles. Ton père se fait tellement de soucis qu'il en a perdu l'appétit. Si tu savais comme notre grand bébé nous manque. Ziggy, chérie, pense à moi en regardant ces fleurs. Mon petit amour, je t'aime. Ta maman bien-aimée, Lucy. »

Tout en lisant ces lignes, Ellen sentit l'ombre glacée qui s'insinuait derrière le ton chaleureux ; cet amour étouffant, vampirisateur, qui vous empêchait de vivre.

Ziggy s'était laissé mitrailler par les mots. Elle sortit de sa paralysie, prit le bouquet et enleva le papier.

— Des orchidées, remarqua-t-elle d'une voix blanche.

— Ce n'est pas elle qui les a choisies, s'empressa de lui rappeler Ellen pour leur ôter un peu de leur pouvoir, les rendre plus anonymes. Elles ont sans doute été expédiées par avion de Singapour à Delhi.

Elles contemplèrent en silence les fleurs cireuses, trop parfaites. Des miraculées, conservées dans la glace, qui avaient fait ce long trajet dans la chaleur pour arriver intactes à Mussoorie.

— Comment a-t-elle appris que nous étions ici ? s'étonna Ellen.

— C'est moi, jeta Ziggy d'une voix dure de colère. Pourtant je ne voulais rien lui dire, je ne voulais pas qu'elle sache où nous allions.

Elle tendit la main pour toucher les fleurs fermes et fraîches. Lentement, elle les attrapa dans son poing, broya les pétales, brisa les tiges. Puis elle jeta le bouquet au milieu de son carré de terre et se sauva, courbée sur sa douleur.

— Elle n'aime pas le bouquet, commenta Djoti, stupéfait et consterné.

Ellen mit une seconde à répondre.

— Non, ce n'est pas les fleurs, c'est sa mère qu'elle n'aime pas.

Décontenancée elle aussi, elle se tourna vers la maison. Quelques minutes après la fuite de Ziggy, les rideaux de sa chambre se fermèrent violemment.

Skye apparut dans la véranda, alarmée par le bruit des fauteuils en osier que Ziggy avait renversés sur son passage. En silence, elle contempla les orchidées saccagées et la cellophane froissée. Elle eut l'air terrorisée, mais envieuse, aussi.

Ellen baissa les yeux sur la carte de Lucy, tombée sur la pelouse, puis elle fit signe à Djoti d'approcher.

— Il ne faut pas que ça se reproduise. À partir d'aujourd'hui, je veux que vous m'ameniez les lettres et les paquets directement, sans que personne d'autre ne les voie.

— Oui, mem-sahib, répondit Djoti en inclinant la tête gravement.

— Et faites disparaître ça, s'il vous plaît, acheva-t-elle en désignant les restes du bouquet.

Par terre, les fleurs tordues ressemblaient à une épave au bord de la route après un accident.

19

Ellen ne voulut pas faire venir le médecin de l'hôpital de la mission, car elle espérait que le mal causé par les fleurs de Lucy et son mot ne durerait pas. Mais les semaines passèrent, et Ziggy restait murée dans son silence ; elle ne quittait plus son lit, les yeux rivés au plafond. Skye tournait autour d'elle, attirée comme l'araignée l'est par l'ombre. Elle laissait ses bouquets macérer dans les vases, l'eau croupir. Elle n'occupait plus sa place à la fenêtre de la salle à manger et demeurait toute la journée dans sa chambre. Prianka mettait la table pour trois, mais bientôt ne prépara plus à manger que pour une seule personne.

Djoti reparla du médecin, et Ellen finit par accepter. Elle les attendit dehors, près de la fontaine et du parterre abandonné de Ziggy. Des voix lointaines annoncèrent leur approche, puis ils apparurent au bout du sentier et montèrent sur la pelouse. Sans même s'arrêter pour reprendre son souffle, le médecin avança vers elle. Elle lui trouva un air d'invité échoué après une fête trop arrosée, hagard, livide, les yeux cernés, les cheveux en bataille. Ses vêtements étaient de bonne qualité mais fripés, auréolés de sueur. Elle vit que, de son côté, il remarquait sa pâleur et ses yeux rougis par le manque de sommeil.

Fataliste, elle s'attendait à des remontrances. Il allait d'abord s'informer de la situation, puis se mettre en colère. Quelle autre réaction aurait-il pu avoir ? On ne s'installait pas si loin de tout avec deux femmes presque mourantes. C'était de l'inconscience ! Surtout quand on les sortait d'une clinique de luxe où l'on n'épargnait ni les dépenses ni les efforts pour adoucir leurs souffrances, si ce n'était pour les guérir. Elle ne pouvait être que folle, ou idiote, ou malintentionnée.

— Bonjour, je m'appelle Ellen.

Sans attendre sa réponse, elle fit demi-tour pour le conduire vers la maison.

— Dr Cunningham. Paul, annonça-t-il en la suivant. Je suis désolé de ne pas avoir pu me déplacer hier. Nous étions débordés...

Ellen se tourna vers lui pour lui jeter un coup d'œil.

— Vous allez bien ? Vous n'avez pas l'air en forme.

— Je ne me suis pas couché de la nuit, répondit-il en se passant une main sur le visage. Un cas très grave. J'ai vu beaucoup de choses, mais on ne s'habitue jamais vraiment.

— Quel genre de cas ?

— Une femme qui venait d'un village des environs. Son bébé s'est coincé pendant l'accouchement. Il était mort... déjà en décomposition. Elle a dû marcher quatre heures pour atteindre la route, puis un camion l'a conduite jusqu'à l'embranchement, à huit kilomètres d'ici. Elle a fait tout le reste du trajet à pied.

Il poursuivit d'une traite, sans doute parce que sa nuit n'avait pas connu non plus de trêve.

— Je ne pouvais pas l'extraire par la voie vaginale, alors j'ai dû pratiquer une césarienne. J'ai commencé par une incision normale, mais j'ai découvert que l'enfant était plié, tête et siège dans la partie supérieure de l'utérus.

Tout à coup, il s'interrompit.

— Désolé, je ne devrais pas vous raconter tout ça.

— Mais la mère, elle va survivre ?

Elle avait posé sa question d'un ton brusque, assaillie par des images de ventre ouvert badigeonné d'antiseptique, de mains sanglantes maniant l'aiguille pour suturer, d'un médecin penché sur le champ opératoire, coiffé de son bonnet en papier, dieu à deux têtes, mi-boucher, mi-sauveur.

Le médecin haussa les épaules avec un faux air indifférent.

— Je l'ai mise sous antibiotiques en intraveineuse. Heureusement, elle a déjà quatre autres enfants. Ils ont tous plus de cinq ans, donc ils ont de meilleures chances de survie...

Ellen le fit entrer. Il s'arrêta sur le seuil, étonné par l'ameublement.

— Rien de tout ce qui est ici n'est à nous, commenta Ellen. Nous ne sommes là que depuis deux mois.

Il approcha d'un tromblon, accroché en biais sur le mur.

— J'ai entendu parler de vous... On dit que deux des personnes qui vivent ici sont malades.

— Au départ, je ne devais venir qu'avec l'une d'entre elles, une amie, se dépêcha d'expliquer Ellen. Et puis une de ses amies a voulu se joindre à nous. Personnellement, je n'étais pas d'accord.

Elle s'arrêta par peur de trop parler. Elle voulait rester calme, distante, pour ne pas l'inciter à se mêler de leurs affaires. La seule chose qu'elle voulait obtenir de lui, c'étaient des tranquillisants.

Paul s'appuya au mur.

— Simplement pour faire le point... Vos deux amies sont anorexiques, c'est ça ? Depuis longtemps ? Anorexie chronique ?

— Ziggy a pratiquement passé les trois dernières années à l'hôpital. Elle a failli mourir deux fois. Skye est malade depuis encore plus longtemps.

— Donc, on a dû vous avertir que le pronostic n'était pas bon, dit-il brutalement. Les chances de guérison sont...

— Mais quand nous sommes arrivées, coupa Ellen, leur état s'est beaucoup amélioré. Elles reprenaient goût à la vie. Elles s'alimentaient, peu, mais elles allaient mieux. Et puis la mère de Ziggy est entrée en contact avec elle, et elles ont très mal réagi toutes les deux. J'essaie de leur parler, mais rien n'y fait. Depuis, elles… elles ne bougent plus de leur lit. Et tout ça à cause d'un bouquet envoyé par la famille.

— Je ne suis pas expert en la matière… D'ailleurs, quand je tombe sur un article qui traite du sujet dans les publications professionnelles, je me dis que s'il y a ici une maladie sur laquelle je peux faire l'impasse, c'est bien celle-ci. Seulement j'ai une mémoire d'éléphant, ce qui peut être utile, parfois. Ces fleurs envoyées par la famille, la mère de l'une d'entre elles, vous dites… Si je me souviens bien, l'anorexie est liée à des problèmes familiaux, souvent à la mère.

Paul Cunningham se détendit un peu tout en lui donnant son explication médicale.

— Les patientes ont souvent une ambivalence sexuelle. Elles s'affament pour perdre de leur substance, redevenir des enfants. La fatigue physiologique arrête en général les menstruations, ce qu'elles vivent comme une sorte de récompense.

— Mais ce n'est pas nécessairement lié à la mère, protesta Ellen.

— Certaines études disent que la peur de devenir une femme vient de la peur de devenir comme leur mère.

— Vous pensez, demanda Ellen avec effort, qu'elles ont peur de devenir mères ?

— Peut-être pas peur de devenir mères à proprement parler. Il s'agit plutôt d'une peur directement liée à leur propre mère. Elles ont peur, dans un certain sens, que leur mère ne prenne possession d'elles. Ce n'est qu'une théorie. Il n'y a aucune certitude dans cette maladie. Mais les forces en jeu sont d'une puissance extrême. Les malades préfèrent mourir plutôt que de céder. Au sens propre. Il arrive assez fréquemment que les malades succombent à leur anorexie, ajouta-t-il en regardant Ellen bien en face. Vous en êtes consciente ?

— Oui, bien sûr… On me l'a dit à la clinique.

Le calme détaché d'Ellen semblait le rendre perplexe.

— L'étonnant, reprit-il, c'est qu'elles sont d'une force insensée. Il faut beaucoup de volonté pour s'affamer volontairement. Mais elles ont aussi une énorme faille en elles. Elles sont ambivalentes, souvent ; elles ont envie de vivre, mais elles n'arrivent pas à sortir de la voie qu'elles se sont tracée. C'est pourquoi il est si difficile de les soigner.

Il était temps de monter, mais Ellen lui bloquait le chemin.

— Ce que vous avez dit tout à l'heure… Vous mentionniez que certaines femmes n'arrivaient pas à être mères… Elles le voudraient, mais elles n'y arrivent pas… pas du tout. Elles en ont vraiment envie, continua-t-elle d'une voix qu'elle savait trop ardente, elles donneraient n'importe quoi pour être une bonne mère, mais quelque chose ne va pas, et elles… elles n'y arrivent pas, acheva-t-elle dans un murmure.

Le médecin fronça les sourcils.

— Il y a tout un tas de facteurs qui entrent en jeu dans ce genre de problème. La psychologie, ce n'est pas mon domaine. Je suis généraliste. Bien sûr, ajouta-t-il en levant la tête vers l'escalier, je ferai tout mon possible pour les aider.

Ils se rendirent d'abord dans la chambre de Ziggy.

— Je n'ai pas demandé de médecin, bordel !

La voix furieuse émergea du lit en désordre dès qu'ils allumèrent la lumière.

— Il vient de l'hôpital de la mission, expliqua Ellen, espérant que cela la rendrait plus conciliante.

— Eh bien, qu'il aille se faire foutre !

Paul approcha du lit, sourd aux insultes, et posa sur elle un regard calme et direct. Les bras décharnés reposaient sur les couvertures, ses joues étaient creuses, ses yeux furieux bien trop brillants.

Il ressortit de la chambre sans rien dire.

À côté, Skye était accroupie sur son lit. Quand il pénétra dans la pièce, elle leva la tête, apeurée, mais aussi avec une évidente envie d'être secourue.

— Laissez-moi tranquille, dit-elle d'une voix de petite fille qui se défend dans la cour de récréation.

— C'est clair, elles ne peuvent pas rester ici, jugea Paul quand il fut redescendu avec Ellen.

Il parlait d'une voix dure que démentait la gentillesse de son regard.

— Nous manquons de lits à l'hôpital. Notre travail, c'est de nous occuper des pauvres qui n'ont nulle part où aller. Je vous conseille fortement de partir avant qu'elles ne soient trop malades pour voyager.

— Vous voulez que nous repartions ? demanda Ellen d'une voix blanche.

Repartir… Pour elle, cela n'avait aucun sens.

— Oui, il faut rentrer tout de suite en Amérique. Ou au moins à Delhi.

Sa voix s'adoucit, et il lui posa une main légère sur l'épaule.

— Écoutez, ça valait la peine d'essayer. Au moins, vous aurez tout tenté. En attendant, je vais leur prescrire des anxiolytiques qui les aideront peut-être. Vous pouvez en trouver en ville. Je vais vous écrire les noms de plusieurs molécules possibles.

Il prit un calepin dans sa poche et y griffonna quelques mots.

— Dieu seul sait ce qu'ils auront sous la main. Allez à la pharmacie à côté de la diseuse de bonne aventure, en face de la pâtisserie.

— Il y a une pâtisserie ?

— Oui, plus ou moins. Je crois qu'ils vendent de la pizza.

Ellen eut un rire.

— C'est tout à fait indien, ça.

Prianka entra dans la pièce avec du thé sur un plateau. Elle sourit au médecin et s'adressa à lui en hindi. Il lui répondit sans aucune difficulté. Elle sembla très fière. De toute évidence, elle le trouvait merveilleux. Elle déposa le plateau sur une table basse, puis salua Paul avec une inclinaison de tête et les laissa seuls.

— Quelle belle théière…

Il avait pris la lourde théière en porcelaine et la tournait dans ses mains pour l'admirer.

— Nous en avions une exactement pareille chez nous.

Il ne la reposait pas, comme si cela lui coûtait de s'en séparer.

— Vous ne voulez pas nous servir ? suggéra Ellen en approchant les tasses.

Paul acquiesça en étouffant un bâillement.

Ils burent le thé noir épicé en silence, assis côte à côte sur le vieux canapé de cuir, prenant de petites gorgées dans leurs tasses à rebord doré. Au-dessus de leurs têtes pendait un portrait de la reine Elizabeth. Digne, avec son col d'hermine et son ruban bleu, elle posait sur la pièce un regard serein.

Sous les vapeurs parfumées par la cardamome et le clou de girofle, Ellen percevait une odeur de savon noir qui cachait celle, plus discrète, de transpiration. Elle jeta un coup d'œil en coulisse à Paul. Son col froissé ouvert, son menton mal rasé lui donnaient un air négligé qui s'accordait peu avec son visage mince et raffiné. Elle ne put s'empêcher de se demander si elle était jolie. Ni coiffée, ni épilée, ni maquillée, sans doute avait-elle la tête de l'emploi : la dame excentrique qui s'enferme avec des amies riches et perturbées.

— Vous êtes ici depuis longtemps ? demanda-t-elle.

Elle s'interrogeait. Avait-il pu entendre parler d'elle, la voir danser, remarquer sa photo quelque part ? Les chances étaient faibles, puisqu'il était missionnaire. Le mot évoquait des livres à reliure noire, des personnages agenouillés, des repas insipides et des cannibales souriants avec un os planté dans les cheveux.

— Longtemps que je suis où ? En Inde, ou à Mussoorie ?

— Les deux.

— Je suis né à Calcutta. Je suis arrivé ici il y a environ dix ans.

— Vous voulez dire que vous avez vécu en Inde toute votre vie ?

Son étonnement le fit sourire.

— Presque. Mes parents étaient missionnaires à Calcutta. Ils ne voulaient pas m'envoyer en pension, donc je suis resté avec eux toute ma scolarité, jusqu'à ce que je parte faire mes études de médecine à Londres. L'Angleterre ne m'a pas du tout plu. Il y fait froid, et les horaires sont trop stricts. « C'est la vie, chère amie ! » conclut-il en imitant l'accent d'Oxford.

Cela fit du bien à Ellen de rire. Elle se sentit plus légère, plus insouciante. La vie se réveillait en elle comme un picotement dans des mains gelées que réchauffe le feu. L'atmosphère de maladie dans laquelle elle vivait devait sûrement la déprimer. La maison était triste, et elle mettait tant d'énergie à oublier le reste que ses forces s'épuisaient. Sa liberté lui manquait. Paul semblait avoir mis sa fatigue de côté et apprécier ce moment passé en sa compagnie. Elle avait envie qu'il reste. Envie qu'il l'emmène au loin. Envie… de lui.

— Et vos parents, ils sont toujours à Calcutta ? demanda-t-elle en remplissant leurs tasses.

Paul hésita avant de répondre.

— Non, ils étaient partis pour le Bangladesh, mais ils se sont noyés dans des inondations il y a plusieurs années.

Sa voix était toujours calme, mais une douleur intense était perceptible sous cette apparente tranquillité.

Ellen ferma les yeux et vit deux petits corps emportés comme des poupées par les eaux furieuses, un raz de marée noir.

— Pardon. Je regrette d'en avoir parlé.

— Ils me manquent, répondit-il simplement.

Le coucou suisse rythmait le temps de son tic-tac sonore.

— Vous êtes marié ? demanda Ellen pour rompre le silence.

Bien sûr qu'il était marié ! Marié à une femme charmante et sérieuse, solide, réconfortante.

Paul releva la tête, et elle fut gênée parce qu'il devait imaginer un sous-entendu…

— Non, répondit-il avec un haussement de sourcils ironique. Qui voudrait partager mes conditions de vie ?

Il baissa les yeux sur ses mains, serrées autour de sa tasse à moitié vide. De belles mains fines, nettes, qui paraissaient fortes et capables. Ellen les imagina dans des gants chirurgicaux. Il avait les yeux brun clair, éponges de mer imbibées du spectacle de la douleur, de l'horreur. Elle pensa au bébé qui pourrissait dans le ventre de la mère.

Margaret aussi avait eu cet air lointain, préoccupé par les malheureux enfants qu'elle soignait. Mais elle avait semblé beaucoup plus forte que lui, comme si les souffrances qu'elle côtoyait la régénéraient. Les appels d'urgence lui insufflaient de l'énergie, ses talons claquaient sur le parquet tandis qu'elle prenait sa blouse blanche et sa sacoche, et qu'Ellen, assise seule sur sa dure banquette, la regardait partir à la guerre.

Paul, lui, avait juste l'air triste et fatigué, pris malgré lui dans un jeu qu'il n'aimait pas. Il ne pouvait pas déserter, mais attendait la paix avec impatience.

— Et vous ? demanda-t-il.

— Pardon ?

— Vous êtes mariée ?

Ellen le regarda fixement.

— Oui. Enfin non, pas vraiment. Je suis... séparée. Définitivement.

Soudain, elle eut envie qu'il sache.

— J'ai une fille, Zelda. Elle est... avec lui.

Paul la considéra un moment, sans grande sympathie.

— Elle doit vous manquer, commenta-t-il avec un soupçon d'ironie.

Ellen regarda ses mains qui n'avaient pas commis l'irréparable, mais coupables malgré tout. Elle devina qu'il imaginait un amant, des rêves, des projets échafaudés pour combler une insatisfaction. Non, rien de tout cela, eut-elle envie de lui dire. Vous ne comprenez pas. Personne ne comprend. James ne comprend pas, Ziggy non plus. Et Zelda ne comprendra pas non plus. Quelle que soit l'explication que James décidera de lui fournir, elle me fera porter la faute, me méprisera, me détestera...

Après avoir vidé sa tasse, Paul se leva.

— Je vous demande pardon, je vous retiens.

Il reprenait son personnage distant de médecin.

— J'insiste encore sur l'importance de partir le plus tôt possible.

— Oui, merci, dit Ellen d'un ton mécanique.

Elle le suivit jusqu'à la porte.

— Je vous remercie de vous être déplacé jusqu'ici.

— Je vous en prie. Djoti n'aura qu'à m'apporter le règlement.

Ellen lécha le sel dans sa paume, pencha la tête en arrière pour prendre une gorgée de tequila à la bouteille, puis mordit dans un quartier de citron vert. Elle fit une grimace tandis que les trois goûts se mélangeaient, explosifs, et que l'alcool lui brûlait le ventre. Quand les premiers effets se furent dissipés, elle laissa retomber la tête contre le mur extérieur. Non loin, d'énormes papillons de nuit s'agglutinaient autour d'une fenêtre allumée et cognaient leurs ailes poudreuses contre la vitre. La véranda n'était éclairée que par une seule lampe, qui baignait le haut de sa tête d'une douce lueur argentée et qui se reflétait sur la bouteille à moitié pleine qu'elle tenait à la main.

Elle soupira, se sentant vidée, impuissante face au mur nu de l'échec. Il allait falloir renoncer, rentrer. Mais aussi, pourquoi avait-elle cru réussir ?

Un souvenir lui revint, qui remontait à des années. Margaret et son sourire plein de pitié.

Tu t'attendais vraiment à réussir ?

Le pilier de la véranda donnait l'impression de se balancer, entraînant le jardin dans sa danse. Margaret flottait près d'elle, fantôme réveillé par le feu de l'alcool.

Maladroite, tu gâches toujours tout, tu ne fais attention à rien, tu es désespérante. Pauvre fille.

La voix résonnait dans sa tête.

Pas étonnant que ton père soit parti.

— Non ! s'écria Ellen pour chasser le spectre moqueur qui la narguait dans le jardin silencieux.

Pauvre fille. Il ne supportait pas ta présence. Ta seule vue lui donnait envie de vomir. C'est pour ça qu'il est parti.

Le vent soupirait dans les branchages. Pauvre Margaret. Sa vie avait été sabotée par sa faute, son bonheur brisé.

Non ! Ellen crispa les doigts sur ses genoux. Un brasier brûlait, haut et clair dans sa tête, qui consumait les fausses vérités, les phrases toutes faites. Ce n'était pas vrai. Cela ne pouvait pas l'être. Il devait y avoir d'autres raisons. Des raisons liées à Margaret, ou à lui-même, ou à quelqu'un d'autre. Un homme ne quittait pas son foyer, la femme qu'il aimait, à cause d'un bébé, d'un petit enfant de deux mois.

À moins, pensa soudain Ellen, à moins qu'il n'ait été, comme elle-même, pétrifié par la terreur, malgré son amour. Victimes tous deux d'une maladie héréditaire qui empoisonnait la famille de génération en génération. Peut-être avait-il été obligé de fuir, contre sa propre volonté, désespéré, incapable de faire comprendre à Margaret la raison de son départ.

Ellen revit l'homme pâle et blond de la photo de mariage, qui posait sagement près de sa jeune épouse. On avait du mal à l'imaginer torturé comme elle, forcé de partir pour le bien de l'enfant qu'il aimait.

Elle leva les yeux vers la lune, lointaine et silencieuse, bijou pendu contre le velours du ciel. Elle ne saurait jamais la vérité sur son père. À qui aurait-elle pu poser des questions ? Peu de temps après sa sortie de l'École de danse, Margaret avait disparu de sa vie. Elle avait vendu la maison et était allée s'installer en Angleterre sans lui laisser son adresse et sans jamais lui donner de ses nouvelles. Ellen se souvenait d'avoir été triste, d'avoir eu peur, mais aussi d'avoir ressenti un intense soulagement en prenant conscience que, enfin, c'était terminé. Margaret était partie pour de bon.

Mais elle avait emporté ses secrets avec elle. À présent, les questions d'Ellen resteraient pour toujours sans réponse : une zone d'ombre dans son existence dont elle ne pourrait jamais se débarrasser. C'était impossible, insupportable. La blessure la plus cruelle, la plus terrible.

Elle se redressa et regarda le jardin sans le voir. Elle sut alors qu'elle ne devait pas faire la même chose avec sa propre fille. Zelda saurait qui était sa mère et, un jour, pourquoi elle avait dû la quitter. Peut-être était-ce dérisoire, mais c'était mieux que rien, mieux que le silence. Les parents ne devaient pas disparaître sans fournir d'explication. Car le trou qu'ils laissaient béant ne se refermait jamais.

Elle demeura dans la véranda, somnolente. Quand les premières lueurs de l'aube apparurent, elle alla dans sa chambre et s'assit à son secrétaire.

« Cher James, écrivit-elle d'une main décidée, mais tremblante.

« Tu dois me laisser écrire à Zelda. Tu ne peux pas me l'interdire. C'est ma fille. Je l'aime. »

Elle contempla la lumière dorée. La feuille, sous sa main, était fraîche comme un baume. Déjà, elle se sentait plus forte.

Elle imaginait les lettres qu'elle écrirait à Zelda, de longues lettres où elle donnerait de ses nouvelles, raconterait sa vie, parlerait d'elle en choisissant ses mots pour surtout ne pas la choquer. Même, elle osait l'espérer, un jour Zelda lui répondrait. Un jour, elles se retrouveraient.

Les bruits du matin commençaient à monter autour d'elle. De la cuisine lui parvenaient les chocs des casseroles de Prianka ; dehors, quelqu'un fendait du bois. À l'étage, en revanche, pas un son. Ziggy et Skye devaient encore dormir d'un sommeil agité dans leur lit défait. Le médecin lui conseillait de retourner en Amérique… Elle regarda autour d'elle. Elle redoutait le moment où il lui faudrait faire ses valises, partir. Et puis un espoir la retenait. Si elle trouvait le moyen d'aider Ziggy et Skye, si, au lieu de baisser les bras, elle arrivait à les secourir, cela signifierait qu'elle était en train de changer, qu'elle devenait une personne responsable. Forte comme Lizzie. Une vraie mère.

Ce germe prit racine et grandit vite, nourri par la force de son désir. Cela semblait juste et simple ; une sorte de marché passé avec le destin. Si elle parvenait à sauver ses amies, alors peut-être ne perdrait-elle pas Zelda.

Plus tard dans la matinée, Ellen entra dans la chambre de Ziggy et ouvrit les rideaux en grand.

— Debout ! Nous descendons faire des courses au marché. Un coolie nous attend dehors. À moins que tu ne préfères qu'il monte te chercher dans ta chambre.

Ziggy, interdite, se demandait ce qui se passait. Immobile, elle observa Ellen et ne répondit pas.

— Comme tu voudras, dit celle-ci.

Elle ouvrit la fenêtre et fit signe à quelqu'un en bas.

— Il arrive, annonça-t-elle.

Ziggy se redressa lentement dans le lit en frottant ses cheveux emmêlés. Elle ne portait qu'un caraco de soie beaucoup trop large pour son corps squelettique.

Ellen tira des vêtements de la penderie et les lui jeta.

— Enfile ça !

Le mouvement brusque lui fit mal à la tête et lui donna la nausée. Elle posa la main sur le mur pour retrouver l'équilibre.

— Ça ne va pas ? demanda Ziggy.

— Si, très bien.

— Ah oui ? Pourtant, j'ai vu une bouteille dehors, lança Ziggy d'un air moqueur. La cocaïne du pauvre.

— Quoi ?

— La tequila. Où diable as-tu déniché de la tequila ?

— Djoti m'en a ramené une bouteille du Savoy.

On frappa discrètement à la porte. Ziggy cria pour empêcher Ellen d'ouvrir.

— Ne le laisse pas entrer ! Je ne suis pas prête !

— Bon, alors dépêche-toi.

Ziggy s'habilla lentement avec des gestes maladroits d'oiseau blessé, tout en l'examinant à la dérobée.

— Tu devrais plutôt envoyer Djoti ou Prianka au marché

à notre place. J'ai horreur de cet endroit. C'est sale, et c'est plein de mendiants. Je déteste m'approcher de ces vieux bonshommes qui vous fourrent leurs boîtes de conserve sous le nez.

Ellen ouvrit la porte et fit signe au coolie. Il approcha de Ziggy, yeux baissés, bras le long du corps.

— Mem-sahib ?

— Dehors ! Sortez de ma chambre, toi et lui ! cria Ziggy, blanche de rage.

— Non ! Tu vas y aller, même s'il faut que je fasse venir six coolies de plus et que je t'attache les mains et les pieds. Il n'est pas question que tu passes un jour de plus couchée ici. Tu viens, un point c'est tout.

Ziggy fut stupéfaite par sa fermeté.

— Mais on va faire quoi ?

— Acheter des choses. Visiter le temple. Se promener dans le marché. Monter dans le funiculaire. Faire ce que font tous les touristes à Mussoorie et en Inde. Depuis notre arrivée, tu es à peine sortie, à part nos premières nuits à l'hôtel. Tu pourrais aussi bien être en Amérique. Je pense donc qu'il est temps qu'on sorte un peu toutes les deux et que...

— Une minute ! Je sais très bien ce que tu manigances. Tu crois que j'ai fait une rechute à cause de Lucy, et tu t'imagines que tu vas me remettre d'aplomb en me traînant dans ton bazar indien ! Tu n'y comprends rien. Ça ne marchera pas, ajouta-t-elle avec un tremblement dans la voix qui lui donnait un air de gamine perdue. J'ai tout essayé. Rien ne marche.

Les larmes rendaient ses yeux plus grands et plus verts. Le coolie regardait par terre, très gêné.

— Bon, alors je ne vois pas pourquoi tu résistes, déclara Ellen d'une voix tranquille. Tu peux bien venir, puisque ça ne changera rien.

— Merde ! Quelle tête de mule !

Il y eut un court silence. Ziggy la scrutait, sidérée, comme si elle ne reconnaissait pas la personne qui s'adressait à elle. Elle pointa le doigt en direction du coolie.

— Vous ! hurla-t-elle. Vous, sortez !

Il ne bougea pas.

— Je l'ai averti que tu ferais des difficultés, expliqua Ellen. Je lui ai dit que tu étais à moitié folle, et qu'il ne fallait pas qu'il t'écoute. Je lui ai donné pas mal d'argent.

— Ah, une prime de risque ! lâcha Ziggy avec un rire fiévreux. Très drôle, Ellen, vraiment très comique, surtout venant de toi...

Ellen tourna les talons et sortit de la chambre. Ziggy la suivit des yeux, de plus en plus surprise, et leva la main pour s'enfoncer les ongles dans la joue. Un moment s'écoula, puis elle fit signe au coolie d'approcher. Elle se mit debout et prit la position, pieds écartés, pour qu'il puisse la hisser sur son dos.

Ils descendirent la forêt en silence, jusqu'à l'embranchement de la route de l'hôpital. Ellen paya le coolie et envoya un gamin réveiller le chauffeur de taxi qui s'était endormi sur son volant en les attendant.

— Oui, mem-sahib, dit ce dernier en leur ouvrant la porte. Quel est votre programme, s'il vous plaît ?

— Nous voulons aller au marché.

— Facile, pas de problème.

Ziggy grimpa dans le taxi et s'effondra sur la banquette. Ellen monta aussi à l'arrière, mais pas trop près d'elle.

Étonné par le silence tendu qui régnait dans la voiture, le chauffeur leur jeta un coup d'œil dans le rétroviseur tout en conduisant sur la route en lacet.

Laquelle allait céder la première ? Autrefois, c'était toujours Ellen qui faisait les premiers pas en cas de brouille. Elle laissait de côté les devoirs qu'elle n'arrivait pas à faire et se tournait vers Ziggy qui plantait son aiguille dans un ruban de satin rose.

Zig ? Excuse-moi.

Pas de réponse.

Je t'en prie, Ziggy. Je regrette.

Les yeux se relevaient lentement.

Tu es sincère ?

Oui, complètement, je te demande pardon.

Un petit hochement de tête et l'amorce d'un sourire.

Bon d'accord.

On est encore amies ?

Bien sûr.

La voiture avançait au pas, fendant la foule. Entre les passants, Ellen apercevait les minuscules échoppes du marché, alignées tout le long de la rue étroite, bourrées de marchandises : saris aux couleurs vives, couvertures, sacs d'épices, bocaux de confiseries, bouquets de bracelets enfilés sur des ficelles, bijoux en argent sur des présentoirs. À certains endroits, il y avait des pyramides de bouteilles poussiéreuses qui contenaient des boissons tièdes. Limca. Thums Up. Et un succédané de Coca. Un signe Kodak dépassait de derrière un tas de sandales en cuir. Une affiche délavée par le soleil montrait des jeans portés par des jeunes filles indiennes vêtues à l'occidentale, le ventre plat et nu. Ensuite ils passèrent la boutique d'un ferronnier, caverne noire, enfumée, dans laquelle on distinguait vaguement des formes éclairées par les rougeoiements du fer forgé.

Une vache s'arrêta au milieu de la rue devant eux et refusa de bouger. Comme il n'y avait pas le moindre souffle de vent, la température, dans la voiture, était particulièrement étouffante. Ellen descendit sa vitre ; les sons et les odeurs les assaillirent. Ziggy se couvrit la bouche et le nez avec sa manche et ferma les yeux. Ils étaient arrêtés à côté d'une boutique de bâtons d'alpiniste, qui tapissaient les parois de haut en bas, accrochés à des rails. Certains étaient en bois clair et semblaient neufs ; d'autres, anciens, étaient ornés de médaillons métalliques et de pommeaux sculptés. Une longue photo, bien en évidence, présentait un immense panorama de pics neigeux.

— Himalaya, commenta le chauffeur en suivant le regard

d'Ellen. Là... ce sommet... c'est Mussoorie. Mais pas comme aujourd'hui. Il est... avec poussière.

— Il est brumeux, suggéra Ellen.

— Oui ! Brume.

— Sale, lâcha Ziggy.

La vache fit quelques pas de côté, et la voiture reprit lentement sa route.

— Conduisez-nous au vieux temple.

— Oui, mem-sahib. C'est très près. C'est là.

Il désignait une grille simple et étroite.

Perplexe, Ellen considéra cette entrée modeste.

— C'est bien le temple qui est dans les guides ?

— Oui, très célèbre, mem-sahib. Temple de Nanda Devi.

— Je vais le visiter, dit Ellen à Ziggy. Attendez-moi ici, ajouta-t-elle à l'intention du chauffeur. Je reviens.

Elle passa le portail et emprunta un chemin désert jusqu'à une porte à barreaux d'acier entrouverte. Elle s'arrêta sur le seuil pour scruter la salle obscure, au parfum d'encens refroidi. Une silhouette vêtue d'une robe orange fit un geste dans la pénombre, qui alluma une rangée d'ampoules électriques nues, éclairant ainsi le temple. Un vieux prêtre, assis dans une alcôve à côté d'un tableau d'interrupteurs, se leva. Il inclina la tête et fit signe à Ellen d'entrer.

— S'il vous plaît, enlevez les chaussures, débita-t-il en approchant d'elle.

Tout en délaçant ses bottines, Ellen l'examina. Il était couvert de vêtements divers : jupes, tunique, foulard, châle, turban, sac en bandoulière. Le tout, teint de différentes nuances d'orange, composait un ensemble disparate mais d'une élégance qui aurait fait blêmir d'envie un grand couturier.

Il la guida à travers le sanctuaire dallé de marbre, frais sous les pieds nus. Il appuya sur un autre interrupteur qui illumina l'autel.

Face à Ellen apparut le visage d'une déesse à la peau cireuse, drapée dans des tissus d'or. Ses yeux en amande étaient sombres et brillants, ses lèvres esquissaient l'ombre d'un sourire.

Une épaisse guirlande d'œillets d'Inde d'un jaune intense pendait à son cou fragile. La noble tête s'inclinait légèrement vers l'avant, dans un geste de bienveillance que démentait étrangement le long couteau qu'elle serrait contre elle. Du ghee rouge fondu coulait comme du sang sur ses pieds argentés et éclaboussait le mur blanc derrière elle. Des pétales aux couleurs vives, rose, rouge et jaune, jonchaient le sol tout autour d'elle.

— Nanda Devi est la déesse de la Joie, entonna le prêtre comme une litanie. La mère protectrice qui enlève les souffrances et dispense ses bienfaits. Elle aime toutes les créatures terrestres, mais… (Il lança un regard plus appuyé à Ellen)… elle est plus clémente pour les belles dames.

— Pourquoi tient-elle un couteau ?

En posant la question, Ellen trouva le son de sa voix presque irrespectueux dans la pénombre silencieuse.

Le prêtre fit un mouvement de tête assez vague et eut un haussement d'épaules.

— Bien sûr, elle a du pouvoir. Il faut qu'elle soit forte.

Ellen leva de nouveau les yeux vers la déesse, la dévisagea pour comprendre ce qui se cachait sous sa beauté sereine. Une férocité, une force impétueuse, une violence à peine contenue. Le style n'était pas réaliste, mais c'était une représentation frappante de la vie : le feu de l'espoir, mêlé à la douleur de l'échec. La douceur et la puissance, la joie et la peur. Le bien et le mal, tout à la fois.

La mère protectrice… songea Ellen en scrutant le visage figé. L'appellation évoquait des souvenirs presque photographiques. Elle se vit mère, déchirée par son amour et ses peurs ; elle vit Zelda heureuse en train de rire ; elle vit la peur troubler son regard et sa voix ; Zelda pleurait ; Zelda coulait, se débattait dans l'eau. Alors la mère bienveillante, la mère forte, reprenait le dessus. Elle rattrapait l'enfant et la serrait dans ses bras.

— La mère protectrice, murmura Ellen. Créatrice, destructrice. Celle qui donne et ôte la vie…

— Prasad, prasad, lança le prêtre.

Ellen le regarda sans comprendre. Il tendit la main.

— Oh, pardon.

Elle sortit des pièces de sa ceinture porte-monnaie. Le vieil homme sourit et s'inclina, puis il appuya sur l'interrupteur et replongea la déesse dans le noir.

Ellen remit ses chaussures et sortit, retrouvant la lumière, la chaleur du soleil et la rue bruyante.

Elle se faufila à travers la foule pour rejoindre le taxi, mais il était vide. De l'autre côté de la rue, elle avisa la tête blonde de Ziggy qui dépassait de la foule. Elle traversa et entendit sa voix percer les conversations et les rires.

— Je n'ai pas d'argent. Mon amie va revenir… Elle vous paiera.

Ellen s'arrêta et se dissimula pour mieux l'observer. Ziggy était devant le stand d'un vendeur de gâteaux. Des piles de pâtisseries jaunes et poisseuses s'entassaient dans des assiettes posées sur le comptoir, tandis que d'autres cuisaient sur un réchaud derrière le marchand. À côté d'elle se tenait un enfant très petit, qui ne portait qu'un short bleu en loques. Ellen se déplaça pour mieux le voir. Il avait le ventre enflé et des jambes maigres comme des baguettes. Il levait vers Ziggy un visage barbouillé de larmes et de grands yeux noirs.

— Mais il a faim, bon Dieu, vous ne voyez pas ?

Ziggy agitait les mains en criant parce que le marchand, au lieu de la servir, arborait un sourire gêné.

— Une roupie, dit-il, un doigt en l'air.

Le chauffeur de taxi vint à la rescousse.

— Tout va bien, mem-sahib ?

— Donnez-lui de l'argent ! ordonna Ziggy. L'autre mem-sahib vous le rendra.

Le chauffeur prit une pièce dans sa poche et la posa sur le comptoir. Avec un sourire sincère, cette fois, le marchand lui tendit deux gâteaux. Le petit garçon ne les quittait pas des yeux. Ziggy les prit dans ses mains hésitantes et les contempla. Quelques secondes s'écoulèrent, si longues que l'enfant se mit à pousser des gémissements désespérés.

— Ne pleure pas, dit Ziggy.

Elle se pencha et plaça un gâteau dans chacune de ses petites pattes griffues.

— Tiens, c'est pour toi. Ça ne te fera pas de mal, à toi.

Le petit se jeta sur la nourriture, mastiqua, avala, les sourcils froncés par l'effort. Il s'agrippait à ses gâteaux tout en lançant des regards craintifs autour de lui comme s'il avait peur qu'on ne les lui vole. Ellen se rendit compte qu'il devait être plus âgé qu'il ne le paraissait. La malnutrition avait déformé son corps. Mais c'était surtout Ziggy qui éveillait son intérêt. Elle se penchait sur l'enfant, lèvres entrouvertes, semblait émerveillée par l'appétit avec lequel il engloutissait la nourriture qu'elle lui avait offerte.

Des rires éclatèrent autour d'eux quand l'enfant tendit la main pour en redemander. Un garçon plus âgé surgit près de Ziggy.

— Pour lui un dollar, conseilla-t-il avec un grand sourire. Amérique. Richard Nixon. Très bon.

Sans lui prêter attention, Ziggy indiqua au marchand de lui donner, cette fois, un gros gâteau. Le chauffeur regarda autour de lui tout en fouillant dans sa poche pour trouver de l'argent. Il aperçut Ellen et lui fit signe de les rejoindre.

Ziggy tendit le gâteau à l'enfant. Il hésita une brève seconde, comme s'il se demandait si on ne lui jouait pas un mauvais tour, puis il s'en saisit à deux mains, le serra contre lui et partit en courant dans la foule.

Un témoin de la scène cria au marchand un commentaire qui fut salué par un éclat de rire général. Le chauffeur de taxi jeta un coup d'œil gêné sur Ziggy.

— Qu'est-ce qu'il a dit ? s'enquit-elle.

— C'est, heu… Il dit que si vous donnez votre gâteau au petit mendiant, maintenant, qui va vous donner à manger à vous ? Ce sont des gens de la montagne, expliqua-t-il avec un sourire. Ils ne comprennent pas les Américains.

20

Par la fenêtre de la cuisine, Ellen voyait Skye dans la véranda en train de contempler une file de coolies qui traversaient la pelouse, ployant sous de gros sacs de riz. Quand les hommes la dépassèrent, elle serra son châle autour d'elle et détourna la tête. Depuis quelque temps, elle se plaignait des odeurs : friture, fruits mûrs, fumée de feuilles omniprésente. Même les parfums sucrés et puissants du jardin la dérangeaient.

Ellen, préoccupée, se tourna vers Prianka et s'adressa à elle en prenant soin de parler clairement.

— Combien faut-il de riz pour nourrir cinquante personnes ?

— Cinq ? demanda la vieille femme en levant cinq doigts.

— Non, dit Ellen en montrant cinq fois ses deux mains.

Prianka eut l'air impressionnée.

— Très grand dîner !

Son visage animé débordait de questions muettes. Elle se contenta de désigner de la tête la salle à manger.

— Trop, pas assez grand.

— Combien de riz ? répéta Ellen.

Prianka plissa les yeux en se livrant à un calcul. Ensuite, elle alla dans l'arrière-cuisine et descendit de la plus haute étagère cinq gros faitouts. Ils étaient couverts de poussière, n'ayant pas servi depuis le temps de la colonisation anglaise, lors des grandes réceptions. Elle désigna les sacs de pommes de terre qu'on leur avait apportés dans la matinée.

— Aloo masala... cinquante ?

Ellen sourit avec un signe d'approbation. Prianka fronça les sourcils, expression peu familière sur son visage marqué par le rire.

— Djoti ! Demander Djoti. Je... comprendre pas.

Toujours aussi déroutée, elle jeta encore un regard sur Ellen et sortit dans le jardin.

Les premiers invités arrivèrent vers dix-sept heures trente. Ils restèrent d'abord en bordure du jardin, n'osant pas avancer, jusqu'à ce que Djoti leur fasse signe d'approcher. À dix-huit heures, la pelouse à l'arrière de la maison était noire de monde. En groupes, deux par deux, ou seuls, ils attendaient. Une file se forma près de la véranda.

D'une fenêtre de l'étage, Ellen observait le rassemblement, essayant d'estimer le nombre de personnes présentes. Les sarongs orange et les turbans des moines semblaient opulents à côté des tristes hardes des pauvres et des vagabonds qui constituaient le plus gros de la troupe. Quelques religieuses d'ordres mendiants étaient également présentes, discrètes dans leur saris écrus de grosse toile. Les gens passaient d'un groupe à l'autre, discutaient comme les invités d'un cocktail. Les rayons du soleil couchant caressaient cette foule mouvante d'une lueur dorée presque surnaturelle. Un bourdonnement monocorde de prière était perceptible sous le murmure continu des conversations. De vieilles gens, les hommes ne se distinguant guère des femmes dans leurs vêtements larges, s'appuyaient à des bâtons, ou s'asseyaient dans l'herbe pour reposer leur dos voûté et leurs pieds emmaillotés dans des bandages souillés. Les plus jeunes, muscles atrophiés, joues creuses, tournaient des regards épuisés vers la cuisine. Les mères tenaient leurs bébés contre des seins plats, tandis que les enfants plus âgés s'accrochaient aux jambes des adultes et regardaient eux aussi la maison avec de grands yeux affamés.

Ellen se tenait loin du carreau pour voir sans être vue. Elle remarqua un homme à l'air égaré, aux cheveux longs et torsadés, enduits de boue rouge. Une ligne de peinture jaune séparait son front en deux et descendait jusque sur l'arête du nez. Il était torse nu, les côtes saillantes sous une peau recouverte de cendre grise. En équilibre sur une jambe, il avait le regard perdu dans le lointain. Ellen reconnut en lui un sadhu d'un ordre mendiant, de ceux qui prononcent leurs vœux sans être attachés à un ashram. Djoti lui avait expliqué que ces moines pèlerins se rendaient dans tous les lieux saints de l'Inde.

Ellen le contemplait, fascinée. Autrefois, peut-être avait-il été un riche homme d'affaires ; il avait passé de gros marchés, pris l'avion et fréquenté les grands hôtels. Quelque part, sans doute avait-il une famille, une maison, des petits-enfants, des chiens, des chats, une télévision et un bon lit. Et pourtant, il était là à attendre sa pitance, avec pour seul bien son petit baluchon au bout d'un bâton. Libéré des contraintes familiales, de ses amis, de ses richesses, il se consacrait à sa quête spirituelle. Il allait où bon lui semblait, voyageait d'un ashram à l'autre, d'un temple à l'autre, vivant d'aumônes ; il dormirait au bord des fleuves sacrés et méditerait dans les grottes saintes jusqu'à la fin de ses jours. À sa mort, il abandonnerait son corps, enveloppe sèche et vide, dans sa dernière retraite solitaire.

Ellen trouvait ces destins à la fois terribles et magnifiques, marqués de violence et de pureté. Le désir de s'enfuir, de s'annihiler, qui tourmentait Ziggy et les autres avec une telle force, avait été officiellement reconnu pour ces moines errants, et en lui conférant une légitimité, avait trouvé un sens.

Ellen s'approcha de la vitre pour chercher le jeune prêtre qui l'avait reçue sur les marches du temple avec Djoti la veille. Djoti lui avait raconté à voix basse ce qu'ils voulaient, devant les mendiants rassemblés autour de l'entrée, leurs assiettes et leurs bols vides à la main.

Ellen avait constaté avec inquiétude que Djoti élevait la voix pour se faire plus convainquant, plus insistant, alors que le moine secouait la tête.

— Qu'est-ce qui ne va pas ? Il pense que c'est un projet impossible ?

— Non. C'est normal que les croyants offrent de la nourriture aux pauvres. Mais on nourrit les gens ici, à l'ashram.

Il désignait le bâtiment de trois étages en mauvais état qui se dressait derrière le temple. Des coursives longeaient chaque étage, avec des cordes à linge sur lesquelles séchaient au soleil des centaines de pagnes orange tout délavés.

— Il y a une grande cour par-derrière. Il dit que les moines écriront votre nom sur un tableau noir pour que tous ceux qui mangent puissent vous bénir. Si vous voulez, vous pouvez même nommer le repas en l'honneur de quelqu'un. Les invités béniront ceux que vous voudrez. Il dit que c'est la coutume.

À la fin de l'explication, le moine marqua son approbation par un hochement de tête.

— Non, protesta Ellen, c'est important qu'ils montent prendre le repas chez nous.

Djoti traduisit cette objection, mais le moine demeura impassible.

— Ils viendront ? demanda Ellen.

— Ils seront prévenus, répondit Djoti avec un haussement d'épaules.

Elle aurait voulu une assurance plus ferme, mais le moine avait tourné les talons et s'éloignait déjà.

Un gros oiseau descendit dans le jardin et se posa en haut de la fontaine vide. Le moine de la veille n'était pas loin, près d'un petit groupe, la main posée sur l'épaule d'un enfant. Comme s'il avait senti les pensées d'Ellen aller vers lui, il leva la tête et croisa son regard. Elle lui sourit et lui fit signe.

Ce mouvement discret attira tous les regards. Un murmure

se propagea dans la foule comme des rides sur l'eau, tandis que les têtes s'inclinaient vers elle. Près de la véranda, une vieille femme tomba à genoux en l'apercevant et tendit les bras vers elle. D'autres l'imitèrent, s'agenouillèrent et inclinèrent le front jusqu'à terre. Bientôt, tous, sauf le jeune moine, furent courbés ou à genoux.

Ellen était restée figée à la fenêtre, la main encore dressée. Reprenant ses esprits, elle fit un bond de côté et s'aplatit contre le mur.

Flûte, voilà qu'elle jouait à la reine d'Angleterre, au président des États-Unis, au pape. Même pour Liberty, c'était aller un peu loin ! Elle attendit plusieurs secondes avant de se rapprocher à nouveau de la fenêtre. Elle constata avec soulagement que la foule était passée à autre chose. Les bavardages avaient repris, et les gens avançaient vers la véranda leur bol à la main.

Elle s'éloigna de la fenêtre tout en pensant à l'incident. Cette adoration collective ressuscitait des souvenirs de spectacle. Elle se rappelait le plaisir grisant que lui avaient procuré les applaudissements, les bras qui se tendaient vers elle, l'amour qu'on lui témoignait. Mais ce n'était pas une joie sans partage. Le doute gâchait toujours son bonheur. Elle trouvait cette adulation usurpée. Ce n'était pas pour eux qu'elle dansait. Les spectateurs n'étaient que le décor, un accessoire de sa célébrité. Elle ne méritait ni leurs acclamations ni leur argent. Cette fois pourtant, c'était différent. Les gens l'avaient remerciée pour le repas qu'elle offrait, puis, discrets, avaient repris leurs occupations. C'était un acte simple, naturel, comme un enfant qui fait sa prière avant de manger.

Elle allait descendre quand elle rencontra Skye sur le palier. La jeune femme semblait sortir du lit. Elle portait un pyjama froissé, et ses cheveux ternes pendaient sur son visage livide et ses épaules osseuses. Bien que fille de milliardaire, elle ressemblait aux mendiantes rassemblées sur la pelouse.

— Que se passe-t-il ? Il y a des gens dehors…

— C'est l'heure du dîner, répondit Ellen simplement. En bas. À propos, tu as vu Ziggy ?

Skye fit non de la tête et regarda par-dessus la rampe.

Ellen jeta un coup d'œil dans les deux chambres, mais abandonna vite ses recherches et descendit. Ziggy finirait bien par refaire surface. Elle ne les aiderait pas, mais au moins elle verrait ce qui se passait.

Prianka accueillit Ellen dans la cuisine avec plaisir. Djoti lui avait expliqué qu'il s'agissait d'un repas pour l'ashram. Elle et ses filles travaillaient depuis le matin, avec l'aide d'Ellen qui avait mis la main à la pâte. Dans l'après-midi, un assistant du swami était arrivé sans être annoncé. Il avait allumé des bâtons d'encens et béni la nourriture, puis la cuisinière, et enfin toute la maisonnée. Prianka avait essuyé des larmes de fierté pendant qu'Ellen se tenait dans un coin, aussi discrète que possible.

Prianka montra les marmites de riz et de pommes de terre au curry fumantes. Elle appela les aides de Djoti qui attendaient dans la véranda et confia à chacun un seau en fer-blanc qu'elle remplit à la louche. Ellen la regarda faire, ne sachant si elle devait aider à servir ses invités. Finalement, elle prit un seau de pommes de terre au curry et le porta dans la véranda.

Yeux baissés, elle prenait garde de ne pas poser les pieds sur les fissures du carrelage. Quand elle était petite, elle ne marchait que sur le milieu des dalles des trottoirs, jamais sur les lignes, par peur de se faire dévorer par les ours. C'était drôle comme cette vieille superstition persistait. Plus d'une fois elle avait refusé de poser sur des places dallées, au grand désespoir des photographes.

Les moines devaient être les premiers servis ; ils se rassemblèrent devant la véranda, psalmodiant le chant monocorde qui couvrait maintenant le bruit des conversations. Ils étaient munis de récipients profonds dotés de poignées en fil de fer, qui ressemblaient à des gamelles. Ils les alignèrent sur le rebord de la véranda, et les aides de Djoti les remplirent d'une louche de riz et d'une autre de pommes de terre au curry. À mesure que les hommes recevaient leur repas, ils cessaient de chanter et retournaient sur la pelouse. Là, conditionnés par le rituel de l'ashram, ils s'asseyaient en tailleur, par rangées régulières, face à la maison. Une fois installés, ils se détendaient et se mettaient à bavarder tout en prenant la nourriture avec les doigts de la main droite. Après les moines, ce fut au tour des religieuses, dont les voix plus hautes rendaient les prières plus mélodieuses.

Ellen échangea sa place avec l'un des garçons et retourna remplir un seau vide. En jetant un rapide coup d'œil autour d'elle, elle vit que ni Skye ni Ziggy n'étaient dans la cuisine. Elle les imagina cachées derrière les rideaux en train d'épier ce qui se passait dehors.

Tout en remontant la file pour donner les pommes de terre jaunes, constellées de fragments de piment rouge, Ellen regretta de ne pas avoir choisi de servir le riz. C'était plus simple : une louche pleine par personne, identique pour tous. Pour le curry, il fallait évaluer la quantité de chaque part, et résister aux regards qui pesaient sur elle. Elle surestimait toujours la dose et ne se sentait pas tranquille. Prianka lui avait assuré qu'il y en aurait assez, mais seulement si les portions étaient correctement réparties.

Les senteurs des épices s'élevaient, mêlées à l'odeur de transpiration, et à un parfum qu'Ellen reconnut soudain… Un parfum musqué, entêtant, qui lui rappelait le passé, lié pour toujours au cannabis et aux pièces enfumées pleines de musique. Bob Dylan. Van Morrison. Les Eagles. Il la faisait remonter dans le temps, car même si les personnes et les événements s'oubliaient, les parfums persistaient, liés à jamais aux bonheurs et aux peines qui s'y rattachaient. Elle se pencha par-dessus la balustrade pour essayer d'en repérer l'origine. De ce côté, l'odeur était plus forte… Oui… du patchouli. Le patchouli qu'elles utilisaient était contenu dans une fiole portant l'étiquette « huile spirituelle ». Elles s'en frottaient les poignets, et les effluves imprégnaient vite tout ce qu'elles touchaient : les justaucorps noirs, même les serviettes de toilette blanches de l'école.

Ointes de patchouli, Ziggy et elle avaient fait le mur pour s'échapper de leur école de danse après le couvre-feu. C'était Ziggy la meneuse, l'intrépide. Elles allaient à des fêtes, des bals, dans des clubs, à des soirées. Elles étaient belles, les hommes recherchaient leur compagnie. Elles collectionnaient les admirateurs pour s'impressionner l'une l'autre ; elles se sentaient fortes, invincibles. Le monde leur appartenait, elles n'en faisaient qu'à leur tête.

Nous serons de nouveau fortes un jour, songea Ellen. Allez, Ziggy, réveille-toi ! Je veux te retrouver telle que tu étais. Je vais te tirer de là.

Ellen préférait éviter le regard de ses invités, mais comme elle ne voulait pas attirer leur attention, ni que ses yeux humblement baissés lui donnent un air de fausse piété, elle s'attachait aux enfants qui attendaient leur tour à l'arrière.

Elle vit une fillette dont les jambes filiformes étaient couvertes de diarrhée. Elle vit un garçon qui toussait. Des quintes terribles secouaient son corps grêle, puis il se pencha et envoya un crachat sanglant dans l'herbe.

Ellen s'arrêta, le seau à la main, et se testa pour voir si ses anciennes blessures restaient sensibles. Elle avait pitié des enfants, leur état la scandalisait, mais ils n'éveillaient pas en elle le même élan protecteur qu'aurait provoqué la vue d'un bébé souriant et dodu dans son berceau tout propre. Cependant, si l'instinct d'amour était moindre, elle ne trouvait plus trace non plus de sa contrepartie angoissante, de l'impulsion diabolique qui avait empoisonné sa vie : le désir de détruire, de blesser, de décevoir. C'était comme si ces enfants mendiants avaient subi un rite de passage, car ils savaient déjà combien le monde était dur, cruel, égoïste. Le pire étant arrivé, ils n'avaient plus rien à craindre – puisqu'ils avaient tout perdu. Ils ne ressemblaient en rien à Zelda, ni à l'enfant solitaire qui peuplait ses cauchemars et qui sanglotait dans une chambre vide et froide. En comprenant cela, elle éprouva un sentiment de profonde libération, doux et chaud comme une pluie bienfaisante. Elle pouvait leur sourire, les toucher sans peur.

Dans le seau, il y avait à peine assez de pommes de terre pour deux personnes. Elle hésita une seconde devant le choix qui s'offrait à elle : donner deux petites louches, ou une seule, mais bien trop grosse. La personne suivante était un jeune homme aux bras squelettiques, rougis par la poussière de la brique. Il avait du travail, en conclut-elle. Cela voulait-il dire qu'il avait travaillé toute la journée sans pouvoir pour autant s'offrir à manger ? Ou peut-être abusait-il de l'invitation. Mais qu'importe, il était beaucoup trop maigre pour porter des briques. Elle vida le seau dans son bol et repartit vers la cuisine.

Sur le pas de la porte, elle croisa Ziggy qui sortait avec un seau de curry. Elles s'arrêtèrent et se regardèrent. Ellen ressentit un soulagement extrême. Son amie était venue les aider. Le stratagème avait fonctionné.

— Continue à partir de cet homme, là-bas, dit-elle simplement. Mon seau est vide.

Ziggy hocha la tête et approcha de la file, courbée sous le poids du seau qu'elle arrivait tout juste à porter. La foule fit silence en l'apercevant. On aurait dit une déesse : corps de mendiante, cheveux d'or et vêtements de soie jaune. Un des fils de Djoti courut à son secours, mais elle lui fit signe de la laisser se débrouiller seule. Tandis qu'elle titubait sous la charge, une centaine d'yeux se fixa sur elle, comme si ces gens la comprenaient, qu'elle symbolisait leurs faiblesses et l'espoir insensé qui leur donnait la force de continuer. Ils l'accueillirent avec des sourires quand elle commença à remplir les assiettes. Et elle sourit aussi, cachée derrière ses cheveux blonds qui pendaient au-dessus de la nourriture.

Le lendemain matin, Ziggy rejoignit Ellen dans la salle à manger. Elle s'était brossé les cheveux et portait des vêtements propres. Quand Prianka entra avec son plat de chapatis chauds, Ziggy en prit un qu'elle posa dans son assiette. Elle l'y laissa quelques secondes, puis en détacha de petits morceaux qu'elle mangea avec lenteur. Ellen, pour ne pas la regarder, s'occupa de verser le thé.

Ni l'une ni l'autre ne reparla de la soirée de la veille, pourtant le souvenir des sourires, des remerciements et des bols bien raclés des enfants illuminait ce petit déjeuner.

Quand la table fut débarrassée, Skye fit son apparition, traînant les pieds, vêtue d'un peignoir froissé. Elle s'assit à un bout et dévisagea Ziggy et Ellen sans rien dire.

Ellen rompit le silence.

— Nous recommençons vendredi prochain.

Le hochement de tête approbateur de Ziggy lui fit plaisir. Skye, en revanche, eut l'air furieuse.

— Mais ils sont d'une saleté répugnante ! L'odeur... D'accord, il faut aider ces gens, je ne suis pas contre. Mon père dit toujours qu'on doit donner un dixième de ce qu'on a. Mais nous ne sommes pas obligées de les faire venir ici.

— Si, justement, intervint Ellen. Nous le faisons aussi pour nous. Ça nous aide. Ça nous aide de les aider...

Elle s'arrêta, se trouvant trop moralisatrice.

Skye eut un petit rire incertain.

— En tout cas, ne comptez pas sur moi !

Elle releva la tête pour souligner son intention d'être ferme, mais le geste était peu naturel, comme si elle imitait quelqu'un.

Ellen se demanda ce que Carter ferait à sa place. Ou James. Comment se débrouillaient-ils toujours l'un et l'autre pour que tout le monde les suive ? Elle finit par répondre d'un ton calme et assuré qui la surprit.

— Il faudra bien que tu nous aides. Il n'y aura personne avec nous, cette fois, ni à la cuisine ni pour servir. J'ai donné une journée de congé à tout le monde. (Elle jeta un coup d'œil sur Ziggy avant de continuer.) Les coolies nous apporteront les aliments de base, et nous préparerons le repas toutes les trois. À dix-huit heures, que nous soyons prêtes ou pas, nos invités arriveront pour manger.

Skye la regarda, en proie à une vive anxiété. L'idée de voir débarquer cinquante malheureux affamés et de n'avoir rien à leur offrir était intolérable, mais la perspective de cuisiner et de servir un repas était presque pire.

— Ziggy ! Dis quelque chose ! s'écria-t-elle, affolée.

Ziggy haussa les sourcils sans intervenir.

— En tout cas, moi, je ne serai pas là ! protesta Skye en s'agrippant aux bras de son fauteuil. J'appellerai un coolie et… je ne sais pas. Je…

Elle ne termina pas. Elles avaient laissé Ellen se charger de tous les détails matériels depuis leur arrivée. Skye n'avait même pas d'argent liquide. La seule chose qu'elle pouvait envisager, c'était de passer son temps dans sa chambre, ou d'aller se cacher dans la forêt. Mais Ellen était bien capable d'envoyer des coolies pour la ramener de force.

Elle lui lança un regard brûlant de fureur.

— Tu es folle ! Tu n'es pas bien dans ta tête ! Tu…

— Tais-toi, Skye, ordonna Ziggy.

Elle jouait avec un presse-papiers qu'elle roulait d'avant en arrière sur la table dans un rayon de soleil. Les fleurs qui étaient incluses dans la boule de verre formaient une roue sous sa main. Elle leva les yeux vers Ellen.

— Je trouve que c'est une bonne idée.

Skye se mit à pleurer.

— Ça va me rendre malade !

Ziggy stoppa son mouvement et regarda son amie.

— Ça ne changera pas grand-chose…

Réconfortée par le soutien de Ziggy, Ellen se prit à rêver d'une vie idéale. Une vie où Ziggy et elle avanceraient côte à côte, où aucune des deux ne serait plus forte, ni plus faible, ni plus responsable. Elles seraient égales et prendraient un nouveau départ…

Quand vint le jour du repas suivant, Ellen et Ziggy se levèrent de bonne heure. Skye les suivait partout, incapable de rester seule, mais se mettait dans leurs jambes sans se résoudre à les aider.

Ellen lui confia l'épluchage. Elle l'installa dans la véranda avec une bassine sur les genoux, pour qu'elle puisse peler les pommes de terre sous l'eau sans sentir leur odeur. Ce stratagème ne l'empêcha pas d'être dégoûtée par la sensation de la chaire blanche et glissante sous ses doigts. Plus d'une fois elle fit mine de se lever et d'abandonner, mais la pelouse, encore vide devant elle, lui rappelait les affamés qui allaient l'envahir.

Pendant ce temps, Ellen et Ziggy s'activaient dans la cuisine.

— Tu penses que ça va les décevoir que nous leur servions le même repas ? demanda Ziggy à Ellen qui, aux fourneaux, faisait revenir les épices de Prianka.

— Pardon ? Tu voudrais que nous proposions des plats à la carte ?

Ziggy sourit.

— Tu as mangé, aujourd'hui ? demanda Ellen avec autant de délicatesse que possible.

Ziggy ne répondit pas.

— Tu devrais, ce serait préférable.

— Je pourrais, si j'avais les chapatis de Prianka.

— Regarde dans le frigo… Elle en a apporté ce matin.

À dix-huit heures, la foule étant déjà importante, les trois amies se mirent à servir. Mais les gens continuaient d'affluer. Ils émergeaient de la forêt en silence et se massaient sur la pelouse. Ellen voyait leur nombre grossir avec appréhension ; il y avait près du double des convives attendus. Il n'y en aurait pas assez pour tout le monde. L'angoisse montait. Elle avait l'impression de trahir ces pauvres affamés. Au moins, nota-t-elle, la cohue avait poussé Skye à l'action : elle servait les gens avec une détermination d'acier, concentrée sur sa tâche comme un enfant qui avale vite un sirop amer pour s'en débarrasser.

Les mendiants dévisageaient Ziggy et Skye sans vergogne, étonnés par la maigreur de ces riches étrangères. Ils baissaient la tête à leur approche par respect, comme c'était l'habitude pour les ascètes ayant choisi la mortification de la chair. Bien sûr, la belle et grande maison était loin du dépouillement d'une grotte, mais cela ne semblait pas les gêner.

Ellen resta cachée dans la cuisine. Elle remit à cuire tout le riz disponible et fit un ragoût de fortune avec des lentilles, des légumes et du curry, ajoutant tout ce qui lui tombait sous la main pour gonfler le volume. Malgré ses efforts, elle comprit que cela ne suffirait pas, et il faudrait des heures aux coolies pour rapporter des ingrédients du marché. Le rassemblement pacifique allait tourner à l'émeute quand elles apprendraient à ces pauvres gens qu'il n'y avait plus rien à manger.

Il fallait à tout prix trouver une solution. Peut-être pourraient-elles donner de l'argent à l'ashram pour nourrir ceux qui n'avaient pas été servis, ou un petit restaurant pourrait leur rendre ce service si un marchand de riz le fournissait rapidement. Les deux cas de figure étaient envisageables, mais comment faire pour que Ziggy ne retombe pas dans sa passivité ? Il ne fallait surtout pas continuer à aplanir toutes les difficultés pour elle. Le moment était venu de réveiller Ziggy et Skye une bonne fois pour toutes. Elles devaient commencer à se prendre en charge et montrer ce dont elles étaient capables.

Ellen sortit de la cuisine par la porte de derrière et se rendit dans sa chambre. Elle ne voulait pas penser aux enfants qui attendaient sagement leur tour sans se douter que, une fois le moment venu, il n'y aurait plus rien à mettre dans leurs petits bols.

Elle s'assit sur son lit, les yeux tournés vers les roses du papier peint. Des pas rapides se firent entendre, et quelqu'un entra. Le parfum français de Skye se répandit dans l'air.

— Il n'y en a pas assez pour tout le monde !

— Je sais.

— Mais fais quelque chose, alors ! Ils ont… ils ont faim.

Elle prononçait le mot d'une façon bizarre, artificielle, comme si c'était une langue étrangère.

— Il y a encore tous les enfants à nourrir ! Ce sont eux qui passent en dernier !

— Que veux-tu que j'y fasse ? Il ne reste rien.

— Mais…

Skye la dévisagea, accablée par la réalité des placards vides, des réfrigérateurs vides, dans un monde où il n'y avait pas de supermarchés. Un monde dépourvu de nourriture, où personne ne pouvait manger. Mais les enfants attendaient leur tour, leur récipient ébréché à la main, la faim au ventre.

— Il doit bien rester un petit quelque chose…

— Tu n'as qu'à te débrouiller.

— Mais… c'est toi qui as organisé ce repas ! protesta Skye, outrée. C'est à toi de t'en occuper !

— Et Ziggy ? Qu'est-ce qu'elle fabrique ?

— Elle est en train de servir le dernier seau ! Qu'est-ce qu'on va faire ?

— C'est à toi et à Ziggy de voir.

Ellen suivait les motifs du tapis avec la pointe du pied. Elle gardait les yeux fixés par terre, sur le bout de sa chaussure qui tournait, virait, bien décidée à ne pas relever la tête.

Skye finit par sortir. Quand elle se retrouva seule, Ellen mit un disque sur le vieil électrophone, une valse fadasse qui couvrait les sons étouffés du jardin. Ensuite, elle s'allongea sur son lit et ferma les yeux.

Quelques minutes plus tard, Skye reparut.

— On ne veut savoir qu'une seule chose, lança-t-elle brutalement. Avons-nous de l'argent ? Du liquide ?

— Oui, plein.

Elle plongea la main dans sa chemise et sortit la pochette où elle gardait les billets. Elle lui tendit l'ensemble sans la regarder.

— En roupies et en dollars.

Skye s'en empara et repartit en courant.

Le disque se termina, laissant place au grattement doux et régulier de l'aiguille sur la plage lisse qui tournait à vide. Le temps passa, le silence revint dans la maison et le jardin. Finalement, Ellen se leva et sortit de sa chambre.

Dehors, la pelouse était déserte. Les quatre-vingts visiteurs, qui ne possédaient que ce qu'ils portaient sur le dos, n'avaient laissé de leur passage que l'empreinte de leurs pieds dans l'herbe. La cuisine était également vide ; le fourneau rougeoyait doucement dans la pénombre. Elle découvrit Ziggy et Skye au bout de la véranda, deux silhouettes silencieuses, assises, dos tourné. Elles contemplaient le haut du sentier, par où les derniers visiteurs venaient sans doute de disparaître.

Ellen approcha. Elles ne dirent rien quand elle les rejoignit.

— Vous avez su quoi faire ? s'enquit-elle d'un ton détaché.

— Oui, répondit Ziggy, vaguement surprise. Nous avons trouvé la solution. Nous sommes allées au bord de la véranda et avons demandé si quelqu'un parlait anglais. Un drôle de petit vieux s'est désigné. Il était très sale et portait des haillons, mais orange, tu sais, comme un moine. Il a dit... (Elle mit la bouche en cul de poule et prit un accent anglais chic.)... « Puis-je vous être d'une quelconque utilité ? »

Elle sourit à Ellen, enchantée par son histoire.

— Je te jure ! Il était à moitié nu, et il avait la peau couverte de... de...

— De cendre, compléta Skye. Il était couvert de cendre, comme un homme des cavernes.

— Enfin, bref, reprit Ziggy, je lui ai demandé de faire l'interprète, et grâce à lui nous avons discuté avec le représentant de l'ashram. Il a dit que les enfants et tous ceux qui n'avaient pas été servis pouvaient descendre manger là-bas, parce que les cuisines de l'ashram étaient ouvertes pour un car de pèlerins qui arrivait de... d'où, déjà ?

— De Gantori, répondit Skye. La ville sainte où la Mère Gange jaillit de la terre.

— Oui, c'est ça, Gantori. Et voilà, ils sont tous partis

manger à l'ashram. Nous avons payé les repas. Tout le monde est content.

— Tant mieux.

Gênée par le rôle qu'elle avait dû jouer, et ne sachant pas si les autres lui en voulaient, elle s'assit à côté de Ziggy, et se cacha derrière ses longues mèches. Elles sentaient encore bon la cuisine : oignons frits et épices odorantes. L'odeur lui donna faim. Son esprit se remplit de visions de hamburgers, de steaks new-yorkais, de nachos à la sauce piquante. Elle se souvint d'une langouste tout juste sortie de l'eau, la chair roulée dans le mélange de farine aux herbes de James, puis revenue à la poêle sur un feu de bois. Dégustée devant la mer. Il n'y avait rien de meilleur au monde.

Quelques instants plus tard, une lueur dansa entre les arbres, puis une lumière apparut en haut du sentier, éclairant un grand sourire. C'était Djoti, une lampe-tempête accrochée au poignet.

— Mem-sahibs, dit-il en leur tendant une marmite couverte. J'ai entendu dire que vous n'aviez plus rien à manger.

— Je ne crois pas que ça aurait suffi pour finir de nourrir tout le monde, remarqua Ziggy, mais merci.

— Je sais. Ils sont à l'ashram. Pas de problème. Mais vous, vous êtes ici, et vous aussi, vous avez besoin de manger.

Il s'assit en tailleur par terre dans la véranda et leur fit signe d'approcher.

— Ma sœur a préparé ce plat pour vous.

Il souleva le couvercle et se pencha pour humer les arômes qui montaient dans l'air frais.

— Du dhal. Je lui ai dit pas trop épicé et pas du tout de piment.

Ensuite, il défit un paquet enveloppé dans du tissu et en sortit une pile de chapatis encore chauds.

Ellen prit place à côté de lui. Ziggy la suivit, puis Skye. Ils formèrent un petit cercle autour de la marmite fumante, le visage éclairé par la lumière jaune de la lampe.

Ellen prit un chapati et en tendit un à Ziggy. Skye attendit un peu, les mains inertes sur les genoux, puis elle tendit le bras et prit elle aussi une galette de pain. Imitant Djoti, elle en coupa un morceau avec les doigts et s'en servit pour prendre des lentilles. Elle plaça la nourriture dans sa bouche, solennelle, silencieuse, comme une petite fille le jour de sa première communion.

Ellen évita de la regarder par peur de briser son élan. Elle entendit Skye mâcher, avaler, puis vit sa main retourner se servir dans la marmite. Elle jeta un coup d'œil sur Djoti, se demandant s'il se doutait du miracle qu'il venait d'accomplir en leur apportant à manger ce soir, en offrant de la nourriture à Ziggy et à Skye alors qu'elles avaient encore à l'esprit les images terribles d'une faim qui n'était pas choisie.

Djoti croisa son regard et esquissa un sourire. Il fouilla dans sa poche et en sortit une poignée de petites cornes rouges. Il s'en mit une dans la bouche et lui en offrit.

— Piment, expliqua-t-il. C'est bien meilleur avec du piment.

Ils mangèrent tous les quatre, lentement, copieusement.

Ellen se tourna vers Ziggy, mais la vit plongée dans ses pensées, sa tête blonde penchée en avant.

Ce fut Ziggy qui rompit le silence.

— Tu sais pourquoi tellement de gens sont venus, Ellen ? Le représentant de l'ashram nous l'a expliqué : le bruit court qu'une swami étrangère est arrivée... un guide spirituel. Ils disent que cette swami a des élèves qui suivent son enseignement pour apprendre à dominer les passions de la chair. Ils étaient contents que nous les servions pour toi, mais c'est surtout toi qu'ils voulaient voir. Je te jure, dit-elle en relevant enfin les yeux vers Ellen. Je ne plaisante pas. Il avait l'air très sérieux.

Ellen riait, les yeux brillants de larmes à cause du piment.

— Très drôle !

— Non, c'est vrai, je t'assure, insista Ziggy qui semblait passionnée par la question.

— Mais il en pensait quoi, au juste ?

— Il dit qu'il a vu tellement de choses que plus rien ne l'étonne.

Djoti hocha la tête.

— Ici, intervint-il, nous sommes près de la résidence des dieux, les neiges éternelles, et de leurs enfants, les fleuves sacrés. Beaucoup de choses étranges se produisent ici. On ne peut pas l'ignorer.

Ellen le dévisagea pour voir s'il plaisantait, mais cette fois il ne riait pas. Elle frissonna, glacée par les doigts froids de la nuit qui s'insinuaient sous ses vêtements.

21

Elles se réunissaient maintenant tous les soirs dans la véranda et s'asseyaient en tailleur autour d'un repas simple composé de chapatis et de dhal. De temps à autre, Djoti se joignait à leur cercle, mais en général elles mangeaient seules, dans un agréable silence.

Ziggy et Skye avalaient tout ce qu'on leur offrait et parfois allaient même se resservir à la cuisine. Ellen constatait leurs progrès avec un optimisme prudent. Elle aurait aimé pouvoir se dire que la bataille était gagnée, que Ziggy et Skye étaient guéries, mais elle redoutait que ce deuxième état de grâce ne prenne fin, comme le premier, et qu'il ne s'agisse que d'un répit. Par précaution, elle rappela à Djoti qu'il devait continuer à lui remettre tout le courrier et les messages, et que, si des fleurs ou des paquets arrivaient, il devait prendre soin que personne ne les voie.

Cette directive, malheureusement, lui faisait attendre la venue de Djoti dès qu'elle était seule. Qu'elle lise dans sa chambre, qu'elle y écoute de vieux disques, elle se surprenait à jeter des coups d'œil par la fenêtre, ou par la porte toujours ouverte, pour voir s'il ne lui apportait rien. Et quand il surgissait dans le couloir, ou qu'il la retrouvait dans un coin discret du jardin, elle était prise de palpitations tant son désir de recevoir un message de James était intense. Plusieurs lettres arrivèrent pour Ziggy et pour Skye ainsi que des télégrammes et des cartes, adressés à Mussoorie, Inde. Il y eut encore un bouquet de Lucy. Mais rien de James... Rien qu'un terrible silence, un silence qui la désespérait.

Elle écrivait « Retour à l'envoyeur » sur les lettres et les cartes et jeta un magnifique bouquet de lis dans le ravin. Pour les télégrammes, elle devait être plus indiscrète. Elle les lisait vite, juste assez pour en saisir le sens et vérifier qu'il n'y avait pas d'urgence. La plupart provenaient de Lucy, mais quelques-uns aussi du père de Skye. Aucun ne contenait de nouvelles importantes. Ces débordements d'amour et de sollicitude, elle les faisait disparaître dans le fourneau toujours rougeoyant de Prianka. Elle se sentait coupable de les brûler, mais se rappelait que c'était un mal nécessaire.

Pendant ce temps, la maison s'animait, vibrait d'une énergie nouvelle. Les fenêtres du haut restaient ouvertes, les papillons virevoltaient entre les voilages qui flottaient au vent. Ziggy se remit à son jardin et put bientôt, à mesure que revenaient ses forces, retourner la terre elle-même. Skye reprit ses promenades dans la forêt, le plus souvent entourée par une bande d'enfants qui laissaient dans leur sillage de joyeux éclats de rire. Quand elle ne sortait pas, elle explorait la maison, examinait les livres et s'essayait à jouer des airs de jazz sur le piano désaccordé. Un matin, Djoti leur amena un porteur de l'hôtel Savoy. Le vieil homme aux cheveux argentés passa des heures penché avec amour sur le piano, à l'accorder à l'oreille. Il refusa le thé que Prianka lui offrait et travailla d'une traite jusqu'à ce qu'il ait terminé.

— Merci, madame, dit-il gravement quand Skye lui mit plus d'une année de salaire dans la main. J'ai eu un grand plaisir. Longtemps avant, je m'occupais de beaucoup de pianos, mais ces jours ne sont plus.

Il traversa la pelouse pour reprendre le sentier, un sourire aux lèvres, suivi par l'air que jouait Skye pour le remercier.

Le repas collectif fut renouvelé toutes les semaines. Elles préparaient à manger pour soixante personne et avaient conclu un accord avec l'ashram, lequel se chargeait de nourrir tous ceux qui n'avaient pu être servis. Cette situation convenait à tout le monde. Mendiants, mendiantes, moines, pèlerins, parents et enfants se regroupaient sur la pelouse pour voir les étrangères. Un système avait été mis au point afin de choisir les soixante personnes qui auraient l'honneur d'être servies. Toutes les traditions étaient respectées, mis à part celle de l'ordre de passage des enfants, auxquels Skye exigeait de donner la priorité.

Prianka, qui était au courant de tout, leur transmettait les rumeurs. À présent, les gens savaient que les étrangères étaient maigres parce qu'elles avaient été très malades. Swami mem-sahib, à ce qu'on racontait, les avait guéries grâce à sa sagesse et à sa bonté. Leurs progrès étaient faciles à constater : de semaine en semaine, elles reprenaient des forces, recouvraient la santé. Nanda Devi, la mère protectrice, avait répondu à leurs prières.

— C'est tout à fait la vérité, commenta Ziggy.

— Mais non !

— Tu nous as sauvé la vie, insista Skye. Tu ne peux pas nous dire le contraire. Nous étions enfermées dans notre clinique. Sans toi, nous y serions encore. Ou nous serions six pieds sous terre.

— C'est Ziggy que tu devrais remercier. Moi, je n'ai rien fait.

Mais, malgré ses dénégations, elle entendait une autre voix silencieuse, une voix d'espoir, qui faisait chaud au cœur.

Si, tu les as aidées. Tu les as sauvées. Si tout le monde dit que tu as bien agi, cela doit être vrai.

Skye suivait maintenant Ellen partout où elle allait. Elle semblait attendre une occasion de lui parler. Elle s'humectait les lèvres, prenait une petite inspiration comme si elle allait dire quelque chose… puis elle soupirait et renonçait.

À la fin, Ellen lui demanda ce qu'elle voulait.

— Rien, rien, ce n'est pas important…

— Si ce n'était pas important, tu n'aurais pas autant de mal à me le dire.

— Tu ne m'en voudras pas ? bredouilla Skye d'une voix d'enfant timide.

— Vas-y, n'aie pas peur.

— Quand... quand nous étions à la clinique Marsha Kendall, le psy, Dieter, disait que j'étais malade à cause de... des raisons habituelles. Mes parents étaient très stricts. Dans notre famille, on n'avait pas le droit de pleurer, ou de parler de ses envies. Il fallait toujours être propre, poli, correct. Maman tenait à ce que papa soit fier de nous, mon frère et moi. Il travaillait beaucoup. Il est devenu tellement riche et tellement célèbre, qu'elle voulait lui donner des enfants parfaits.

Elle s'interrompit. Ellen dut lui faire signe de continuer.

— Dieter disait que je m'en serais très bien sortie si je n'avais pas épousé un homme qui ressemblait exactement à papa. Al réussissait lui aussi sa vie professionnelle – il dirigeait une agence immobilière à Hollywood – et il était très exigeant, avec lui-même comme avec moi. Il nageait plusieurs kilomètres par jour et était toujours en super-forme. J'essayais d'être à la hauteur. Nous étions même un peu en compétition. J'allais chez l'esthéticienne, je prenais des cours de gymnastique. J'avais un prof de tennis. Tu connais l'exercice du Reader's Digest : Étendez votre vocabulaire ? Ça aussi, je l'ai fait pour lui, ajouta-t-elle en riant. Et, au bout du compte, il m'a quittée pour une autre femme. Je les ai vus ensemble. Je faisais des courses au centre commercial, et je suis passée devant l'animalerie. Ils étaient penchés sur des chatons. Elle était mince, jeune et belle, avec un sourire magnifique. Un sourire à se damner... Bref. Al a emménagé avec elle dans une nouvelle maison. Bien sûr, il m'a donné une fortune. Il m'envoie toujours de l'argent toutes les semaines. C'est comme si je lui appartenais encore un peu. D'une certaine façon, je le déteste mais, en même temps, je l'aime encore.

Il y eut un silence.

— Tu sais, reprit-elle, quand je lis dans le journal qu'une femme a perdu son mari dans un accident, je l'envie. Je me dis qu'au moins il ne l'abandonnera pas pour une autre. Une chose pareille, ça vous donne l'impression de n'être plus rien. On est totalement impuissant. On ne sait même plus ce dont on a envie !

Elle s'arrêta brusquement, à court de mots.

— Pourquoi voulais-tu me raconter ça ? demanda gentiment Ellen.

— Parce que… avec ma thérapie, j'ai compris beaucoup de choses. Je sais que c'est maman qui m'a mis dans la tête que je devais tout le temps faire plaisir à tout le monde. Je comprends ce qui est arrivé. Mais ce que je veux, maintenant, c'est oublier. Je veux effacer le passé de ma mémoire et recommencer à zéro. J'en ai tellement envie ! Je voudrais que tu m'apprennes à oublier.

Ellen eut peur que Skye ne se mette à pleurer, mais elle vit, au contraire, que son visage était illuminé par un espoir immense. Heureuse, elle aurait été belle : yeux bleus limpides, peau blanche et cheveux foncés. C'est fou, songea Ellen, elle attend vraiment tout de moi. Elle croit que je vais dire abracadabra et la sauver d'un coup de baguette magique.

— Skye, je ne suis pas psychothérapeute. Je n'ai pas vraiment…

Elle s'interrompit, car une pensée venait de lui traverser l'esprit. Une curiosité passagère qui permettrait de prolonger un peu la conversation.

— Et ton frère ? Qu'est devenu ton frère ?

— Un Noël, Nicky est revenu de l'université pour les vacances, et il nous a annoncé qu'il était gay. Comme ça, en plein milieu du dîner. Papa a failli s'étouffer. Maman a pleuré. Alors, bien sûr, ils l'ont mis dehors et ont rompu tout contact avec lui. Nous ne l'avons plus vu, et nous n'avons plus entendu parler de lui pendant des années. Et puis, peu de temps après mon mariage, je l'ai rencontré à une soirée caritative. Je l'ai repéré de loin. Il a toujours été très grand et se tenait très droit, comme un scout. Il m'a présentée à sa femme et m'a montré une photo de ses enfants qu'il avait dans son portefeuille.

— Alors, il n'était pas homosexuel ?

— Non, pas du tout. Mais il a été malin. Il est arrivé à se débarrasser de nous et ne l'a pas regretté une seule seconde. Et tu sais, ajouta-t-elle avec un soupir, il avait l'air tellement… tellement heureux.

Plus tard, Ellen rejoignit Ziggy dans la véranda. Les parfums du soir montaient du jardin, mêlés aux senteurs de cumin et de coriandre qui s'échappaient de la cuisine.

— J'ai discuté un peu avec Skye, dit Ellen. Elle m'a parlé de sa famille.

— De vrais salauds ! Ses parents, en tout cas. Je n'ai jamais rencontré son ex-mari, ni son petit Nicky chéri. Mais Patty et Richard sont des monstres : le rêve américain dans toute sa splendeur. Ils venaient à la clinique dans une voiture de location, avec des lunettes noires pour ne pas se faire repérer. Ils étaient morts de honte. Ils l'ont complètement fichue en l'air.

— Qui payait ses frais médicaux ?

— Elle-même, je crois. Elle ne veut pas toucher à leur argent. Elle a obtenu une énorme pension alimentaire. Al est richissime : il vend des maisons de rêve aux stars et les remet sur le marché à chaque divorce. Très juteux, tu imagines.

Comme autrefois, dans leur chambre de l'ancien couvent, elles étaient assises côte à côte devant les arbres. Le maillage métallique du balcon de la clinique n'était plus qu'un mauvais souvenir.

— Les familles, ça fait des dégâts terribles, commenta Ellen. Regarde, toi et Lucy. Tu vas beaucoup mieux quand tu es loin d'elle.

Ziggy ne répondit pas directement.

— Quand nous étions à l'école de danse, une fois, tu m'as dit que ta mère te détestait.

Ellen eut un sursaut et se tourna vers elle avec surprise.

— Ah bon ?

— Oui, je t'assure. Tu as dit qu'elle te reprochait le départ de ton père. Tu pleurais en me racontant ça. Et puis, tout de suite après, tu as dit que ce n'était pas vrai.

Ellen eut un petit rire artificiel.

— Évidemment que ce n'était pas vrai ! Il est exact que mon père est parti parce qu'il ne voulait pas vivre avec un bébé. Je pleurais, je salissais tout. Certains hommes ne supportent pas ça. Mais Margaret... Margaret m'aimait. Elle me couvrait de cadeaux, elle me faisait faire des sorties intéressantes. Elle me couvait, même : il fallait qu'elle sache exactement où j'étais et ce que je faisais à chaque seconde de la journée. Les gens disaient que nous étions trop proches parce que nous vivions seules toutes les deux.

Elle s'interrompit, le visage éclairé par un sourire heureux.

— C'est elle qui m'a envoyée à mes premiers cours de danse classique – au départ, c'était une idée à elle, tu sais. Elle m'a acheté la tenue au grand complet : justaucorps, chaussons, cache-cœur, rubans assortis pour les cheveux. Les autres filles en crevaient de jalousie. Plus tard, bien sûr, il a fallu qu'elle voyage pour ses conférences, et puis elle a déménagé à l'étranger. Après ça, on ne s'est plus beaucoup vues.

— Avant son départ, tu ne la voyais pratiquement jamais non plus. Elle ne t'a pas rendu une seule visite à l'École. Pas une seule en six ans ! (Ziggy lui jeta un regard en coin.) Et c'est le vieux monsieur aux chats qui payait tes notes. C'était bizarre, je t'assure. Tout le monde trouvait ça drôle. Bien sûr, je t'ai toujours défendue, et Margaret aussi. Mais...

— Ça faisait plaisir à Eildon. Il n'avait pas de famille. Il m'a un peu adoptée, d'une certaine manière.

— Oui, mais pourquoi ? Il t'a adoptée parce que, toi, tu étais un peu orpheline... Tu sais, Ellen, je me suis posé beaucoup de questions quand tu m'as parlé de Zelda, à la clinique. Ce qui t'est arrivé avait peut-être un rapport avec Margaret.

Je ne t'ai rien dit sur le moment parce que tu étais trop bouleversée, mais…

— Tu es pire que Skye ! déclara Ellen avec un petit rire. Dieter t'a donné la manie des interprétations.

Elle se leva et s'étira avec une feinte paresse, puis fit quelques pas vers le jardin. Ziggy dut crier pour se faire entendre.

— Un jour aussi, tu m'as dit…

Ellen s'arrêta sans se retourner. Ziggy continua avec prudence, pesant chaque mot.

— Tu m'as dit qu'un jour Margaret s'était mise très en colère contre toi. Je ne sais pas pourquoi. Elle t'a fait une piqûre. De force. Tu étais terrorisée. Tu as cru qu'elle allait te tuer.

Ellen repartit en secouant la tête, comme pour empêcher les mots d'y pénétrer.

— Après ça, tu as fait des cauchemars pendant des mois !

Au bout de la pelouse, Ellen prit le sentier. L'hiver était presque là, et il faisait froid dans la forêt en fin de journée. Après avoir un peu marché, elle s'arrêta et s'assit sur un arbre renversé. Elle demeura immobile, les yeux rivés sur ses bottes enfoncées dans l'humus. Un mille-pattes rouge courait sur le côté de sa semelle en caoutchouc, puis sur le dessus de cuir. La myriade de pattes se mouvait à un rythme bien réglé. Y en avait-il vraiment mille ? Elle se pencha pour essayer de compter. Deux, quatre, six, huit, dix, douze… Mais elle eut beau faire, les souvenirs affluaient, impossibles à refouler. L'image de la sacoche de médecin ouverte sur la table du salon, l'odeur de médicaments. Margaret se penchant au-dessus ; fouillant à l'intérieur avec des bruits de flacons qui s'entrechoquent et des froissements de sachets.

— Remonte ta manche, dit-elle d'une voix triste et monocorde.

Un cliquetis d'ongle qui tapote sur l'ampoule pour faire descendre le liquide.

— Non, s'il te plaît !

— C'est la seule façon de te calmer.

Crac ! le couvercle saute. Puis l'aiguille pointue plonge, prête à aspirer.

Margaret relève la tête, le visage flou… les traits indistincts. Mais sa main est très nette, grande et blanche ; elle tient la seringue, aiguille en l'air, et appuie sur le piston jusqu'à ce qu'une goutte monte et reste en équilibre au bout de la pointe.

Maintenant son bras descend, l'aiguille en position pour piquer.

— Non, non ! Il y a quoi, dedans ?

Margaret sourit. C'est du poison.

— Tu vas me tuer…

— Ne dis pas de bêtises.

Margaret est méticuleuse. Elle prend un morceau de compresse et frotte la peau avec du désinfectant. Elle a la hantise des microbes, déteste la saleté. Elle ne supporte pas la maladresse. Ellen sent la rage qui fait vibrer sa mère, la haine qui l'anime au moment où elle pique son bras frêle, stabilise l'aiguille et la vide sous sa peau d'enfant.

Ensuite, les marques rouges de ses grands doigts puissants subsistent sur son bras.

Je ne me sens pas bien.

La pièce s'obscurcit, les formes s'estompent.

Petit Jésus, doux Jésus, je ne veux pas mourir.

Je ne veux pas dormir.

Je ne veux pas me réveiller.

Djoti guettait Ellen en haut du sentier. Il sembla inquiet quand il vit ses yeux fiévreux, rougis par les larmes qu'elle n'avait pas pu verser.

— J'ai quelque chose. Un télégramme pour vous.

Leurs regards se croisèrent quand il le lui mit dans la main.

— J'espère que c'est une bonne nouvelle, dit-il simplement.

Il hésita à la laisser seule. Elle avait à peu près l'âge de sa fille aînée, mariée, à présent, et qui vivait loin de Mussoorie. Il n'aurait pas voulu qu'elle ait de chagrins sans personne pour la réconforter.

— Mem-sahib, si vous avez besoin de quelque chose, je suis tout près. Je suis là, ajouta-t-il en désignant la maison.

Ellen attendit qu'il s'éloigne pour ouvrir le télégramme. Le papier fin bruissait dans sa main tremblante. Elle déchira l'enveloppe et en sortit le message plié. Elle avait la tête vide, comme à l'instant qui précède une explosion.

N'ÉCRIS PAS STOP TU AS PROMIS STOP ZELDA N'AURA PAS TES LETTRES STOP IL FAUT L'OUBLIER STOP JAMES MADISON.

Il faut l'oublier.

Ellen avait des échardes et des ampoules plein les mains. Elle était accroupie près de la pile de bois de chauffage et entassait des bûches fendues dans ses bras. Plus elle en ramassait, plus elle était obligée de les pencher vers elle pour répartir le poids sur son corps. Le bois grossier la griffait à travers le tissu fin de son chemisier, s'imprimait sur la peau tendre de sa poitrine. Elle coinça la dernière bûche sous son menton, puis, prenant bien appui avec les talons par terre, elle souleva sa charge et sortit du bûcher.

Elle travailla ainsi tout l'après-midi, dégoulinant de sueur dans l'air froid. Elle se remplissait l'esprit de cette danse lente et mécanique : aller, revenir, se baisser, se relever. Si elle s'arrêtait, elle craignait de s'arrêter pour toujours. Elle s'imagina clouée au lit, comme les deux autres quelque temps plus tôt, refusant toute nourriture ; elle s'affamerait pour ne plus rien sentir, pour devenir insensible. Ce serait un moyen d'échapper à la douleur des souvenirs, au vide laissé par la perte de Zelda.

Elle aspirait à se fondre dans le néant. À disparaître…

Cette pensée, pourtant, la terrorisait. Elle fit une pause avant de rentrer dans le bûcher, et se frotta fort le visage avec les mains comme pour se prouver qu'elle était encore là, vivante, qui respirait, transpirait, se salissait.

Il faut tenir bon, se répéta-t-elle en reprenant sa pénible tâche. Ziggy et Skye avaient besoin d'elle. Elle ne pouvait pas les abandonner. À présent, elle était la mem-sahib généreuse dans sa grande maison, celle qui donnait à manger aux pauvres. Les gens l'aimaient. Elle ne pouvait pas se permettre de s'effondrer ; elle avait un rôle à remplir. Il fallait trouver un moyen de couvrir cette souffrance pour continuer à vivre.

22

La neige, tombée tôt cette année-là, se déposa doucement sur les maisons et les belles villas de Mussoorie, et recouvrit la saleté du bidonville derrière le marché. À l'hôpital, les missionnaires entreprirent de distribuer des sacs de riz et de grosses couvertures grises qui restaient des secours envoyés après le tremblement de terre. La nouvelle eut tôt fait de se répandre, et bientôt l'hôpital fut pris d'assaut par les mendiants et des familles de sans-abri, et même par des pèlerins et des sadhus.

Sur la pelouse de swami mem-sahib, Djoti installa une rangée de grands bidons transformés en braseros. Le jour du repas collectif, ses aides y allumaient des feux pour que les gens se réchauffent.

Même si la neige tombait, même si le grésil adhérait aux murs de la maison, les affamés affluaient. Ils sortaient en courant du couvert de la forêt, à l'abri sous leurs couvertures, serrant contre eux leurs gamelles en fer-blanc et leurs bols. Mais, à présent, ils ne mangeaient plus sur place ; ils retournaient consommer la nourriture dans leurs cabanes branlantes et leurs refuges de fortune.

Souvent, quand le soleil brillait, les trois amies s'emmitouflaient dans des pulls et des châles en cachemire et partaient se promener dans la montagne. Il fallait passer par la forêt où il faisait trop froid et trop sombre pour s'attarder. Elles se hâtaient donc jusqu'à la vieille grille aux piliers éboulés, soufflant de longs nuages de buée devant elles. Quand elles arrivaient dans les espaces découverts du plateau, un soleil radieux étincelait, qui réchauffait leurs joues et leur nez rougis par le froid et hâlait leur visage d'un beau brun cuivré.

Le froid dissipant la brume, le précipice se transformait en une douce vallée, et les mystères de l'horizon leur étaient révélés. Dans un ciel bleu d'une rare pureté se dressaient des chaînes de montagnes avec, sur les pentes rocheuses, les taches plus sombres des forêts. Plus loin encore s'étendait la perspective étincelante et infinie de l'Himalaya. C'était une vision de rêve, avec les sommets d'un blanc immaculé, ombrés de mauve sous un ciel d'azur. Elles aimaient aller jusqu'à une plate-forme panoramique où elles se relayaient pour regarder à travers un très ancien télescope. Un vieux gardien, qui vivait dans une cahute à côté, faisait payer les touristes pendant la journée et surveillait le matériel la nuit. À chacune de leurs visites, il les accueillait, imprégné de l'importance de sa fonction, et supervisait tous leurs gestes pendant qu'elles scrutaient l'horizon.

— Dieux, disait-il en désignant la montagne. Là-bas vivent les dieux.

Ces journées en hauteur aiguisaient l'appétit, et, quand le soleil disparaissait en fin d'après-midi, elles descendaient le sentier en courant, ne s'épargnant, dans leur hâte, ni les glissades ni les chutes. Une fois rentrées, elles se précipitaient dans la cuisine de Prianka pour manger des chapatis chauds, et le gâteau de riz dont les vrais Anglais, selon Djoti, ne pouvaient se passer.

Bientôt, elles eurent lu tous les livres de la maison, mais Ellen découvrit une vieille bibliothèque sur la promenade, près du Savoy. Il leur fallut attendre et présenter très officiellement leurs passeports, signer un formulaire et payer l'abonnement avant qu'une Indienne à l'air sévère ne leur délivre leur carte de lectrice. Elle les avertit que les livres étaient tous examinés au retour pour vérifier qu'ils n'étaient pas endommagés.

Sous son œil de lynx, Ellen, Ziggy et Skye firent rapidement le tour des vitrines qui protégeaient les livres anciens reliés de cuir. Elles avancèrent à pas feutrés par peur de déranger les fantômes qui devaient sûrement hanter la salle de lecture vide. Devant chacun des fauteuils à haut dossier, une revue anglaise était disposée sur la table bien cirée, comme si quelqu'un était en train de lire.

Le soir, elles s'installaient au salon sous le regard bienveillant de la reine et s'amusaient des titres des ouvrages empruntés, tels que *Britannique jusqu'à la mort* ou *Chère patrie, chère Angleterre.* Il y avait aussi *Des hommes et des spectres*, et un gros volume intitulé *L'Origine de l'idée de Dieu.* Elles conversaient, lisaient, et Skye jouait pendant des heures des airs de jazz nonchalants au piano alors que le feu brûlait haut dans la cheminée. Elles se sentaient bien, libérées de leurs problèmes, coupées comme elles l'étaient du monde extérieur. Leurs seules perspectives étaient à très brève échéance : le jour du repas collectif, quelques tâches ménagères, une éventuelle expédition au marché et leurs promenades en montagne. Un peu plus loin, il y aurait le printemps, puis l'été. L'avenir s'étendait devant elle, calme et tranquille.

Tôt le matin, l'humeur était très différente. Elles se rassemblaient dans le jardin d'hiver et s'asseyaient en tailleur, formant un cercle comme si elles allaient dîner. En silence, elles se concentraient, s'imprégnaient des couleurs de l'aube, puis se tournaient vers l'intérieur afin d'examiner leur âme.

Ellen menait la méditation. Elle parlait la première et posait les questions qui les ramenaient en arrière.

Le rituel quotidien s'était instauré avec Skye. C'était en cherchant un moyen de l'aider à oublier, à échapper à son passé, qu'Ellen avait mis au point cette technique. Ziggy avait voulu participer, et très vite leurs séances avaient revêtu une grande importance pour toutes les trois.

— Qui voyez-vous ? commençait toujours Ellen.

— Je suis avec Nicky. (La voix de Skye, teintée de

surprise.) Nous nous disputons. Il a fait une bêtise et a dit que c'était moi.

— Où vous trouvez-vous ?

— Dans le jardin de notre maison de vacances, à la montagne. C'est le printemps. Il y a des fleurs partout ; les arbres aussi sont en fleur. Des tasses en plastique traînent sur la pelouse. Rouge et jaune...

Ensuite vient le père de Skye, assis sur le canapé, qui se regarde à la télévision faire des déclarations à la presse. Ensuite, son amie Caroline, dans le dortoir du pensionnat ; elle se déshabille au pied de son lit étroit et dur.

Ziggy revoit Lucy, les bras chargés de sacs en train de courir les magasins. Ellen se souvient de Carter qui mange des germes de soja à même le bocal tout en menant deux conversations téléphoniques à la fois.

À la fin, quand elles n'ont plus rien à dire, elles observent un moment de silence tandis que le vent berce le haut des arbres. Puis, une à une, elles défont les images qu'elles viennent d'évoquer, en retirent les personnages. Le jardin reste. La télévision continue ses émissions. Les menus, le shopping, les voitures, les plages, les aéroports, à tout cela elles ne touchent pas. Elles gardent leurs souvenirs, mais les vident de toute présence humaine. Tous les gens doivent disparaître. On les extirpe, on se les arrache de la tête.

Puis le souvenir reprend son cours, mais calme, à présent. Le vent souffle sur le gazon qu'aucun visiteur n'a aplati. Les canapés sont vides, les coussins ont retrouvé leur gonflant. Les cartons à chaussures et les sacs de vêtements neufs prennent la poussière dans un coin. Aucune voix ne pollue plus la pureté de l'air.

La dimension humaine du passé a disparu – ou, du moins, a été repoussée, hors d'atteinte.

À l'issu de ces séances, elles trouvaient le petit déjeuner servi dans la salle à manger. Elles se mettaient à table le visage serein, le regard raffermi. Avoir empilé des sacs de sable contre la digue qui retenait la grande marée du passé les rendait plus fortes.

L'exercice n'était pas facile. Les amants, les parents, les frères, les sœurs – Zelda – revenaient sans cesse à la surface. Parfois, ils étaient presque impossibles à effacer, mais les trois femmes se battaient ensemble, se donnaient mutuellement du courage. La peur, la souffrance, l'espoir, l'amour, tout ce qui était en elles, elles le mettaient dans le pot commun pour en extraire un élixir de volonté.

Peu à peu, au cours de l'hiver, leurs séances raccourcirent. Un jour, elles n'en eurent plus besoin.

— Qui voyez-vous ?

— Personne. Absolument personne.

— Où vous trouvez-vous ?

— Nulle part. Je suis partie. C'est fini.

Maintenant, rien ne pouvait plus les atteindre. Elles coulaient des jours paisibles, soulagées par le baume de l'oubli. Elles avançaient d'un pas léger dans un univers libre et dépeuplé.

Par une chaude matinée printanière, alors qu'elles buvaient du thé dans la véranda, elles reçurent une visite. Un tout récent printemps gonflait les bourgeons sur les arbres dénudés, et de fines pointes vertes perçaient la terre.

Une tache rouge frémit entre les arbres en haut du sentier.

— Voilà quelqu'un, dit Skye en lançant un regard inquiet à Ellen.

Une silhouette enturbannée, courbée sous le poids d'un gros sac à dos, apparut à la lisière du bois. D'après le visage, c'était une femme et, malgré le turban indien, une Occidentale. Ellen, Ziggy et Skye l'examinèrent en silence.

— Bonjour, dit la jeune femme en atteignant la fontaine.

Elle avait une voix claire et amicale, mais l'effort de ce simple mot sembla épuiser ses dernières forces. Elle monta les marches d'un pas lourd, tête basse, laissa tomber son sac à dos sur le sol de la véranda, puis se laissa glisser par terre. Dos appuyé au mur, elle ferma les yeux.

Ellen interrogea les autres du regard, mais Ziggy et Skye eurent un haussement d'épaules. Ni l'une ni l'autre ne la connaissait.

— Excusez-moi, mais vous cherchez quelqu'un ? demanda Ellen en se redressant et en s'approchant de l'inconnue qui ne répondit pas tout de suite.

— Je viens de Rishikesh, dit-elle enfin d'une voix hésitante, comme si elle lisait son rôle pour la première fois. Je vivais dans un ashram, mais on m'a mise à la porte. J'ai entendu parler de cet endroit dans la montagne. Je m'appelle Kate.

Ellen la considéra avec surprise. Elle jeta un coup d'œil sur Skye.

— Il faudrait... Il faudrait redemander du thé. Écoutez, Kate. Je ne sais pas ce qu'on vous a dit, mais cette villa est une demeure privée, nous n'accueillons pas de pensionnaires.

Kate leva vers elle des yeux rouges et gonflés. Un iris était bleu, l'autre brun, comme un chat enchanté. Un chaton perdu.

— Je veux voir la swami, la responsable, murmura-t-elle.

Skye pouffa.

— Il n'y a pas de swami, ici, expliqua Ellen. Ce n'est pas un ashram, ni un hôtel. Nous ne recevons personne.

— Il faut que je reste.

— Il y a quelques hôtels bon marché à Mussoorie. Ils ont certainement des chambres libres.

— Je n'ai pas d'argent...

Cet aveu soulagea Ellen.

— Ce n'est pas grave. Nous vous en donnerons. Prenez le thé avec nous, et puis un de nos garçons vous montrera le chemin.

En entendant cela, Kate tomba sur le côté et se recroquevilla.

— Ne me chassez pas, je vous en prie !

Son geste avait relevé sa manche et découvert son bras. La

peau blanche était marquée par une ligne de piqûres le long de la veine.

Ellen se sentit mal. Elle s'éloigna jusqu'au bout de la véranda.

Ziggy et Skye la rejoignirent. Elles tinrent un conciliabule en regardant à la dérobée leur visiteuse, toujours couchée par terre en position fœtale.

— Une toxico, murmura Ziggy. Ça se voit tout de suite.

— Où se croit-elle ? chuchota Skye avec fureur. À la Croix-Rouge ? Nous ne sommes pas un asile pour SDF.

Ellen, étonnée par cette véhémence, la regarda. Il n'y avait pas si longtemps, Skye aussi était mal en point, beaucoup plus, même.

— Elle a l'air très malade, remarqua Ziggy.

— Nous pourrions l'envoyer à l'hôpital, suggéra Ellen. Le médecin, Paul Cunningham, saurait sans doute quoi faire.

Elle eut un sourire et se reprit.

— Non, en fait, je crois qu'il ne serait pas très content que nous nous servions de lui pour nous débarrasser d'elle.

Ziggy paraissait songeuse.

— Elle pourrait rester. Nous avons de la place. Et nous avons du temps à lui consacrer. (Elle se tourna vers Ellen.) Tu pourrais peut-être l'aider. Faire comme avec nous.

— On ne peut rien pour les drogués, rétorqua Skye. Elle va s'enfermer dans les toilettes pour se piquer. Elle va nous voler.

— Son état semble grave, enchaîna Ellen. Et puis nous ne la connaissons même pas.

— Et alors ? S'il le faut, nous paierons quelqu'un pour la suivre toute la journée et toute la nuit, comme on le faisait pour nous, à la clinique Marsha Kendall.

— Tu plaisantes ! protesta Ellen.

— Tu as raison, on ne peut pas faire ça, mais nous pouvons tenter une nouvelle méthode. Notre méthode.

— Il n'en est pas question. Je vais demander à Djoti de trouver une solution. Je ne veux pas d'elle ici. Vous m'avez amplement suffi, toutes les deux. Votre maladie a été très lourde à supporter. Je ne veux pas subir ça encore une fois.

— Mais regarde ! s'exclama Ziggy. Quelle réussite !

Elles échangèrent un coup d'œil complice. Elles étaient heureuses. Elles avaient exploré ensemble les tréfonds de leur âme, et, ensemble, elles avaient assaini leurs souvenirs. À présent, elles formaient une famille, une famille recomposée de femmes libres et indépendantes, très proches.

Une toux éclata. C'était la jeune femme.

— Je vais chercher Djoti, annonça Ellen. Il aura bien une idée.

Mais quand Djoti la vit, il fut outré.

— Mais elle est américaine !

— Non, je ne crois pas. Elle a l'accent britannique, mais elle pourrait aussi être irlandaise.

— C'est une étrangère, trancha Djoti. Si je dois la chasser, je l'emmène chez la police.

— Ah non ! On ne peut pas faire ça.

— Je ne peux pas faire une autre chose.

Après une nouvelle délibération, elles décidèrent que Skye partagerait la chambre de Ziggy, et que Kate prendrait la sienne. Maintenant que cette inconnue s'installait chez elles, Ziggy trouva plus sage de mettre en lieu sûr les bibelots, les souvenirs, tous les trésors qui encombraient la maison. Un après-midi, elle profita de ce que Kate faisait la sieste, et qu'Ellen et Skye étaient en promenade, pour entasser tout ce qu'elle pouvait dans des coffres et des malles, puis elle demanda aux fils de Djoti de les monter au grenier.

À leur retour, Ellen et Skye éprouvèrent un choc en découvrant la transformation. Skye exigea qu'on lui rende les vases et se plaignit que la maison était devenue trop impersonnelle. Pourtant, en parcourant les pièces vides, elles ressentirent un nouveau bien-être. Les souvenirs envahissants de la famille les avaient maintenues dans un rôle de visiteuses, de locataires, de voyageuses en transit. Désormais, la maison leur appartenait.

Elles prirent des tours de garde pour veiller sur Kate pendant les longues journées et les longues nuits de la désintoxication. Elles essuyaient son visage trempé de sueur, lui versaient de l'eau dans la bouche en l'obligeant à desserrer les dents, et la maintenaient sur le lit pour lui éviter de se faire mal quand elle se débattait dans ses terribles crises de manque.

Quand le plus dur fut passé, Ellen lui consacra ses matinées. Elle l'aida à se raconter, lui soutira peu à peu les détails de sa vie. Kate se laissa guider, répondit à ses questions. Elle parla des gens, des lieux, des événements qui constituaient son histoire. Elle mit son passé à nu, puis elle referma la porte sur ses souvenirs pour s'en débarrasser.

Lentement, elle reprit des forces, et la lumière revint dans ses yeux.

— Tu vois ? J'avais raison. Je savais que tu saurais l'aider.

Ziggy était dans la véranda avec Ellen, et elles regardaient Kate qui désherbait le potager.

— Ce que tu fais, ce que tu dis, ça marche vraiment, continua Ziggy. Tu as déjà sauvé la vie de trois personnes.

Ces compliments firent plaisir à Ellen, mais elle sentait qu'ils couvraient un calcul, une idée en gestation. Ziggy mijotait quelque chose. Bientôt l'idée deviendrait un vrai projet, puis, lentement mais sûrement, il n'y aurait plus d'autre voie possible. Pas d'autre route à suivre que celle tracée par Ziggy. Mais non, ce n'était plus comme autrefois. Leurs rapports n'étaient plus les mêmes. Elle lui adressa un sourire reconnaissant.

Par une soirée froide et brumeuse, à peine quelques semaines plus tard, Ellen aperçut Kate, assise en tailleur sous un arbre au fond du jardin, qui se livrait à une activité étrange. Elle était auréolée de paix ; rien ne semblait perturber son calme intérieur, pas même les mouvements lents et harmonieux de ses bras, ni la respiration profonde qui soulevait sa poitrine. Son visage était serein, un masque vide. Ellen l'observa de loin. Le temps passa. Kate demeura ainsi plus d'une heure sans sembler se fatiguer, comme si les minutes n'étaient pas plus longues que le clignement de la flamme d'une bougie.

— C'est du yoga, expliqua Kate plus tard, quand Ellen l'interrogea. J'ai pris des cours à l'ashram. Il faut s'entraîner pas mal, mais au bout d'un moment on arrive à ralentir son esprit. Si je ne fais pas ça, je pense tout le temps à cent à l'heure ! Tout le temps ! Sauf quand je suis défoncée.

— Tu peux m'apprendre ? Nous apprendre à toutes les trois ?

— Mais… Je ne sais pas… Je suis débutante. Je ne sais presque rien. Et puis je ne suis pas très douée pour l'enseignement. Je n'aime pas parler en public.

— Ça ne sera pas difficile, tu verras. Essaie quand même de nous montrer ce que tu sais.

Elle regardait Kate droit dans les yeux pour vaincre ses réticences. Carter disait que, pour persuader les gens, on imitait leur façon de parler, on les regardait et, bien sûr, on leur souriait pour les séduire.

— Bon, mais… je préférerais le faire à l'intérieur… dans une pièce…

Ziggy les aida à vider le salon des quelques meubles qui y restaient. Elles ne conservèrent que des coussins, posés ici et là sur les tapis persans, et elles attachèrent les lourds rideaux pour dégager la vue des montagnes.

Le lendemain soir, Kate se plaça devant la baie vitrée, face aux trois autres qui avaient pris leurs distances. Skye s'était mise tout au fond, boudeuse, pour bien marquer qu'elle était là contre son gré.

Kate fut mal à l'aise tout au long de la leçon. Elle donnait des indications très vagues, exécutait ses gestes avec maladresse, mais malgré tout une certaine harmonie se dégagea de la séance. La sérénité venait de cette recherche de l'immobilité à travers le mouvement, et aussi de la puissance réparatrice du silence.

L'expérience plut énormément à Ellen qui s'efforça d'en tirer la substance. L'effort sans contrainte, sans douleur. Un succès qui n'était pas mesuré aux réactions du public. Elle aurait voulu aller plus loin, mais Kate n'en était qu'aux balbutiements. La vraie langue du yoga, sa vie, son âme, lui échappait totalement.

Au repas collectif suivant, Ellen demanda à Djoti d'appeler le jeune moine de l'ashram.

— Je voudrais apprendre le yoga, lui dit-elle par l'intermédiaire de Djoti.

— Oui, vous pouvez prendre un maître, avoir votre yogi personnel. Vous pouvez étudier auprès de lui jour et nuit, parce que vous avez des élèves qui vous soutiennent. Vous êtes déjà un maître. C'est bien. Il faut suivre la Voie de l'illumination spirituelle.

Tout en parlant, il regardait Kate, qui, son seau de riz à la main, servait les gens en reproduisant les gestes de Skye devant elle. La nouvelle venue était encore amaigrie par la drogue et une hépatite, mais elle avait les yeux clairs, et ses belles couleurs annonçaient le retour de la santé.

Un jour qu'elle revenait du temple de l'ashram par le marché, Ellen tomba nez à nez avec le médecin de l'hôpital.

— Tiens, bonjour, dit Paul.

Ils firent chacun un pas en arrière pour retrouver une distance plus convenable.

— Comment allez-vous ? demanda Ellen.

Il paraissait beaucoup moins fatigué, très en forme, même, et un sourire heureux éclairait son visage.

— Je vais bien, et vous ?

— Très bien.

— Cela faisait longtemps !

— En effet.

Ils opinèrent du chef tout en regardant autour d'eux, laissant le spectacle de la rue combler les lacunes de la conversation.

Au bout d'un assez long moment, Paul reprit la parole.

— J'ai rencontré votre voisine, Mme Stratheden, l'autre jour, à la banque. Je lui ai demandé si elle savait où vous en étiez. Elle dit que vous avez transformé la maison en communauté hippie. Elle n'avait pas l'air très contente, ajouta-t-il avec un rire.

— Ce n'est pas une communauté, protesta Ellen. Une quatrième personne est venue s'installer chez nous, c'est tout.

— Ne vous en faites pas, la rassura Paul. Vous n'auriez les faveurs d'Édith que si vous étiez anglaise, cacochyme, et que vous serviez des sandwiches au concombre pour le thé. (Il lui jeta un regard amusé.) Mais vous aimez peut-être les sandwiches au concombre...

Ellen eut un sourire.

— Ce n'est pas le style de cuisine que nous prépare Prianka.

— En tout cas, je ne sais pas ce que vous fabriquez là-haut, mais on dirait que ça marche. J'ai vu vos amies au marché. Elles sont méconnaissables.

— C'est vrai. Elles ont fini par s'en sortir.

Ils avançaient côte à côte du même pas lent et régulier. Une charrette attelée à un âne occupait presque toute la chaussée et les obligea à se rapprocher. Derrière les relents de poussière et de fumier de la rue, Ellen perçut une odeur de désinfectant. Un coup de semonce, un avertissement soufflé de très loin.

— Et maintenant, vous comptez faire quoi ? demanda Paul. Vous avez des projets ?

— Non, dit-elle avec une pensée pour Ziggy. Je ne sais pas, pour l'instant, nous nous laissons vivre et nous verrons bien.

— Parfait. Le hasard nous réunira peut-être de nouveau.

Il s'arrêta, passa un doigt sous son col comme s'il avait trop chaud et leva les yeux vers un ciel sans nuages.

— Je prends parfois un jour de congé. Nous pourrions peut-être… (Il s'interrompit avec un petit sourire gêné.)… nous pourrions déjeuner ensemble. Il y a plusieurs petits cafés très mauvais…

— Pourquoi pas ? Ça me ferait plaisir.

Elle se souvint de l'époque où elle et Ziggy acceptaient sans remords toutes les invitations lancées par leurs admirateurs les rares soirs où elles s'échappaient de leur école de danse. Elles promettaient d'aller au bal, à des fêtes, à des dîners, de partir en croisière, alors qu'elles savaient pertinemment qu'il n'y avait de place dans leur vie que pour les répétitions épuisantes et les cours de danse.

Mais, à présent, c'était différent. Elle était libre. Et pourtant, pouvait-elle vraiment, dans sa nouvelle existence, recevoir ou aller déjeuner en ville avec un médecin qu'elle avait rencontré par hasard au marché ? Non. Les nouveaux amis créaient de nouveaux souvenirs, redémarraient la chaîne de l'espoir et de la souffrance – tout ce qu'elle et les autres travaillaient tant à éradiquer. Il fallait couper toutes les attaches ; ce n'était qu'à cette condition qu'elles parvenaient à survivre.

Quand ils atteignirent l'embranchement de l'hôpital, Paul se tourna vers elle. Elle chassa toute expression de son visage et prit un air distant. Surpris par ce changement d'humeur, cette indifférence, il hésita. Il se demandait sans doute s'il avait pu la contrarier. Une ombre passa dans son regard.

— Eh bien, au revoir, alors.

Il ne dit rien d'autre et partit.

Ellen continua son chemin seule, certaine qu'il ne monterait pas la voir à la villa, qu'il ne donnerait pas de message à Djoti pour elle. Il la laisserait tranquille. Ce renoncement la peinait un peu, mais surtout elle était soulagée. Maintenant, elle pouvait retourner à la villa, retrouver Ziggy et les autres, l'esprit dégagé, le cœur vide.

L'hiver suivant, une cinquième personne se joignit à elles. Ruth arriva par un après-midi glacé pour voir le gourou occidental dont on lui avait vanté les mérites. Elle affirmait poursuivre une quête spirituelle, mais ressemblait plutôt à une touriste ordinaire. Elle était si vivante, si joyeuse, que Ziggy et Skye persuadèrent Ellen d'accepter sa présence pendant quelque temps.

Elle les amusait le soir, au coin du feu, avec ses histoires d'Australie profonde. Elle avait grandi dans un élevage de moutons, et suivi ses études par correspondance quand elle en trouvait le temps, entre deux transhumances et deux tontes. Elle connaissait encore moins le monde qu'Ellen et Ziggy, dont les cours de danse avaient laissé très peu de place à l'histoire et à la géographie, ou aux questions d'actualité. Mais loin de se laisser démonter, Ruth riait de tout : de ses lacunes, de ses erreurs, de ses plaisanteries, et elle enchantait tout le monde.

Ellen l'écoutait en silence, émue par le doux accent australien et les manières peu affectées qui lui rappelaient si fort le naturel de Lizzie, de Dr Ben et des autres habitants de l'île Flinders. Comment ne pas penser à Zelda ? Deux ans s'étaient écoulés ; elle devait être grande, maintenant, avoir un nouveau vocabulaire, de nouvelles idées, des projets, des passions… La charmante voix de Ruth la mettait à la torture : près d'elle elle ne parvenait plus à chasser ses souvenirs. Mais Ellen ne quittait pas le salon car elle refusait de s'avouer vaincue. C'était comme approcher la main d'une flamme. Sous l'effet prolongé de la chaleur, les nerfs se fatiguaient, devenaient insensibles, et l'on ne sentait plus rien.

Quand il fut décidé que Ruth resterait, Ziggy la prit à part avec Ellen pour lui expliquer les règles de vie de la maison : pas de lettres, pas de photos, pas de vêtements autres que des vêtements indiens. Et on ne parlait pas de son pays, ni de sa famille, ni de quoi que ce soit qui ait trait au passé, sauf pendant les tête-à-tête avec Ellen. Il y avait des obligations, aussi : des tâches ménagères, les repas collectifs à servir et les cours de yoga.

Ruth les écouta, les yeux pétillants.

— Je savais bien que ce n'était pas une maison ordinaire, commenta-t-elle.

— Toutes les familles obéissent à des règles, protesta Ellen. Ce n'est rien de plus.

Ziggy ne fit aucun commentaire.

Ruth jeta un coup d'œil gêné sur Ellen.

— Tu vas rire, mais l'autre jour j'ai compris à qui tu me faisais penser. Ma petite sœur collectionnait les poupées comme Sindy et Barbie ; elle avait aussi une Twiggy. Maman les commandait à Melbourne. Un jour, ma tante lui en a envoyé une des États-Unis. C'était une danseuse, et elle avait des tas de vêtements différents. Je ne me souviens pas de son nom, mais, acheva-t-elle avec un rire, tu me fais penser à elle. Je sais que c'est bête, mais tu lui ressembles beaucoup.

Ziggy lui adressa un petit sourire glacé.

— Souviens-toi, Ruth. Ici, nous ne parlons pas de notre ancienne vie. Les sœurs, les poupées… ça n'a aucun intérêt.

23

Ziggy entra dans la chambre d'Ellen avec deux tasses de thé sur un petit plateau laqué. Sous le bras, elle tenait un rouleau de papier aux bords abîmés et jaunis. Elles s'assirent côte à côte sur le lit, et Ziggy déroula une vieille carte de Mussoorie.

— Il faut absolument trouver une maison plus grande, dit-elle. Nous sommes à deux par chambre, et Kate a emménagé dans la remise. Ce qu'il nous faut, continua-t-elle en regardant la carte, c'est une très grande maison de famille avec beaucoup d'espace pour les domestiques. Notre personnel vivrait ailleurs, et nous, nous occuperions les chambres de service. Ou bien un ancien pensionnat. Il y en a des quantités, par ici.

Elle attendit une réponse.

Au lieu de lui donner son avis, Ellen plongea la main dans sa poche et en tira une enveloppe.

— C'est arrivé aujourd'hui.

Ziggy ouvrit la lettre, écrite sur une grande feuille de carnet constellée de taches d'eau. Plus sa lecture avançait, plus elle prenait l'air songeur.

— Jerry McGee… Ce nom me dit quelque chose. Qui est-ce ?

— Hé ! Tu vis où, dans la jungle ? C'était le guitariste de The Shout.

— Il veut nous envoyer son fils, Jesse, commenta pensivement Ziggy. Quel âge, tu crois ?

— Jerry McGee a largement plus de quarante ans. Jesse doit en avoir vingt. Je me demande comment il a entendu parler de nous.

— Qui sait ? Peut-être par Carter. Je suis sûre qu'il est en contact avec Lucy et qu'il nous espionne de loin. Bientôt, il va nous demander une commission pour la clientèle qu'il nous adresse, tu vas voir !

Ellen eut un sourire, puis elle se leva et se mit à marcher de long en large.

— Je ne sais pas, Zig. Tous ces gens qui viennent s'installer avec nous… Ça nous coince un peu, tu ne trouves pas ? Et si nous avions envie de partir. De faire autre chose ?

Ziggy la regarda avec de grands yeux.

— Mais nous ferions quoi d'autre ? Tu veux qu'on rentre aux États-Unis pour passer nos journées au bord d'une piscine ou autour d'une table de bridge ? À assister à des défilés de mode et à des premières ? À lire les pages financières des journaux ? Nous sommes trop vieilles pour être mannequin et pour danser. Nous ne serions plus personne…

Elle se pencha vers Ellen, les yeux brillants d'enthousiasme.

— Ici, nous sommes vraiment utiles ! Surtout toi. Tu sauves des tas de gens. Ils te doivent la vie. Ce n'est rien pour toi, ça ?

— Si, bien sûr, mais c'est trop de responsabilités. Je suis obligée de les aider, que je le veuille ou non. On me prête trop de pouvoir. Parfois, ça me donne l'impression de n'avoir aucun choix, et ça me fait peur.

Cela lui faisait même très peur. Quand elle pensait à leur groupe qui grandissait, et à sa place à la tête de la maisonnée, elle ne savait plus comment elle en était arrivée là. C'était bon de se sentir utile, d'être admirée, mais elle redoutait qu'un jour on ne dévoile l'imposture, et qu'on la voie pour ce qu'elle était, une femme ordinaire qui usurpait sa renommée.

— Mais enfin, Ellen, les gens ont toujours beaucoup attendu de toi. L'École, Carter, Karl… Ça ne te perturbait pas plus que ça.

— On me demandait simplement de danser, ou de poser pour des photos. C'était facile. Maintenant, pour ces gens, je représente quelque chose. Ils me font jouer un rôle. Je ne veux pas les décevoir.

— Écoute. Ils viennent parce qu'ils ont entendu parler de toi, mais s'ils restent, c'est qu'ils se rendent compte que tu es bien telle qu'on t'a décrite.

Ellen éclata de rire.

— À t'entendre, j'ai l'impression d'être un phénomène de foire !

— Que veux-tu que j'y fasse ? répondit Ziggy, amusée. Et puis je ne suis pas d'accord. Il n'y a pas de différence avec avant. En fait, je crois même que c'est tout à fait pareil. Tu sais, cette fameuse « âme » que Carter ramenait toujours sur le tapis. Et les journalistes... Ils disaient quoi ? (Elle prit un ton théâtral.) Une personnalité secrète... Cachée, mystérieuse, animée d'un pouvoir étrange et ensorcelant. Tu te souviens ?

— Un tissu d'idioties.

— Non, pas du tout. C'était vrai, et ça l'est toujours. Je t'assure, tu n'as qu'à demander à Kate et à Ruth, à n'importe qui. Fais confiance à ceux qui t'admirent, au moins, si tu ne crois pas en toi.

Il y eut un bref silence. Au loin, on entendait un ragtime que Skye jouait au piano. Ziggy se pencha pour reposer sa tasse sur le plateau.

— À propos, il faut qu'on descende à Mussoorie pour ouvrir un nouveau compte en banque.

— Pourquoi ? Mon compte est approvisionné.

— Oui, mais les gens veulent faire des contributions financières. Ou leurs familles. Et si nous leur demandons de participer aux frais, nous pourrons utiliser l'argent pour améliorer nos conditions de vie. Nous ne pouvons pas tout payer de notre poche. C'est la seule solution.

Elle attendit qu'Ellen approuve avant de continuer.

— De toute façon, il paraît qu'un traitement a plus de

chance de réussir si les gens donnent quelque chose de matériel en échange. Autrement dit, s'ils payent.

Elle se mit debout et tourna lentement sur elle-même, ses longs bras minces levés au-dessus de sa tête pour s'étirer. Ellen l'admira. Elle était redevenue le genre de femme qu'aimait tant Carter : une belle blonde aux yeux verts, longiligne et saine. On avait peine à imaginer qu'elle avait été au seuil de la mort et anorexique au dernier degré. Mais cette beauté éveillait une vague angoisse, comme si les forces grandissantes de Ziggy épuisaient les siennes, l'affaiblissaient, la rendaient plus vulnérable et lui ôtaient son libre arbitre.

— Je te laisse la carte, dit Ziggy en retournant à la porte. Envisage les différentes possibilités. Je pense qu'il faut trouver un endroit avec une route. Praticable en voiture, je veux dire. Tu ne crois pas ?

— Si, bien sûr.

— Bonne nuit.

— Bonne nuit.

— Dors bien.

— Toi aussi.

Elles se regardèrent, se souvenant de leur chambre de couvent avec sa grande fenêtre froide, et des fous rires qu'elles attrapaient dans le noir. Elles se racontaient des histoires, partageaient leurs peurs, et c'était toujours Ziggy qui décidait qu'il fallait se taire.

Bon, je vais dormir, maintenant.

Oui, bonne nuit, Ziggy.

Bonne nuit.

Quelques instants d'un silence vibrant, empli de leurs respirations.

Tu dors, El ?

Non…

Devine ce que j'ai vu ce matin…

Ellen se mit à la fenêtre pour regarder tomber la neige, motifs mouchetés qui glissaient sans fin sur un épais ciel noir. La maison s'endormait ; les voix se taisaient, les derniers rires s'éteignaient, et bientôt le silence fut complet. Ses grosses chaussettes de laine aux pieds, Ellen entra dans son lit et s'enfonça sous les draps, se couvrant jusqu'aux oreilles. Elle ferma les yeux et fit un exercice de relaxation pour oublier le froid qui lui enserrait la tête comme des mains glacées.

Un vent violent se leva, qui rabattait les bourrasques de neige contre les vitres avec des hurlements. Elle tira un peu plus sur les couvertures et les plaqua sur ses oreilles pour étouffer le bruit. C'était un rugissement qui montait et retombait, une plainte qui mourait soudain dans de brèves accalmies. Brusquement, elle redescendit les couvertures et tendit l'oreille. Pendant un long moment, elle n'entendit rien, puis le petit son qui avait percé la tempête revint. C'était le gémissement presque inaudible d'un chien. Elle fut prise d'une terrible panique. Je déteste les chiens, se dit-elle pour se rassurer. C'est tout. Je n'aimais pas le chien de James...

Elle ne put s'empêcher d'aller à la fenêtre, et de se coller au carreau glacé pour regarder dehors. Un frémissement lointain et indistinct s'éveillait en elle, comme les vibrations d'un train sur les rails. Tandis qu'elle scrutait la nuit, le murmure approcha, approcha, devint de plus en plus fort, de plus en plus précis. C'était la neige qui provoquait cette peur, la neige qui s'amoncelait sur le rebord de la fenêtre et qui hachurait le ciel noir de ses longues lignes blanches. Et les gémissements du chien dans la nuit glaciale. Les petits jappements de détresse, à peine audibles sous le hurlement du vent.

Ellen en avait des sueurs froides. Son cœur battait à tout rompre. Elle respirait mal, haletante, incapable de retrouver l'indifférence bienfaisante, la calme pâleur de l'oubli...

Attends, soufflait une petite voix dans la tempête. *Écoute.*

Non ! Sauve-toi !

Un moment, Ellen resta en suspens, à la croisée des chemins : d'un côté, la route familière de l'oubli, de l'autre, un sentier étroit et difficile qui menait vers l'inconnu...

Tu es forte à présent. Autonome. Libre. Tu es prête.

Elle appuya le front contre la vitre froide et ferma les yeux.

Elle imagina la sérénité du temple de l'ashram. Son instructeur, le yogi, lui montrait la voie, la guidait…

L'unification du souffle et de l'esprit, c'est le chemin de la connaissance. Il faut se concentrer sur un point unique, le *bindu*. Pour commencer le voyage intérieur, on se vide l'esprit de tout ce qui est extérieur.

Elle remonta dans le passé, de plus en plus loin, se fraya un passage à travers les strates confuses de la mémoire.

Éliminer toute pensée, tout sentiment, toute perception.

Transcender les limites de l'esprit et des sens. Trouver le calme absolu. Regarder, écouter l'objet sur lequel on se concentre. Un mot, une couleur, un son.

Un gémissement dans la nuit…

Le soleil, bas à l'horizon, diffusait une lumière dorée sur le jardin enneigé. Ellen envoya encore la balle, et Sammy courut pour la rattraper, laissant des empreintes légères derrière lui.

— Rapporte ! cria Ellen.

Mais Sammy lui jeta un regard joueur et s'enfuit vers la forêt en remuant la queue, la balle dans la gueule.

— Non, Sammy ! Reviens ! cria Ellen. Ici, mon chien. Bon chien !

Le chien se glissa sous la barrière et galopa entre les grands pins. Après un regard inquiet à son uniforme d'écolière, elle se lança à sa poursuite et courut entre les buissons enrobés de glace.

— Sammy ! Reviens !

Ses cris étaient trop faibles, étouffés par la neige. Au bout d'un moment, elle s'arrêta. Cet imbécile de chien lui échappait pour jouer, jamais il ne reviendrait. Elle se tourna vers la maison avec angoisse. Maintenant, il ne fallait plus bouger, même si c'était difficile. Elle le siffla, des sifflements longs et répétés, avec un calme qui masquait son affolement.

Enfin, Sammy revint, déçu, queue et oreilles basses. Il

déposa la balle à ses pieds avec un regard de reproche. Ellen le saisit par le collier et le prit dans ses bras.

— Idiot, souffla-t-elle d'une voix tremblante. Tu vas nous faire gronder !

Elle le serra fort contre elle et rentra en courant, la truffe froide de Sammy pressée contre le menton.

— Vilain toutou, gronda-t-elle gentiment tandis que la langue chaude et mouillée passait sur sa joue.

En arrivant en vue de la maison, elle eut un sursaut de terreur. La voiture rouge de sa mère était là. Margaret était rentrée. Elle courut à la porte. « Mon Dieu, faites qu'elle ne nous voie pas, pria-t-elle, par pitié. »

Mais Margaret les observait d'une fenêtre du premier. Elle avait peur, comme Ellen, mais était aussi très en colère. Ellen l'aperçut à l'étage et se raccrocha à Sammy qui se débattait pour descendre de ses bras. Elle était livide, l'air dur, le regard noir. Elle disparut de la fenêtre, sans doute pour descendre. Ellen se tourna vers la route, tentée de s'enfuir avec son chien. Mais elle était encore petite, on la ramènerait. Elle ne réussirait qu'à aggraver la situation.

Elle resta donc devant la porte et, sans lâcher Sammy, tâcha d'améliorer son apparence. Elle repoussa ses nattes dans son dos, tira sur ses vêtements, plaça les pieds sagement côte à côte. Quand elle entendit tourner la poignée, elle leva la tête, hypnotisée par la porte qui s'ouvrait. Le visage de Margaret apparut, rigide, vide de toute expression. Ellen tremblait à l'intérieur, mais réussit à ne pas montrer sa peur.

— Où étais-tu ? demanda sa mère, très maîtresse d'elle-même. Je t'ai cherchée partout dans la maison et dans le jardin.

— Sammy s'est sauvé dans la forêt, expliqua Ellen en s'efforçant d'imiter son ton posé. Il a fallu que je lui coure après.

— Je t'ai pourtant dit de ne pas quitter la maison quand je ne suis pas là.

— Oui, Margaret.

Ellen baissa le nez et posa les yeux sur les chaussures rouge sang à talons aiguilles de sa mère. Elle frissonna.

— Tu aurais pu tomber dans un fossé. Je n'aurais pas su comment te retrouver. Ellen, tu as huit ans, maintenant !

Elle s'exprimait d'un ton très triste ; sa fille l'avait encore déçue.

— Il faut que je te donne une bonne leçon. Entre.

Ellen avança d'un pas.

— Pose ce chien par terre.

La fillette releva la tête.

— Pose-le, répéta Margaret.

— Mais il… il a l'habitude de coucher dedans. Je vais le mettre tout de suite dans la buanderie.

Margaret se dressa de toute sa taille dans l'encadrement de la porte.

— Entre, je te dis, et laisse le chien dehors.

— Mais il neige !

Un grand bras se tendit, attrapa le collier de Sammy, arracha le chien des bras d'Ellen et le jeta à terre. Il atterrit sur le dos, agita ses petites pattes pour se retourner et s'assit. Sa queue battait par terre, mais il avait l'air de ne pas comprendre.

Margaret saisit Ellen par l'épaule, l'attira dans la maison et claqua la porte derrière elle.

— Tu es toujours aussi incapable de m'obéir, à ce que je vois !

Ellen n'avait d'yeux que pour la porte derrière laquelle montait un gémissement. Des griffes raclèrent le bois.

— Va dans ta chambre !

— S'il te plaît, laisse-le rentrer. Tu peux me supprimer mon argent de poche pendant un an, si tu veux. Je nettoierai toute la maison. Je jure de ne plus jamais faire de bêtise. Je t'en prie…

De grosses larmes coulaient le long de ses joues. Elle agrippa le bas de la veste de Margaret pour l'empêcher de s'éloigner.

— Il va mourir de froid !

— Tu n'avais qu'à m'obéir.

— Non, non !

Un hurlement jaillit de ses poumons ; il se déroulait comme un serpent géant, l'étouffait tant il était énorme. Il montait, montait, ne voulait pas s'arrêter.

Margaret la fit taire avec une grande gifle.

— Arrête !

Ellen plaqua la main sur sa joue. Malgré la douleur, elle essaya de retrouver son calme. Peut-être, si elle était sage, si elle se tenait tranquille, Margaret changerait d'avis et le laisserait rentrer. C'était seulement pour lui faire peur.

— Je te demande pardon, Margaret...

Elle grimpa dans sa chambre à pas mesurés et ferma la porte sans bruit.

Aussitôt, elle se précipita à la fenêtre. Sammy était devant la porte, assis sur la dernière marche, et attendait qu'on lui ouvre.

Elle avait envie de frapper au carreau pour l'appeler, mais il valait mieux ne pas lui créer de faux espoirs. Il valait mieux qu'il parte, qu'il cherche un endroit où se mettre au chaud. Plus tard, quand Margaret l'autoriserait à aller le chercher, elle n'aurait qu'à siffler pour qu'il revienne.

Elle s'assit sur son lit et contempla le tapis. Il était doux et rose avec des motifs d'ours en peluche et de chevaux à bascule. Elle commença à les compter ligne à ligne, vers la porte puis vers la fenêtre. Ensuite, elle tenta de calculer combien d'ours il y avait en tout, et combien de chevaux à bascule au sourire niais.

Le temps passa. Le soleil se coucha. L'obscurité s'épaissit dans la chambre. Dehors, Sammy se mit à aboyer. D'abord avec colère, puis ses aboiements se transformèrent en longs hurlements de désespoir. Ellen ferma les yeux très fort et se mit les mains sur les oreilles, mais elle l'entendait toujours.

Elle retourna à la fenêtre. La neige tombait dans un ciel noir. Les arbres peuplaient le jardin de leurs ombres décharnées. Et Sammy était toujours là, petite boule de poils dans la neige.

Va-t'en, supplia Ellen, sauve-toi, trouve une autre maison. Va dans le bûcher ou dans la cabine de bain de la piscine. Mais il l'attendait. Il pensait qu'elle allait descendre pour le faire rentrer. Il avait envie qu'elle s'occupe de lui, qu'elle le prenne dans ses bras pour le déposer dans son panier tout doux et tout chaud.

À bout de nerfs, elle décida de descendre. Elle trouva Margaret dans le salon, assise sous la lampe, qui lisait une revue médicale. Le rond de lumière tombait sur son visage. Quand Ellen entra, elle leva la tête d'un air un peu étonné, comme si tout allait bien.

— Il neige, dit Ellen.

— Oui, et alors ?

— Sammy attend devant la porte. S'il te plaît, laisse-le entrer.

— Non, Ellen. Ce chien restera dehors. Ça t'apprendra.

Ellen la contempla fixement. C'était tellement injuste !

— Mais c'est toi qui me l'as donné. Tu me l'as offert pour mon anniversaire.

— C'était une coïncidence de date. Je l'ai acheté pour te tenir compagnie pendant que j'étais au travail, pour que tu ne demandes pas à jouer dehors, ou à aller chez des amies après l'école. Tu devais rester avec lui dans la maison pour que je puisse te téléphoner, et que toi tu me téléphones en cas de problème.

Elle marqua une pause pour donner plus de poids à ce qu'elle venait de dire.

— Et au lieu de ça, tu vas traîner dans la forêt, continua-t-elle en reprenant sa revue. Il est clair que j'ai eu tort de t'acheter ce chien.

— Alors tu veux le laisser mourir de froid, dit Ellen d'une voix pénétrée d'horreur. Tu veux le tuer.

— Reprends-toi, Ellen.

Margaret tourna une page et se remit à lire.

— Non ! hurla Ellen. Je te déteste ! Je te déteste ! Je voudrais que ce soit toi qui meures !

Dans le silence qui suivit, les gémissements de Sammy reprirent de plus belle. Margaret leva les yeux lentement.

— Quoi, qu'est-ce que tu as dit ?

Paralysée de terreur, Ellen chercha comment se rattraper. « Pardon, pardon, je ne recommencerai pas. Margaret. Maman. Je te demande pardon. Je t'aime. » Les mots étaient là, affluaient dans sa tête, mais ils ne franchissaient pas le seuil de ses lèvres.

— Parfait, j'ai compris, soupira Margaret.

L'air résigné, elle quitta la pièce. Elle revint avec sa sacoche de médecin déjà ouverte.

— Remonte ta manche, dit-elle en fouillant à l'intérieur.

Ellen vit apparaître une petite fiole, avec une seringue et une aiguille.

— Qu'est-ce que c'est ? demanda-t-elle, prise de frayeur.

— Puisqu'il n'y a pas d'autre façon de te calmer, il faut bien en passer par là.

Margaret ouvrit le haut du flacon d'un geste sec. Elle remplit la seringue et la tint en l'air, prête à piquer.

— Non, je t'en prie, dit Ellen sans bouger tandis que Margaret avançait vers elle. Tu veux me tuer, comme Sammy, ajouta-t-elle avec horreur.

— Ne dis pas de bêtises !

Margaret lui attrapa le bras et frotta la peau avec une compresse. Ellen vit l'aiguille pénétrer de biais, soulever la chair.

Dehors, le pauvre petit chien gémissait dans la neige, mais une brume se formait au-dessus d'elle, l'enveloppait.

Au revoir, Sammy. Au revoir mon chien.

Mon seul ami.

Le lendemain matin, le soleil inondait la chambre d'Ellen quand elle se réveilla. Le rectangle de la fenêtre se colorait d'un bleu lumineux. Elle revêtit son uniforme avec soin tout en surveillant le jardin. Il était vide.

Elle descendit et prit son petit déjeuner, mâcha, avala, tâchant de ne pas regarder l'écuelle vide de Sammy près de la porte de la cuisine. Margaret était prête à partir au travail, vêtue d'un tailleur rouge avec un gilet assorti. Cachée derrière ses lunettes noires, ses lèvres écarlates pincées, elle ne lui adressait pas la parole.

Lorsqu'elles sortirent pour aller à la voiture, Ellen s'arrêta pour regarder autour d'elle. La pelouse blanche n'était marquée que par des empreintes de pattes d'oiseau. La voiture était restée dehors toute la nuit, et une épaisse couche de neige recouvrait le toit et le capot. Margaret avait déjà dégagé le pare-brise. Malade de tristesse, Ellen attendit que sa mère déverrouille sa portière. Elle monta et regarda droit devant elle pendant que Margaret sortait de l'allée en marche arrière. La voiture laissa un rectangle de terre dégagée à l'endroit où elle avait stationné. Au milieu, il y avait un petit chien noir, recroquevillé, comme s'il avait essayé de se réchauffer sous le moteur encore tiède.

Ellen sauta de la voiture en marche, perdit l'équilibre, puis se releva. Elle entrevit la surprise dans le regard de Margaret avant de se précipiter vers Sammy. Du givre couvrait le pelage noir. Elle se baissa et posa une main tremblante sur sa tête. Elle était froide.

— Sammy..., murmura-t-elle.

Elle tira sur les petites pattes, mais elles étaient raides, gelées. Il était mort.

Elle retourna à la voiture. Avant de monter, elle secoua soigneusement la neige de ses chaussures et redressa ses chaussettes.

— Je passerai te chercher à l'école, dit sa mère. Attends-moi devant le bureau des surveillantes.

— Oui, Margaret.

— Et ne sois pas en retard.

— Non, Margaret.

Ellen regardait toujours dehors. La nuit était redevenue silencieuse ; le chien perdu avait repris sa route, ou trouvé un abri. La tempête s'apaisait et la lune apparaissait dans le ciel glacé. Mais Ellen ne songeait plus qu'au visage de Margaret, qu'elle n'avait pas vu depuis tant d'années...

Les yeux étaient verts, en amande, les sourcils très clairs. Le rouge à lèvres pénétrait dans les commissures, un duvet blond couvrait la lèvre supérieure. L'intérieur du nez était rose, avec des veines éclatées. Les dents, petites, pointues, se découvraient jusqu'aux gencives quand elle souriait.

Ce gros plan s'effaça et laissa place à une autre image : Margaret allongée au soleil au bord de la piscine. Derrière elle, la cabine de bain était ouverte ; elle était peinte en vert clair, de la même couleur que les volets avec le cœur découpé au milieu. À l'intérieur, des serviettes pendaient à des crochets. Des maillots de bain traînaient par terre.

Margaret étendit ses longues jambes lisses et remua les orteils. L'eau scintillante jetait des lueurs dansantes sur sa peau bronzée.

— Je vais te donner une leçon de natation, annonça-t-elle en levant sa tête coiffée d'un turban.

Ellen hésita à la porte de la cabine. Le pied battant nerveusement contre le carrelage, elle fit un sourire timide. Elle avait très envie que sa mère la prenne dans ses bras, d'être tout contre elle, d'entendre ses conseils dans son oreille. Mais Margaret la repousserait si elle n'y parvenait pas, si elle buvait la tasse, se mettait à tousser, l'éclaboussait.

— Viens.

Margaret glissa dans la piscine et lui tendit les bras. Ellen se laissa tomber dans l'eau froide. Il y avait une odeur de lotion solaire, d'eau de Javel et de laque.

Margaret la soutint sous le ventre et lui ordonna de faire le petit chien, comme on le lui avait appris.

— La tête hors de l'eau ! C'est ça. C'est bien !

Elle tendait les bras pour bien écarter Ellen de son corps.

— Maintenant, fais les mouvements de jambes.

Ellen s'appliquait de son mieux ; elle commençait même à s'amuser et à sentir l'eau la porter. Il lui sembla avancer.

— Regarde ! J'y arrive !

Margaret la lâcha. Prise de panique, Ellen se tourna vers elle avec des mouvements désordonnés et se mit à couler.

Margaret riait.

— C'est ça, bouge les jambes, bouge les bras ! Vas-y, les jambes !

Sa voix s'étouffa, remplacée par les cliquetis assourdis qu'on entend sous l'eau. Ellen gonfla les joues pour retenir sa respiration, en attendant que sa mère la rattrape. Mais elle s'enfonçait sans qu'aucun bras secourable ne la repêche. Elle balança des grands coups de bras et de jambes sous l'eau. Son pied toucha le fond, et elle donna une poussée, les poumons sur le point d'éclater. Mais quelque chose appuyait sur sa tête, l'empêchait de remonter à la surface. Elle leva les bras, griffa les doigts longs et forts qui la poussaient, essaya de les arracher de sa tête. Mais les mains poussaient, poussaient pour la maintenir sous l'eau.

Terrorisée, elle se débattit de toutes ses forces, et une pensée lui transperça le cœur.

Margaret…

Elle va me tuer. Enfin.

Soudain, les mains la libérèrent. Ellen roula sur le dos, le visage tourné vers la surface et le soleil. Des vaguelettes dorées lui caressèrent le visage. C'était beau comme le paradis, beau comme le visage de Dieu.

Ellen traversa la maison obscure et courut jusqu'à la chambre de Ziggy. Elle s'arrêta sur le seuil, secouée par des sanglots silencieux.

— Ziggy, Ziggy, réveille-toi !

Ziggy tourna dans le lit.

— Quoi ?

Elle ouvrit les yeux et s'assit en cherchant l'interrupteur de la lampe de chevet sans le trouver.

— Que se passe-t-il ?

Ellen se jeta sur le lit.

— Au secours, aide-moi, murmura-t-elle en tombant dans les bras de son amie.

Elle tremblait, pleurait à chaudes larmes.

— Mais quoi ? Dis-moi ce qui ne va pas !

Comme Ellen ne répondait pas, Ziggy la berça.

— C'est bien, mon ange. Vas-y, pleure, fais sortir tout ça.

Elle se poussa pour lui faire de la place, la fit allonger près d'elle, puis tira les couvertures et la reprit dans ses bras. Elle lui caressa les cheveux avec des gestes rassurants.

Les sanglots d'Ellen s'apaisèrent. Elles restèrent côte à côte, couchées sur le dos, les cheveux de l'une mêlés à ceux de l'autre, bruns et blonds, rayons de lune et de soleil. Ziggy voulut allumer, mais se rendit compte que le courant était coupé. À tâtons, elle trouva une bougie et des allumettes. Une flamme jaillit.

— Je me souviens de tout, annonça Ellen à voix basse. Des choses de Margaret... des choses qu'elle m'a faites.

Elle essaya de continuer, mais se remit à pleurer avec des petits gémissements.

Ziggy lui prit la main en silence. La chambre était un îlot hors du temps, éclairé par la flamme vacillante qui envoyait voler des ombres au plafond.

— Tu me racontes ?

Ellen s'essuya le visage avec la main.

— Ce n'est pas tellement ce qu'elle a fait qui me met dans cet état. C'était il y a très longtemps. C'est fini. Mais... mais c'est parce que je sais ce qui m'est arrivé avec Zelda. C'était elle, c'était Margaret.

Elle prit un peu de recul et s'expliqua dans la chambre pleine d'ombres.

— Zelda, c'était moi petite fille, et moi j'étais Margaret. Ce n'était pas mes pulsions à moi. Je répétais ce qu'elle m'avait fait.

Ziggy hocha la tête. Elle ne dit rien pendant un long moment.

— Mais à présent, c'est fini, ça aussi, commenta-t-elle d'une voix calme. C'est terminé. Il faut que tu oublies le passé.

— Non !

Elle roula sur le côté et s'appuya sur un coude pour mieux voir Ziggy.

— Ce n'est pas fini, il y a encore Zelda. Si je m'étais souvenue de mon passé avant, je n'aurais pas réagi de la même façon. J'aurais pu changer. J'en suis sûre. Je ne serais pas partie.

— D'accord, mais maintenant, c'est fait ! Tu les as quittés. Affaire classée.

Elle s'assit dans le lit pour faire face à Ellen.

— C'est sûrement une bonne chose que la mémoire te soit revenue. Comme ça, tu vas encore mieux pouvoir oublier. Il faut enfermer tes souvenirs. Faire en sorte que ça n'existe plus.

Elle pressa les épaules d'Ellen pour mieux appuyer ses propos.

— C'est notre règle. Ça marche pour tout le monde, et pour toi aussi. Enfin, Ellen, c'est toi qui as mis la méthode au point !

— Ce n'est pas pareil…

— Si, c'est tout à fait pareil, au contraire. Maintenant tu vas vraiment pouvoir nous montrer que tu es forte.

— Mais… je ne suis pas forte. Je ne veux pas être forte.

— Si, tu es forte. Il faut que tu sois forte, ajouta-t-elle d'une voix plus douce. Nous t'aiderons…

Elle se rallongea et attira la tête d'Ellen sur sa poitrine. Sa voix monta dans le silence, apaisante comme du velours, séductrice.

— Nous t'aiderons, Ellen. C'est nous, ta famille à présent.

Aux premières lueurs de l'aube, Ellen retourna dans sa chambre à pas feutrés. Elle poussa un fauteuil contre la porte pour la tenir fermée, s'enveloppa dans une couverture et s'assit pour écrire.

Elle raconta tout. L'histoire de Margaret et d'Ellen. Celle d'Ellen et de Zelda.

Ensuite, elle écrivit une brève lettre d'accompagnement.

Cher James,

Tout ce que je t'envoie est vrai. Crois-moi, c'est la vérité. Maintenant tout a changé. Il faut que je revienne.

Après le petit déjeuner, Ellen annonça qu'elle descendait au temple de l'ashram. C'était le seul endroit où elle allait toujours seule. Ziggy posa sur elle un regard scrutateur, puis elle hocha la tête et l'embrassa. Sentant qu'elle avait de la peine, ou des ennuis, les autres la contemplaient avec des airs éplorés sans savoir que faire.

Elle se rendit bien à l'ashram, ainsi qu'elle l'avait dit, mais sur le chemin du retour, au lieu de quitter la route pour continuer par le sentier, elle tourna vers l'hôpital.

Beaucoup de personnes attendaient devant l'entrée principale. Les gens s'écartèrent pour la laisser passer. Une odeur écœurante d'antiseptique monta sous les effluves d'huile de cuisine, d'ail et de transpiration.

— Oui, mem-sahib ?

C'était la réceptionniste, derrière un guichet dans un coin du hall. Elle s'escrimait sur le cadenas qui bloquait le cadran d'un gros téléphone noir.

— Vous voulez ?

— Je voudrais voir le Dr Cunningham. Ce n'est pas pour une consultation. C'est personnel. Ça ne prendra pas longtemps.

— S'il vous plaît, attendre, dit la dame en désignant l'autre bout du hall.

Malgré tous les gens attroupés devant la porte de l'hôpital, la salle d'attente, meublée de chaises de cuisine et de tables basses dépareillées, ne contenait que deux personnes. Ellen salua poliment une Indienne bien vêtue, sans doute la mère d'un pensionnaire. À l'autre bout de la pièce, un Tibétain âgé, contemplait un magazine qu'il tenait à l'envers dans ses grosses mains rudes. Ellen s'assit au milieu, et regarda autour d'elle. Les murs étaient couverts d'affichettes de recommandations sanitaires et de textes religieux. Ses yeux se posèrent sur une photographie de montagne, avec quelques lignes imprimées dans le ciel :

> Il donne la neige comme de la laine.
> Il lance sa glace comme des miettes de pain.
> Il envoie sa parole, et il les fond.
>
> Psaume 147

Elle n'en comprenait pas vraiment la signification, mais elle y trouva un certain réconfort. « Il les fond. » Elle toucha l'épaisse lettre à travers le tissu de sa gibecière et l'espoir la réconforta.

— Mem-sahib ?

La réceptionniste passait la tête dans la salle d'attente.

— Suivez-moi, s'il vous plaît.

Elle conduisit Ellen le long de couloirs où traînaient des patients en pyjama vert de l'hôpital. Certains considéraient les gens qui passaient, d'autres sautillaient sur des béquilles ou se retenaient aux murs pour avancer. Ellen fit tout pour ne pas jeter le moindre regard par les portes ouvertes, imaginant des horreurs moyenâgeuses à l'intérieur des chambres : des malades aux pieds enflés comme des pattes d'éléphant ; des kystes de la taille de tête de nourrisson ; des difformités terribles ; des lépreux sans doigts…

Elles arrivèrent à une porte ornée d'une plaque qui annonçait « LABORATOIRE ».

— Attendre ici. Dr Paul va bientôt venir.

La réceptionniste lui fit signe de s'asseoir sur une chaise pivotante à côté d'une armoire vitrée et la laissa.

— Vous voulez du thé ?

C'était un jeune Indien vêtu d'une blouse qui avait dû être blanche. Il était penché sur un plateau de prélèvements, sang rouge foncé, urine jaune dans des tubes à essai, diarrhée brune dans des pots en terre. Sur le bureau à côté de lui, un alambic de laboratoire était rempli de thé au lait.

— Non, merci, répondit Ellen avec un sourire forcé.

— Mettez-vous à votre aise.

L'ayant ainsi accueillie, il reprit son travail. Ellen se tourna vers l'armoire et contempla les rangées de bocaux alignés sur les étagères. En haut, des tumeurs, des kystes, de longs vers enroulés dans le formol. En dessous, des fœtus mal formés, à moitié cachés par d'énormes longueurs de cordon ombilical. Elle se pencha pour observer les petites mains, déjà parfaites, les paisibles yeux clos, les cous délicats et les grosses têtes. Sous la peau translucide, on distinguait le réseau sanguin, les veines. Le plus difforme avait les traits tordus, mais malgré cela il avait l'air presque humain.

Paul surgit en trombe et s'arrêta net en la voyant.

— Ellen ! s'exclama-t-il.

Il l'étudia, s'attardant sur ses yeux rougis et sa mine fatiguée.

— Qu'est-ce qui vous amène ? Vous êtes malade ?

Le souvenir de leur dernière rencontre ne s'était pas effacé.

— Je ne veux pas vous déranger, s'excusa Ellen en se levant. On m'a dit d'attendre ici. Je... je voulais vous voir.

Nerveux, Paul se passa les doigts dans les cheveux.

— Oui, bien sûr, pas de problème. Vous attendez depuis longtemps ? On ne m'a pas averti.

— Non, quelques minutes. Je voulais vous demander quelque chose. Vous aurez sûrement une idée, et ça ne prendra pas longtemps.

Elle parlait vite, gênée, tendue.

Paul remonta la manche de sa blouse blanche immaculée pour regarder sa montre.

— Écoutez, c'est presque l'heure du déjeuner. En général, on m'apporte un plateau dans mon logement. De la nourriture d'hôpital, mais ce n'est pas trop mauvais. Je m'y suis très bien habitué. Ça vous tente ? Enfin si... ?

— Je ne voudrais pas vous faire perdre trop de temps.

— Au contraire, ça me changera les idées.

Après tout, pourquoi pas. Ses sentiments naissants se réveillaient. Elle se détendit et s'autorisa à sourire. On la croyait à l'ashram, rien ne l'empêchait de rester encore un peu. Une folle envie de liberté la saisissait, elle aurait aimé porter par des événements extérieurs, mener sur d'autres chemins.

— Merci, ça me ferait très plaisir.

Leurs regards se croisèrent.

— Salim ! dit Paul au laborantin. Je vais déjeuner. Tu peux demander à Mandi de me faire porter deux repas ?

— Pas de problème, je vais lui dire.

Elle suivit Paul dans les couloirs. Une infirmière indienne l'appela et courut à lui en serrant une planchette à pince contre elle. Il parcourut rapidement les notes qu'elle lui tendait et griffonna quelques mots en bas de la page. Ici, le stéthoscope sur la poitrine, comme une médaille, il était dans son élément, dans son royaume.

— Merci, docteur.

Elle jeta un coup d'œil inquisiteur sur Ellen, puis repartit.

— Nous y voilà, annonça Paul en sortant des clés de sa poche.

Il ouvrit une porte, tout au bout du couloir, et s'effaça derrière Ellen.

— *Home sweet home.*

Il la suivit à l'intérieur et alla directement au lavabo se laver les mains et les poignets à l'eau et au savon. Elle inspecta la pièce, grande, claire et simplement meublée, composée d'un bureau, une armoire, une table et des chaises, ainsi qu'un lit pour une personne fait et propre. Par terre, près du chevet, il y avait une grosse bible noire qui avait vécu. Quelques photos encadrées étaient accrochées à un mur, et sur un autre une bibliothèque de planches et de briques abritait des livres. Des tapis indiens très colorés égayaient la pièce. Malgré ces quelques efforts de décoration, Ellen eut l'impression de se trouver dans un bureau, ou dans une chambre de pension de famille, ou peut-être dans leur villa dans la montagne.

— Vous ne vivez qu'ici ? demanda-t-elle.

— J'avais un appartement en ville, mais maintenant que je suis le seul médecin je dois habiter sur place.

Il versa de l'eau dans des verres et fit signe à Ellen qu'elle pouvait se laver les mains au lavabo.

— Je n'ai vu que des Indiens dans l'hôpital. Y a-t-il d'autres… heu… ?

— Des hommes blancs ? plaisanta Paul. Non. De temps en temps, nous avons des visites, mais pour l'instant je suis le seul étranger.

On frappa discrètement à la porte, et une femme entra, chargée d'un plateau. Elle déposa des bols pleins sur la table, et ajouta une cruche d'eau et deux verres. Avant de sortir, elle leur lança un regard culpabilisateur, comme à des enfants qui vont faire une bêtise.

Une fois seuls, ils prirent place à table, gênés.

— Disons le bénédicité, proposa Paul.

— Oui, bien sûr.

Elle croisa les mains sur ses genoux et regarda son assiette. Au bout d'une ou deux minutes de silence, elle releva les yeux prudemment. Paul était déjà en train de prendre un chapati.

— J'imagine le branle-bas de combat à la cuisine, dit-il en lui passant une assiette et un chapati. Ils ont même mis des couverts. Prenez la fourchette, si vous préférez.

Lui mangeait à l'indienne, avec la main, en plongeant des morceaux de chapati dans son bol de curry.

— Le lundi, c'est le jour du channa. Les pois cassés. Ce n'est pas mauvais.

— Délicieux.

Ils mangèrent en silence, trop conscients de leurs gestes, se souriant du coin de la bouche quand leurs regards se rencontraient.

— Ça se passe bien, là-haut ? s'enquit Paul. Vous êtes de plus en plus nombreux, à ce qu'il paraît.

— Oui. Nous voulons trouver un endroit plus grand. Nous manquons de chambres.

Paul hocha la tête sans commenter. Il continua son repas tandis qu'Ellen rattrapait de la sauce sur le dos de sa main d'un coup de langue.

— Donc, que puis-je faire pour vous ? demanda-t-il, retrouvant son rôle de médecin.

— C'est tout simple. Je veux envoyer une lettre en Australie. Elle est beaucoup trop longue pour la transmettre par télex, mais elle est très urgente, et importante. Vous ne verriez pas un moyen de la faire arriver rapidement ?

— En temps normal, je vous dirais que non. Mais il se trouve que je dois me rendre à Delhi vendredi. Je la prends, si vous voulez. Je pourrai sans doute me débrouiller pour la faire partir par avion.

— Ah ! Merci ! Merci beaucoup.

Elle gratta de la peinture écaillée sur la table.

— Vous allez bien ? demanda Paul. Vous avez l'air... fatiguée.

Elle releva la tête. Il avait l'air très doux, très gentil, très intelligent. Un instant, elle fut tentée de tout lui raconter, mais elle renonça.

— Ça ne va pas trop mal.

Elle sortit la lettre ainsi que quelques billets et les posa sur la table.

— Je dois partir. J'espère que c'est suffisant pour l'affranchissement. Merci, vous me rendez vraiment service.

— Je vous en prie.

— Elle est très importante, cette lettre.

— Il faudra me passer sur le corps pour me la prendre !

Ellen sourit, séduite, surprise d'éprouver de l'attirance à son égard. C'était presque comme si, en s'ouvrant, les vannes du souvenir avaient débloqué autre chose en elle... un réservoir condamné depuis longtemps.

— Vous savez, je vais partir, annonça Paul. Je quitte Mussoorie.

Elle tâcha de garder le sourire.

— Vous partez... pour de bon ? Demain ?

— Non, je descends à Delhi afin de préparer mon voyage. Je termine mon contrat ici le mois prochain. Ensuite, je vais au Bangladesh pour reprendre la direction de l'hôpital fondé par mon père.

— Le Bangladesh... Où est-ce ?

Ce départ lui donnait un espoir. S'il pouvait s'en aller, elle le pouvait aussi. Elle pouvait retourner sur l'île, retrouver Zelda... Voir sa fille, lui parler.

— C'est le nouveau nom du Pakistan oriental.

— Ah, mais c'est loin !

Cette réaction spontanée la fit rougir.

— Le Dr Laska me remplacera. Il est très compétent, très serviable.

— Sûrement. Alors il faut nous dire au revoir.

— Ne vous inquiétez pas pour la lettre. Je m'en occupe. Et, ajouta-t-il avec un sourire charmant, si vous passez par le Bangladesh, venez me voir.

Il plongea la main dans sa poche et en tira une carte de visite qu'il lui tendit.

— Voici mon adresse.

La typographie de la carte était simple.

Docteur Michael Cunningham MB. BS. (Londres)

Obstétrique (diplôme du Collège royal de gynécologie et d'obstétrique)

Hôpital communal de Bagherat

Bagherat

Pakistan oriental

— Michael Cunningham, c'était votre père…

— Oui. Il a toujours voulu que je prenne la relève.

Il y eut un court silence.

— Parfois, remarqua Paul, je me demande si on m'a vraiment laissé le choix !

— Vous n'aviez pas envie de devenir médecin ?

— Ce n'est pas si simple. Disons plutôt que je n'ai jamais envisagé de faire autre chose. Maintenant qu'il est mort, ça me semble encore plus important.

— Vous deviez l'admirer beaucoup.

— C'est vrai. Oui, je l'admirais. Un peu comme tous les enfants, non ? Les garçons veulent suivre les traces de leur père, et les filles, faire comme leur mère.

Ellen pensa aussitôt à Margaret et à Zelda. Elle était prise entre les deux, fille de l'une, mère de l'autre. Des fils les reliaient où se mêlaient rancœur, joie, amour et peur… Sa gorge se noua. Elle se força à sourire, cherchant quelque chose à répondre.

— Comment est la région. C'est beau ?

— Très plat. Les inondations sont fréquentes. Le problème a toujours existé, mais il s'est beaucoup aggravé depuis que les forêts ont été abattues en amont, au Népal. La pluie dévale directement des montagnes et grossit les fleuves qui sortent de leur lit, arrivés au delta. À Calcutta, comme les gens se retrouvaient les pieds dans l'eau sans arrêt, on a construit une grande digue qui n'a fait qu'empirer la situation au Bangladesh. Les fleuves inondent la campagne, ravinent les champs et charrient des tonnes de sable qui se déposent sur les terres arables. Des villages entiers sont balayés dans la mer. Les maisons, les animaux, les récoltes. Les gens, aussi.

Il s'interrompit brusquement. Il y eut un bref silence que percèrent les cris d'un enfant.

Ellen se souvenait parfaitement de ce qu'il lui avait raconté lors de leur première rencontre, à la villa.

— Vos parents…

— Oui. Bagherat est situé sur les hauteurs, mais ils étaient de passage dans un village tribal. Ils donnaient des soins, des conseils sanitaires, et ils en profitaient pour répandre leur foi, je suppose, ajouta-t-il avec un sourire triste. Vous savez, les gens de là-bas vouent un culte aux fleuves. Ils vénèrent surtout le Gange. C'est la mère sacrée, la rivière qui donne la vie. À présent, cette mère est devenue leur ennemie. Ils vivent dans la terreur.

— Ça doit être terrible, remarqua Ellen en baissant les yeux. Comment comprendre une chose pareille ? La mère sacrée. Celle qui donnait la vie et qui maintenant donne la mort.

— Exactement. C'est une drôle de région.

Il se leva pour débarrasser les assiettes qu'il empila sur le plateau.

— Alors, vous allez aider les gens du Bangladesh ?

— Vous savez, on ne peut avoir qu'une action très limitée dans un pays aussi pauvre. On colle des rustines. On injecte des vitamines à des bébés qui meurent de faim. On fait des greffes de cornée à des patients qui sont devenus aveugles parce qu'il n'y a pas de médicaments pour guérir les infections oculaires les plus banales. Assez paradoxal... On peut dire que c'est une aide... si on veut...

Le silence retomba. Ellen ramassa son verre vide et, sourcils froncés, étudia les motifs gravés dans la base de laiton.

— Et ça ne vous arrive jamais d'en avoir assez ? demanda-t-elle en relevant la tête. Assez d'aider les autres. Assez d'essayer de remédier à des situations désespérées ?

— Oh, que si ! Tout le temps ! Mais chaque fois que je suis sur le point de tout lâcher, il se passe quelque chose... Comme ceci, par exemple...

Il prit dans sa poche une petite bourse en tissu qu'il tendit à Ellen.

— Tirez sur le plus petit cordon.

Ellen s'exécuta, et la bourse s'ouvrit. À l'intérieur se trouvait un petit morceau de papier. Elle le sortit et le déplia. Cela ressemblait à une page de cahier d'écolier déchirée. Sur les lignes bleues, deux mots étaient tracés d'une écriture irrégulière.

— Une femme est venue à l'hôpital ce matin. Je me suis souvenu d'elle : je l'avais opérée il y a deux ou trois ans. Elle s'appelle Paminda. Elle est restée hospitalisée longtemps et, pendant qu'elle était ici, elle s'est prise de fascination pour les livres, les papiers, les formulaires, tout ce qui était imprimé. Quand elle est partie, elle m'a promis d'apprendre à lire et à écrire. Son village est à au moins deux jours de marche d'ici, mais elle est venue pour me montrer qu'elle avait tenu parole. C'est son nom, expliqua-t-il. Elle l'a écrit de sa propre main.

— Et avant de venir à l'hôpital, elle n'avait jamais pensé à aller à l'école ?

— Avant de venir à l'hôpital, elle était aveugle.

Il tendit la main et récupéra la bourse.

Ellen éprouva la légèreté et la douceur du tissage artisanal au moment où elle quittait sa paume.

— Vous voyez…, dit-il.

Il n'avait pas besoin d'en dire plus. Elle comprenait pourquoi ce papier plié, ce tissu si fin, lui donnaient le courage de continuer.

Une sonnerie retentit dans l'hôpital. Paul regarda sa montre.

— Je vous laisse, dit Ellen en se levant.

Ses yeux tombèrent sur la lettre, encore posée sur la table.

— Merci pour votre aide.

— Je vous en prie, c'est tout naturel.

Ils échangèrent un regard chargé de regrets. Ils avaient laissé trop de temps s'écouler, ils s'étaient manqués.

— Eh bien…, hésita Ellen en cherchant une façon de conclure. Bonne chance pour la suite.

— Merci. Vous aussi.

Il la raccompagna à la porte.

Elle prit le couloir sombre et s'éloigna d'un pas décidé, suivie jusqu'au bout par le regard de Paul.

24

De l'arrière du taxi, Ziggy et Ellen regardaient défiler le paysage. Les dernières neiges avaient fondu, le pied des montagnes était de nouveau verdoyant. Dans les villages aux abords de Mussoorie, de vieux messieurs assis dehors prenaient le soleil.

Le chauffeur se pencha par la vitre ouverte pour mieux voir la route devant lui.

— Trop mauvais, jugea-t-il.

— Continuez, insista Ziggy. Ce n'est plus très loin.

— La route pas bonne.

— Ce n'est pas grave, intervint Ellen, nous pouvons terminer à pied.

Elles descendirent du taxi et partirent sur la voie défoncée. De hauts arbres formaient une voûte au-dessus de leurs têtes, le sous-bois était épais.

— Nous allons devoir faire réparer la route, fit remarquer Ziggy. Et ça ne sera pas le plus difficile.

Elle se tourna vers Ellen, les yeux brillants de joie.

— Attends de voir le domaine, c'est génial !

Au tournant suivant, elles aperçurent les premières dépendances. Des bâtiments aux toits et aux murs effondrés. Les charbons de bois d'anciens feux de camp marquaient les sols de terre battue.

— Ne t'en fais pas, le reste est en meilleur état.

Ziggy accéléra le pas, puis s'arrêta en tendant le doigt.

— C'est là.

Elles étaient arrivées au bord d'un amphithéâtre naturel, déclivité circulaire et herbue, parsemée de buissons. Au bout, le sol remontait jusqu'à une immense maison ancienne dotée de piliers grecs et de fenêtres cintrées. Elle était construite au bord de la falaise, avec le ciel pour seule toile de fond.

— Le type de l'agence dit que le bâtiment principal est de style Régence classique, annonça Ziggy. Je ne sais pas ce que c'est... Et les voûtes sont mogholes. C'est beau, non ?

— Magnifique ! On dirait... on dirait un rêve.

Elles se dirigèrent vers la maison qui se dressait devant elles, impressionnante, témoin d'un passé mystérieux. Elle avait beau être solidement implantée dans le roc, les fenêtres étaient béantes, les portes arrachées. Des graffitis couvraient les murs fissurés et lépreux.

— C'est presque une ruine, s'inquiéta Ellen.

— Il suffit d'un coup de peinture. Les murs sont sains. Et le toit aussi, en grande partie. Il y a deux ans, il y a eu un terrible tremblement de terre, et la Croix-Rouge a utilisé les lieux comme centre de coordination des secours. Les sanitaires ont été remis en état, l'électricité installée, et les logements du personnel ont été refaits.

Elle désignait deux longues bâtisses dans lesquelles s'ouvraient des rangées de petites fenêtres identiques.

— Il y avait beaucoup de domestiques ! Je croyais pourtant qu'à l'origine c'était une sorte de centre administratif colonial.

— Oui, le Bureau royal de la topographie. Le responsable était un excentrique, paraît-il. Le bruit court qu'il avait un harem.

— Je ne te crois pas !

— Si, je t'assure. C'est l'agent immobilier qui me l'a dit ! Et elle est hantée, ça va de soi.

Ziggy observa Ellen pour juger de sa réaction.

— Elle te plaît ?

— Oui, elle est très belle. J'adore ces piliers qui se découpent sur le ciel...

— Alors, on la prend ? Nous pourrions terminer les travaux à temps pour l'hiver prochain. Même le nom est beau : Everest House. On va se faire imprimer du papier à lettres, et...

— Une seconde ! J'ai promis de venir la voir, c'est tout. Je ne suis pas encore prête.

— Oui, bien sûr, mais tu sais, il va falloir se dépêcher. De plus en plus de gens vont arriver, que tu le veuilles ou non.

Ellen repoussa les cheveux de son visage avec nervosité. Son regard inquiet devint lointain. Il y eut un long et lourd silence. Ziggy allait trop vite, avec sa fougue et son enthousiasme. En secret, Ellen espérait encore que James allait lui répondre et qu'il lui proposerait de revenir vivre avec lui pour mener la vie d'une personne ordinaire. Une vie de mère de famille.

— Bon, soupira-t-elle, de toute façon, si je devais vous quitter, toi et les autres, vous vous débrouilleriez très bien sans moi.

— Ah ! Ne recommence pas ! Allez, viens voir à l'intérieur...

Elles passèrent dans l'ombre fraîche de l'entrée, évitant les débris de plâtre, les fientes d'oiseau et le bois de chauffage noirci.

— Il y a de bons artisans, dans le coin, affirma Ziggy. Il paraît que Ravi Nair, l'acteur, a tout transformé chez lui. (Elle poussa une porte qui s'ouvrit sur un rayon de soleil poussiéreux.) Nous pourrions lui demander de nous recommander des entreprises.

Ellen la suivit dans une grande chambre claire. Le fond était entièrement occupé par une baie vitrée cintrée qui donnait sur le ciel. Près de la porte, un trou noir marquait l'emplacement de l'ancienne cheminée dont on distinguait encore la forme dans le plâtre fissuré.

— Tu as vu ça ? s'enthousiasma Ziggy en désignant la frise géométrique en haut des murs. On dirait un temple grec !

Ellen approcha de la baie. Il y avait à peine la place de

passer le long de la maison ; le terrain tombait à pic jusqu'à la vallée, plusieurs centaines de mètres plus bas.

Ziggy la rejoignit.

— Tu te rends compte comme nous serions bien, ici ? C'est suffisamment loin de Mussoorie pour qu'on soit tranquilles, mais quand même assez proche pour que nos visiteurs puissent venir. C'est un vrai royaume. Nous ferons replanter le jardin, mettre une fontaine, des statues.

Son rêve commençait à se matérialiser devant elles.

— Nous signerons un bail de longue durée. Ce sera notre paradis.

Elle posa un bras léger autour des épaules d'Ellen.

Après plusieurs minutes de silence, Ellen regarda sa montre.

— On rentre ?

Elle fit demi-tour, mais Ziggy l'arrêta.

— Attends. J'ai quelque chose pour toi, annonça-t-elle d'une voix tendue. C'est une lettre qui est arrivée en recommandé. Le responsable de la poste l'a montée et j'ai signé pour toi. Djoti voulait te la donner, mais j'ai préféré le faire moi-même. Elle est de James, ajouta-t-elle en lui tendant l'enveloppe. J'imagine que tu lui as encore écrit…

Ellen contempla l'enveloppe sans la prendre.

— Ouvre-la, toi, souffla-t-elle d'une voix étranglée.

— Tu veux que je te la lise ?

Ellen hocha la tête.

Ziggy fendit le haut de l'enveloppe et en sortit plusieurs feuilles qu'elle déplia.

— Alors voilà… :

Chère Ellen. Lorsque tu es partie, Zelda demandait sans arrêt quand tu allais rentrer. Au début, je m'arrangeais pour rester dans le vague. Elle était jeune, et je pensais qu'elle t'oublierait. Mais non, elle revenait à la charge, et je ne savais plus quoi lui dire pour expliquer la situation. À la fin, je lui ai raconté que tu avais été tuée dans un accident de voiture. Ça m'a paru la meilleure solution. De cette façon, elle n'aura jamais besoin d'apprendre pourquoi sa mère est partie. Je pense que tu comprendras que je n'ai pas pris ma décision à la légère.

Ce que tu m'as écrit précise bien des choses, mais il est trop tard, pour toi et moi, et pour Zelda. Tu ne peux pas revenir. Il n'en est pas question. Je ne veux pas te menacer, mais il faut malgré tout que ma position soit claire. Je joins à ce courrier une copie de la lettre que tu m'as écrite quand tu es partie. Cet aveu a donné lieu à une décision de justice qui t'interdit de reprendre contact avec elle. Une copie du jugement est jointe.

Je suis désolé, mais j'ai fait ce qui me semblait le mieux pour Zelda vu les circonstances. Elle est encore petite. Pardon.

James.

Des appels d'oiseaux fusaient dans le silence, cris d'alarme aigus, cris de désespoir.

— Les documents sont là, continua Ziggy en feuilletant rapidement les autres pages. Et il y a ça, aussi.

Elle lui tendit une photo.

C'était une petite fille penchée sur un gâteau d'anniversaire planté de bougies allumées. Ses yeux étincelaient ; elle gonflait les joues, prête à souffler pour les éteindre en faisant un vœu.

Avide, Ellen se précipita sur la photo, mais ses mains restèrent inertes à ses côtés.

— C'est fou ce qu'elle te ressemble, murmura Ziggy.

Derrière l'enfant se tenait un homme qui la contemplait avec fierté. Il avait la main posée sur le T-shirt rouge, intime, les doigts sur la peau du cou.

Le souffle court, Ellen dévorait la photo des yeux, cherchait les détails et revenait toujours aux yeux joyeux.

— On dirait qu'elle va bien, tu ne trouves pas ? dit-elle à Ziggy. Elle a l'air heureuse.

— C'est vrai. Elle a l'air en pleine forme.

Elle passa un bras autour des épaules d'Ellen et l'entraîna vers la porte.

— Allez, viens, on rentre.

— Non ! s'écria Ellen en se dégageant. Laisse-moi ! C'est trop dur…

— Tu vas surmonter le choc, je t'assure. Il ne faut pas s'effondrer, il faut tenir le coup.

— Non… Je ne peux pas.

Ziggy la força à se tourner vers elle.

— Regarde-moi ! Je suis là. Je vais t'aider. Rien n'a changé.

Elle respirait lentement, profondément, parlait de la voix apaisante d'une mère qui rassure son enfant.

— Notre vie va continuer comme avant.

Ellen regarda Ziggy, dont les yeux limpides brillaient comme des billes vertes. Elle vit de l'amour dans son regard, de la compassion, de la chaleur, mais aussi autre chose. Une intensité que tout d'abord elle ne comprit pas. Il lui semblait pourtant avoir déjà vu cette expression, déjà rencontré la même volonté de fer.

Soudain elle se souvint du visage de Lucy, animé par ses rêves de gloire. Elle avait régenté la vie de sa fille, l'avait manipulée comme une marionnette. Elle avait écrit le scénario de sa vie et l'avait poussée sur scène pour jouir de ses succès, jusqu'au jour où l'imperfection de Ziggy l'avait trahie, et où le rêve s'était transformé en cauchemar. À son tour, Ziggy enrôlait Ellen dans une aventure qui n'était pas la sienne. Tout en douceur, elle avait forgé le personnage de swami, de guide spirituel. Celle dont le nom attirait les disciples, comme autrefois Liberty avait attiré les foules et rempli les théâtres.

Ellen retourna à la baie vitrée et regarda le précipice. Elle essaya de réfléchir malgré la souffrance qui lui paralysait l'esprit. Son amie l'avait-elle trahie ? L'utilisait-elle, ou bien savait-elle réellement ce qui les rendrait heureuses ? Ziggy dépendait totalement d'elle. Elle ne se sentait forte que cachée derrière le personnage qu'elle avait créé. Devait-elle la décevoir ? Elle pourrait s'échapper. Mais à quoi bon ? Pour quoi faire ? Elle regarda de nouveau la photo qu'elle tenait serrée dans la main. Un coup de poignard la transperça. Il n'y avait rien d'autre, personne d'autre dans sa vie.

Épuisée, elle s'abîma dans la contemplation du ravin, tentée par le vertige d'un dernier voyage, d'une inexorable chute vers la vallée. Alors des bras l'enveloppèrent. Ziggy la serra fort, la ramena à la vie.

— Ne t'en fais pas, je suis là, lui murmura-t-elle à l'oreille en la berçant comme un bébé.

Ellen posa la tête sur l'épaule de son amie et sentit un grand calme l'envahir tandis que des larmes roulaient sur son visage.

Elles gardèrent le silence pendant le trajet du retour. Ellen, les papiers et la photo dans les mains, regardait droit devant elle. Ziggy, protectrice, attentive, s'était assise tout contre elle. Bientôt, elles arrivèrent en ville et dépassèrent les rues tortueuses et encombrées du marché. Dans le taxi, la tension montait. Le silence s'intensifiait. Le chauffeur leur jetait des coups d'œil curieux dans le rétroviseur.

Impassible, froide, Ellen finit par parler.

— Tu peux signer. Nous la prenons.

Ziggy poussa un soupir de soulagement et sourit.

— Tu diras bien à Djoti que je t'ai donné la lettre, quand tu le verras ? Tu le connais... C'est fou ce qu'il prend ses responsabilités au sérieux.

Elles descendirent du taxi au bout du chemin carrossable et prirent le sentier.

Dans la forêt régnait une fraîcheur apaisante. Ellen avançait lentement, puisant des forces dans la lourdeur des branches et du feuillage, dans la densité de la mousse, l'épaisseur du temps qui accumulait les cernes sous l'écorce. Ziggy la suivait. Leurs pas étouffés marquaient le même rythme, puis se dissociaient et perdaient la cadence. Essoufflées, elles peinèrent dans la montée jusqu'à la haie taillée qui bordait la pelouse.

Au milieu du gazon, elles trouvèrent un jeune homme mince, à peine sorti de l'adolescence. Un énorme sac à dos était posé près de lui, comme un esquif en perdition dans l'étendue verte.

— Mais c'est encore un gamin ! s'exclama Ziggy.

Le regard du garçon passa sur elle sans s'arrêter et se posa sur Ellen. Il demeura figé, comme s'il avait peur de bouger, puis il avança sans mot dire.

— Bonjour, dit Ellen.

Des larmes brillaient dans les yeux du jeune homme ; il la regardait comme un affamé, comme s'il l'aimait. Elle lui sourit, émue à son tour.

— Ellen, dit-elle.

— Je le savais.

— Et vous, qui êtes-vous ? demanda-t-elle doucement.

— Le fils de Jerry McGee.

— Jesse, compléta Ziggy.

Il hocha la tête et baissa les yeux avec embarras.

— Je ne voulais pas venir. Je voulais rentrer chez moi.

Ellen ne dit rien mais lui mit un bras sur l'épaule et le conduisit vers la maison.

Ziggy prit le sac à dos et les suivit.

Les gens disent que tu fais le bien autour de toi. Ils disent que tu es sage et forte. Toi, tu n'as besoin de rien, mais eux ont besoin de toi.

Ellen avait besoin de se rappeler ce qu'on disait d'elle. Comme un bouclier, une cotte de maille, qui la protégeait de la souffrance.

À la lisière de la forêt profonde et sauvage, sous le couvert des arbres, elle contemplait la maison au bout du pré. Le rez-de-chaussée était déjà sombre, fermé pour la nuit, mais les fenêtres de l'étage ouvertes laissaient passer un flot de lumière à travers les moustiquaires de Djoti, contre lesquelles se heurtaient les papillons de nuit. Les bruits du soir lui parvenaient, des voix douces, des murmures rassurants. Nous sommes là. Nous avons besoin de toi comme tu as besoin de nous. Tout simplement.

Des larmes lui montèrent aux yeux. Elle quitta sa cachette de feuillage, traversa la pelouse, passa devant les belles fleurs de

Ziggy. Dans la véranda, elle s'arrêta devant la rangée désordonnée de chaussures qui s'étendait de part et d'autre de la porte. Les sandales en cuir de Kate, plusieurs paires de chaussons indiens brodés, les tongs de Ruth, les bottines de Skye, et, tout au bout, les chaussures de sport de Jesse McGee.

C'est vrai, se dit-elle, je suis ici chez moi. J'ai trouvé une famille. Elle resterait, soutenue par leurs espoirs, protégée par leurs rêves.

QUATRIÈME PARTIE

25

1993, New Delhi, Inde

Zelda se réveilla lentement. Le sommeil reflua, l'abandonna, et elle se sentit très seule. La pièce dans laquelle elle était couchée lui parut laide avec ses rideaux pastel, sa porcelaine blanche et l'écran de télévision noir. Elle aurait pu se trouver n'importe où.

Près de la porte, son sac à dos, sorte de torse sans bras, était posé contre le mur. Son regard s'attarda sur la toile usée, tachée par la cendre des feux de camp et le cambouis de l'arrière de la Jeep. Sur le dessus, on distinguait encore les couleurs passées du drapeau américain, une vieille broderie presque complètement arrachée. Il avait appartenu à James, ce sac à dos, il l'avait pris pour aller à l'université, et il l'avait accompagné partout ensuite. À une époque, racontait-il, son sac à dos avait fait partie de lui. Il l'avait donné à Zelda pour sa première nuit de camping avec l'école. Il l'avait soulevé pour le passer sur ses minces épaules et serré les sangles. Il était grand pour elle, mais doux, et ne contenait que sa brosse à dents, sa chemise de nuit, son sac de couchage et une torche. Tu ressembles à une tortue, avait commenté James en l'embrassant.

Maintenant, le vieux sac à dos était échoué là, massif et fatigué, seul rescapé du naufrage, dernier souvenir d'un univers perdu. Zelda se tourna dans le lit et enfouit le visage dans les oreillers. James est mort. Il est parti pour toujours. Mais maman est en vie. Elle est ici. Elle se répétait ces mots comme on récite un mantra. La douleur se mêlait à l'espoir, tel du barbelé enroulé sur un ruban de velours. Et ce fil double se tordait en elle, s'accrochait à son cœur et remontait dans sa gorge comme de la peur – ou du bonheur. Elle tourna les yeux vers le plafond et suivit les fissures qui couraient dans le plâtre.

Courage, se dit-elle. Fais plaisir à papa. Tu ne sens rien.

Peu à peu, la souffrance se roula en boule au creux de son âme, près de se redresser, elle le savait, dès que l'occasion se présenterait. Elle la transpercerait au moindre égarement, lui couperait le souffle, lui ferait battre le cœur. Elle lui donnerait le sentiment que le temps était compté. Comme dans l'avion, où elle avait passé des heures à écouter le bourdonnement des réacteurs qui dévoraient les kilomètres. Ils l'emmenaient, la rapprochaient, plus près, toujours plus près…

À présent, elle était dans le même pays qu'Ellen, sa mère. Maman. Zelda était en Inde.

En Inde ? Au secours ! Elle se souvenait de la voix de Drew au téléphone, qui lui criait sa peine. Mais tu n'as pas la moindre idée de ce que c'est que l'Inde !

Que connaissait-elle de ce pays ? Les bouteilles de curry Keen's, dont on saupoudrait les plats de saucisses pour ajouter une note d'exotisme ; les champions de cricket ; l'encre indienne ; les vacanciers du continent qui faisaient du stop vêtus de vêtements indiens, tongs en cuir aux pieds (des hippies, disait James. Des dégénérés.) Et les timbres pour l'Inde que Lizzie gardait dans un bocal. Des rectangles dentelés, accrochés à des morceaux d'enveloppes déchirées. La mission les vendait à des collectionneurs et envoyait l'argent aux sœurs de Notre-Dame-du-Perpétuel-Secours. Des religieuses indiennes, les anges des bidonvilles de Calcutta, qui recueillaient les enfants abandonnés, les lavaient, les nourrissaient et les couchaient dans des rangées de jolis petits berceaux identiques.

Zelda ferma les yeux, se rappelant son arrivée à Delhi. Elle revit les rues noires dans la nuit, jonchées de corps endormis qui lui évoquaient les victimes d'un cataclysme. Des policiers veillaient dans l'ombre, peau sombre, vêtements sombres, revolvers sombres – yeux trop blancs. Les phares du taxi avaient balayé une guérite marquée des mots « POLICE DE DELHI » sur le côté. Leur devise : « Avec vous pour vous toujours. »

Avec vous, pour vous, toujours. Presque une épitaphe, ou la lettre d'adieu d'un suicidé ; une ligne griffonnée sur un miroir de scène de crime.

Zelda prit une douche rapide et passa des vêtements propres. Ensuite, elle se versa un verre d'eau qu'elle prit soin de désinfecter avec du chlore. Cela lui donnait un goût de piscine, de cabinet médical. Elle songea alors à Rye. Deux jours avant de quitter l'île, un paquet était arrivé pour elle à la poste. À l'intérieur, elle avait trouvé la bouteille de chlore, un tube de crème anti-moustiques, une moustiquaire, des médicaments, une ceinture pour mettre son argent, des cartes, des listes d'hôtels, les noms et les numéros de téléphone de personnes à appeler en cas de besoin. Il y avait aussi un livre : *Inde : kit de survie du voyageur.* On y parlait de tout, en passant des punaises à la nourriture. Zelda avait cherché les chapitres consacrés à Delhi et à Rishikesh et avait lu les commentaires rajoutés dans les marges de la même écriture, ferme et inclinée, que la lettre d'accompagnement, trois pages de mises en garde et de conseils concoctées par Rye :

Il aurait été plus sage de procéder à des recherches avant de partir.

En Inde, les gens ne restent pas au même endroit, ils se déplacent.

Si tu ne la trouves pas en arrivant à Rishikesh, que vas-tu faire ?

Au fil de sa lecture, Zelda avait senti la colère la gagner. De quel droit lui donnait-il des leçons ? Il avait l'air de la prendre pour une imbécile, une bouseuse incapable de faire autre chose que d'aller à la pêche. Elle connaissait les risques du voyage, mais elle savait aussi qu'elle devait partir vite, larguer les amarres avant que la vie ne reprenne trop de réalité. Elle avait eu envie de déchirer la lettre et d'en jeter les morceaux au feu, mais l'avait gardée à cause des informations utiles qu'elle contenait, et aussi parce que, vers la fin, il s'était souvenu de la couleur de ses yeux.

Sois prudente, Zelda, avait-il conclu. *J'espère que tu vas la trouver. Toutes mes amitiés, Rye.*

Zelda fut assaillie par la chaleur quand elle ouvrit sa porte. Dans cette partie ancienne de l'hôtel, les chambres donnaient sur un long patio séparé de l'extérieur par des arches garnies de lourdes persiennes. Des rires lointains s'insinuaient dans la pénombre étouffante. Tout au bout se trouvait un petit salon avec un coin fumeurs, des fauteuils en cuir confortables et une bibliothèque vitrée remplie de vieux livres. Au passage, elle regarda la rangée de photos accrochées au mur. Elles montraient des scènes de l'époque coloniale : croquet, polo, pique-niques et parties de chasse. Sur l'une d'elles, un Anglais en casque colonial posait devant une quarantaine d'Indiens, rabatteurs, pisteurs et aides de chasse. Un genou victorieux en terre, il présentait un pauvre tigre abattu, maculé de sang noir.

Elle descendit le large escalier couvert d'un tapis rouge et arriva à la réception. Air climatisé, musique en sourdine, et palmiers en pot exsangues… De petits groupes étaient assis çà et là sur des canapés en cuir disposés deux par deux, face à face. Elle sentit les regards la suivre tandis qu'elle approchait du comptoir, mais ne se laissa pas intimider. Elle aurait été plus à l'aise si elle avait porté des vêtements normaux, c'est-à-dire un jean, une chemise et des boots, mais dans sa lettre Ryan avait recommandé le port de vêtements longs de couleur claire, sobres et frais, pour se protéger de la chaleur et des insectes. Dana avait déniché un ensemble en lin écru que

Cassie avait jugé idéal. Mais, justement, il était trop parfait, songea Zelda. Elle semblait sortir tout droit d'un roman sentimental.

L'employé derrière le comptoir releva la tête. Un badge accroché à sa veste indiquait : « Responsable journée ». Il eut un sourire poli.

— Bonjour, madame. Avez-vous bien dormi ?

— Oui, merci.

Elle dormait toujours bien. En randonnée, elle n'avait besoin ni de fougères ni d'herbe sèche pour se faire un matelas. Elle se couchait à même le sol, avec juste un trou pour les hanches.

— Je voudrais changer de l'argent, dit-elle en jetant un coup d'œil sur l'horloge accrochée au mur.

Il était presque midi. D'après son guide, il fallait toujours changer son argent après onze heures, autrement on écopait du cours de la veille et d'un surcoût (et on avait l'air d'une andouille).

— J'ai des chèques de voyage en dollars américains, expliqua-t-elle.

Elle en sortit plusieurs de son portefeuille et les lui tendit.

— Vous voulez changer tout ? demanda l'employé.

— Heu… Oui.

Lentement, méticuleusement, l'homme remplit des formulaires. Un journal déplié sur le comptoir attira le regard de Zelda. Comme il était en anglais, elle se pencha pour lire. C'était une page de publicités et de colonnes de petites annonces.

« Il n'y aura pas de neige à Delhi en juin », disait l'une d'entre elles. « Profil : ingénieur du Pendjab, intelligent, de préférence vivant à Delhi. » « Femme 28 ans, 1,55 m, fine, sensible et riche. Réf 91564, *Times of India*, New Delhi 2. »

Zelda continua ainsi à sauter de ligne en ligne, lisant des phrases au hasard.

« Bon parti pour belle jeune fille sindhi, 32 ans, hôtesse à Air India, caste sans importance. Répondre avec horoscope indiquant lieu et date de naissance. »

« Peau de pêche, jolie, léger boitillement. »

« Divorcée (sans enfants), intelligente, diplômée, 30 ans. »

« Très très charmante jeune Brahmine, intelligente, bonne maîtresse de maison, croyante, 34 ans, carte verte, propose alliance à tout jeune homme bonne situation, Amérique ou Inde. »

L'employé remarqua son intérêt pour les annonces matrimoniales.

— Je cherche une femme, indiqua-t-il. Pour mon deuxième fils. Il est médecin.

Zelda sourit poliment. Jeune fille mince, grande, robuste, 21 ans, saine, bonne nageuse. Bonne expérience dans la pêche à la langouste, vidage des coquilles Saint-Jacques. Sait danser.

L'homme compta les liasses de billets d'un doigt rapide.

— Voilà, signez ici, et là. Et là.

— Merci.

Elle roula les billets et les enfonça dans sa poche.

— Pouvez-vous m'indiquer comment je peux me rendre à Rishikesh ? Le plus rapidement possible.

— À Rishikesh ? répéta-t-il avec un léger froncement de sourcils. Vous voyagez seule ?

— Oui, mais je vais retrouver ma mère. Elle vit là-bas.

Elle essaya de masquer par un sourire l'angoisse mêlée d'euphorie que ces mots faisaient monter en elle. Je vais voir ma mère. Elle vit là-bas. Des phrases toutes simples, ordinaires, qui semblaient si vraies.

Je t'en prie, sois au rendez-vous...

— Ah ! Alors pas de problème. (Il secoua la tête tristement.) Trop souvent, des jeunes filles viennent en Inde toutes seules. Rishikesh est une ville hindoue très connue, comme vous savez. Il y a beaucoup de temples, de dharmshalas, d'ashrams. Mais il y a aussi des endroits dangereux là-bas. Les gens profitent des étrangers. Votre mère, reprit-il, étonné, elle n'a pas organisé votre voyage ?

— Non. Je lui fais la surprise.

— Ah...

— J'ai d'autres amis aussi là-bas. Des amis de la famille.

— Très bien, très bien. Vous m'excusez, mais quel est votre standing de voyage ?

— Pardon ?

— Le train de jour est moins cher, mais il n'a pas l'air conditionné. On ne réserve pas la place, alors très serré. Le trajet environ huit heures. Descendre à Hardwar, et prendre un taxi jusqu'à Rishikesh. Mais ce n'est pas…

— Il part à quelle heure ? l'interrompit Zelda avec nervosité.

— Pour aujourd'hui, il est déjà parti. Demain, pas de train. Il faut attendre jusqu'au jour après.

— C'est trop long !

— Alors, il n'y a pas le choix. Les trains de nuit sont réservés longtemps à l'avance à cette saison. Il vous reste seulement le taxi. Coûter environ cinquante dollars.

Il s'interrompit, guettant sa réaction. Elle hocha la tête pour l'encourager à poursuivre.

— La durée est aussi environ huit heures. (Il lui jeta un regard sévère.) On ne peut pas voyager la nuit. Alors aujourd'hui, reposer. Demain matin, partir.

Zelda se taisait, très ennuyée. L'homme posa les mains fermement sur le comptoir.

— D'accord, concéda-t-elle. Je vais faire ça.

Il hocha gravement la tête.

— Je choisis moi-même votre taxi et chauffeur. Je vous recommande partir tôt, pendant qu'il ne fait pas trop chaud. Réglez votre note ce soir, et je vous réveille à six heures.

— Merci beaucoup.

Zelda le dévisagea tandis qu'il écrivait dans son registre. Il semblait fatigué, mais des rides étoilaient le coin de ses yeux parce qu'il devait beaucoup sourire.

— J'espère que vous trouverez une bonne épouse pour votre fils, ajouta-t-elle.

Il releva la tête.

— Il y a beaucoup bonnes épouses. Ce n'est pas difficile. Seulement mon fils... il veut choisir lui-même.

Il haussa les épaules, abattu, et Zelda se surprit à secouer la tête d'un air compréhensif.

— Peut-être saura-t-il mieux choisir lui-même une femme qui lui convient...

— C'est ce qu'il dit ! s'exclama-t-il avec surprise.

Il haussa de nouveau les épaules et balaya la question d'un mouvement de main.

— Que puis-je faire d'autre pour vous ?

— Pouvez-vous me conseiller un endroit où déjeuner ?

— Oui, madame, dit-il, derechef très professionnel. Vous pouvez déjeuner dans le salon de thé de l'hôtel, ou appeler le service d'étage, si vous préférez.

Zelda hocha la tête.

— Vous n'oublierez pas de commander mon taxi ? demanda-t-elle. C'est très important pour moi d'arriver demain.

— Bien sûr, je n'oublie pas.

Le salon de thé était décoré de plantes grimpantes artificielles. Les longues tiges de papier vert rampaient sur une marquise à rayures et un treillage blanc, et s'enroulaient autour de l'élégant panneau accroché dans un coin : « SALON DE THÉ DE LA TERRASSE. » Les tables étaient disposées le long de portes-fenêtres qui ouvraient sur une vraie terrasse ombrée de vraies plantes grimpantes en fleurs. Mais l'air était si brûlant qu'elle était déserte.

Un serveur conduisit Zelda à une petite table garnie de lourds couverts en argent et de serviettes d'un vert éclatant.

— Quelqu'un vous rejoint ? demanda-t-il.

— Non.

Il la laissa avec la carte. Zelda la parcourut sans intérêt. Elle avait faim, mais rien ne la tentait. En relevant les yeux, elle remarqua une petite Indienne arrêtée près de sa table, qui la contemplait avec de grands yeux graves. Elle était vêtue de vêtements colorés, flambant neufs, portant encore les plis de la boutique, tous au moins d'une taille trop grands pour elle. Sa robe avait glissé d'un côté, révélant une maigre épaule brune.

— Bonjour, dit Zelda avec un sourire.

Elle regarda autour d'elle afin de localiser les parents et ne vit dans la pièce qu'une grosse dame blonde et son mari chauve à barbe rousse. Ils étaient plongés dans la lecture de la carte, et leurs voix parvenaient jusqu'à sa table.

— Les enfants aiment tous les pancakes. Allez, on lui en prend, dit le monsieur.

— Je ne sais pas, répondit la femme en replongeant le nez dans le menu. Je me dis qu'un œuf sur un toast, ça serait meilleur pour sa santé.

Elle releva soudain la tête et s'écria :

— Sally ? Sally ?

Elle finit par voir la petite Indienne.

— Ah ! Tu es là ! Viens, chérie, viens ici.

La petite ne bougea pas, interdite.

— Allez, vas-y, dit Zelda en la faisant tourner pour la diriger vers la dame blonde. Va !

Le regard de la petite fille passa de Zelda à la dame, puis de la dame à Zelda. Un serveur approcha pour lui parler doucement dans une langue qu'elle sembla comprendre. Elle se jeta sur lui et s'agrippa à sa jambe.

— Excusez-moi, madame, dit-il à Zelda.

Il se pencha pour se dégager des bras menus.

La dame blonde se précipita et souleva la petite.

— Viens avec moi, chérie. Papa te commande des pancakes et de la glace.

Elle regarda Zelda avec un sourire.

— Elle est adorable, non ?

— Oui, très mignonne.

— C'est notre fille toute neuve, expliqua la dame en penchant sa tête blonde sur les cheveux bruns.

— J'ai Amanpree, récita la fillette d'une voix chantante. Je m'appelle quatre ans. J'aime le ballon. J'aime porter l'eau.

— C'est bien, bravo ! s'enthousiasma la dame.

Elle recula la tête, le menton collé au cou pour mieux voir le petit visage. Au bout d'une seconde, elle se tourna vers Zelda.

— Je m'appelle Maree. Mon mari, là-bas, c'est Steve. Nous venons d'Australie, de Sydney. Et vous ?

— Je suis australienne aussi. Je viens de l'île Flinders.

Maree n'avait pas l'air de connaître.

— Ça ne me dit rien…

— C'est entre Victoria et la Tasmanie.

— Ah oui, je m'en souviens, sur la carte météo, à la télé.

Maree reposa l'enfant par terre et la tourna vers Steve qui essaya de l'attirer en agitant un morceau de pain comme s'il lui tendait une friandise.

— Nous venons de l'adopter, reprit-elle avec un rire nerveux. Je n'ai pas l'habitude de parler à tout le monde comme ça, mais… mais je suis tellement heureuse ! Nous attendons ça depuis des années. Je n'arrive pas à y croire. Nous l'avons enfin !

Ses yeux s'embuèrent de larmes.

— Où… Qui vous l'a confiée ?

— L'orphelinat du Sacré-Cœur. Tout était organisé depuis longtemps, évidemment. Au début, nous voulions un bébé, mais ce n'est pas recommandé, à cause des maladies. Souvent, ils meurent une fois qu'on est rentré chez soi. Et puis, c'est triste de se dire que les plus vieux sont laissés pour compte. Personne n'en veut. C'est terrible pour eux de voir les petits partir. Enfin bref, on nous a envoyé une photo de Sally… enfin, d'Amanpree. Sa mère est morte. Son père est en prison. Elle n'avait plus personne au monde. On l'a adorée au premier coup d'œil.

Maree se pencha vers Zelda et baissa la voix pour lui confier :

— Steve est fou de joie. Il a construit une pièce supplémentaire pour qu'elle ait sa chambre, il lui a fabriqué un cheval à bascule, des jouets… tout.

Elle sourit de nouveau, laissant éclater son bonheur.

— Nous avons toujours voulu des enfants… Mais excusez-moi, je ne parle que de moi. Vous vous appelez… ?

— Zelda.

— Vous êtes en vacances ?

— Non, pas vraiment. Je viens voir ma mère.

Zelda s'interrompit. Elle avait été tentée d'expliquer qu'elle ne connaissait pas encore sa mère ; qu'elle n'était pas plus vieille que Sally-Amanpree quand sa mère était partie. Elle n'était pas morte. Elle l'avait abandonnée, comme si elle ne comptait pas du tout.

— Elle vit en Inde ? demanda Maree, un intérêt amical s'allumant dans son regard bleu.

— Elle voyage beaucoup. Moi, il faut bien que je vive ma vie, que je travaille… Mais nous tâchons de nous voir le plus souvent possible.

— Mais bien sûr ! Comme vous devez être impatiente de la retrouver ! Et elle, elle doit mourir d'envie de vous voir.

— C'est vrai, répondit Zelda avec un grand sourire. Nous nous écrivons beaucoup, mais ce n'est pas pareil.

— Rien à voir ! Je vous souhaite de bonnes retrouvailles et d'excellentes vacances ensemble.

Un fracas lui fit tourner la tête. La fillette avait grimpé sur une chaise, prenait les couverts sur la table et les jetait par terre un à un. Steve, imperturbable, lisait la carte. Maree leva les mains avec enchantement.

— Ah, les enfants !

Zelda les observa encore un peu, puis reprit la carte. Les lignes se brouillaient devant ses yeux emplis de larmes.

— Madame, vous avez choisi ? demanda le serveur qui s'était approché.

— Des pancakes et de la glace, s'il vous plaît.

— Désolé, madame, il est midi passé. Nous ne servons plus le petit déjeuner. Si vous désirez des pancakes, vous pouvez essayer les masala dhosa, des galettes indiennes.

— Très bien.

Après son départ, elle resta prostrée, son regard aveugle posé sur son assiette.

— Mademoiselle Zelda Madison ?

Elle sursauta en entendant son nom.

— Oui ?

Un groom lui tendait une feuille.

— Un fax pour vous.

Surprise, Zelda s'en empara. C'était un message manuscrit, d'une grande écriture rapide, qui occupait tout l'espace libre.

Je pense à toi, chérie, au début de ta « longue marche ». Sois forte. Reste toi-même.

Ton amie antédiluvienne,

Cassie

Zelda plia la page et serra le carré de papier dans sa main, tirant de la force des encouragements de la vieille dame. Cassie pensait à elle. Elle la comprenait. Elle avait suivi avec intérêt tous les coups de téléphone de Zelda, ses explications maladroites, les longs silences, puis ses sanglots étouffés.

— Qui était-ce ? demandait-elle une fois que Zelda avait raccroché.

Zelda, en larmes, répondait :

— Drew. Mon copain. C'est mon meilleur ami. Je l'aime. James l'aimait beaucoup.

Ou :

— C'était Lizzie, la mère de Drew. Elle m'aime beaucoup. Ils veulent que je reste. Ils veulent que j'attende.

— Il faut battre le fer tant qu'il est chaud, rétorquait Cassie. Il faut partir maintenant. Cherche-la. Tu trouveras ce que tu trouveras, mais tu en auras le cœur net. Il n'y a rien d'autre à faire, courage.

Zelda redéplia le fax et le plaça près de son assiette. Ce serait son porte-bonheur, un talisman qui l'accompagnerait dans son périple. *Courage, sois forte. Reste toi-même. Avec vous, pour vous, toujours…*

Son sac à dos calé sur la banquette à côté d'elle, Zelda commençait son voyage en taxi. Elle avait chaussé ses lunettes de soleil et baissé son *akubra* sur son nez pour se protéger du monde extérieur. Ainsi camouflée, elle contemplait les avenues bordées d'arbres. Ici et là, un retardataire dormait encore, enroulé dans son vêtement, visage enfoui dans le tissu. Les mendiants attendaient, immobiles comme des statues, ne montrant presque aucun signe de vie. Les sadhus murmuraient des prières. Plus le taxi s'éloignait de l'hôtel, plus les rues devenaient étroites, et le calme laissa place à la confusion et à la foule. Les marchands, au fond des stands, allumaient de petits réchauds. Des groupes d'étudiants en chemise blanche buvaient le thé dans des tasses de terre cuite, entourés par des bandes d'enfants en haillons.

À sept heures, la circulation était déjà dense, les rues encombrées de chars à bœufs, de bicyclettes, de camions et de vieux bus aux fenêtres condamnées. Des scooters chargés de familles entières zigzaguaient entre les voitures : le père aux commandes, un ou deux enfants perchés sur le guidon, et la mère sur le porte-bagages, son sari coloré voletant au vent.

Zelda sortit sa bouteille d'eau désinfectée et en avala une longue gorgée. Tout en buvant, elle vit que le chauffeur l'observait dans le rétroviseur. Il lui adressa un sourire étincelant.

— Il conduit bien, lui avait dit l'employé de l'hôtel. J'ai bien choisi pour vous. Il est membre de ma famille. Il parle anglais. Vous avez déjà réglé le prix, mais si vous voulez, vous donnez un pourboire. Pas plus de vingt ou trente roupies.

Il s'était interrompu pour lancer un regard sévère au chauffeur.

— Il vous amène au Holy Ganges Hotel, à Rishikesh. Maintenant, vous relaxez, s'il vous plaît, et appréciez un bon voyage.

Au bout d'une heure ou presque, les rues s'élargirent. Bientôt, les constructions s'espacèrent, et ils arrivèrent dans une zone agricole, avec de petits villages ombragés. Il faisait chaud, mais une odeur douce et délicieuse flottait dans l'air. Ils dépassèrent une file de camions chargés de longues tiges vertes.

— Canne à sucre, expliqua le chauffeur. Sucré.

Ils croisèrent des cultures de tournesols aux lourdes fleurs, faces brunes et corolles jaunes, tournées vers le soleil. Puis vinrent des étendues de terre labourée, envahies de volées d'oiseaux bigarrés et constellées des taches rose vif, turquoise, rouge et ambre des jupes et des châles des travailleuses agricoles.

Vers le milieu de la matinée, le chauffeur fit une halte devant un petit café au bord de la route.

— Entrer ? proposa-t-il en montrant la porte du doigt. Thé. Boisson fraîche. Toilettes.

Zelda hocha la tête, se battit avec la poignée, puis descendit. Elle étira ses membres engourdis. Elle était couverte de poussière ; elle en avait partout, sur les vêtements, collée à la peau par la transpiration. Elle fut vite entourée par une foule silencieuse, maigre, le visage et les yeux immobiles. Elle s'arrêta et jeta un coup d'œil inquiet sur son sac à dos, resté sur le siège arrière.

— Pas de problème, dit le chauffeur.

Il désigna un petit garçon qui avait grimpé sur le pare-chocs.

— Surveiller.

— Merci.

Zelda se dirigea vers le café, consciente des regards qui pesaient sur elle.

La salle était sombre, mais il ne faisait pas beaucoup plus frais à l'intérieur qu'à l'extérieur. Un ventilateur au plafond tournait lentement et faisait voler les mouches. Derrière le comptoir se tenait un vieil homme coiffé d'un turban rose fané, si lâchement enroulé sur sa tête qu'il ne semblait tenir que par miracle. L'homme lui indiqua quelques bouteilles poussiéreuses.

— Limca ? Thums Up ? Soda ?

Zelda désigna l'une d'entre elles, qui contenait un liquide jaune, et lui tendit de l'argent.

— Vous vient d'où ?

La voix venait de derrière elle. Elle se tourna et vit un jeune homme à la peau foncée. Il la dévisagea de ses yeux noirs.

— Île Flinders... Australie.

— Ah ! Amérique. George Bush.

Zelda fit un sourire poli. Elle essuya le goulot de sa bouteille avec la manche de sa veste, but quelques gorgées du soda jaune très sucré, puis se dirigea vers la porte pour retourner au taxi.

— Mem-sahib ! Mem-sabib ! appela le vieil homme d'une voix affolée. Non. Non !

Zelda s'arrêta. Il secouait la tête en désignant la bouteille qu'elle tenait à la main. Elle fronça les sourcils sans comprendre et chercha des pièces dans sa poche.

— Bouteille, pas prend, expliqua le jeune homme.

Leurs regards se croisèrent de nouveau. Cette fois, il descendit les yeux jusqu'à la poitrine de Zelda.

Elle termina sa bouteille d'un trait et la replaça sur le comptoir.

— Oui-mon-ami ! cria le vieil homme derrière elle tandis qu'elle sortait.

Un rire la suivit jusque dehors.

Le trajet dura beaucoup plus de huit heures. Au bout de dix heures, et comme rien ne les avait ralentis, Zelda s'inquiéta.

— Nous approchons ? demandait-elle régulièrement. Nous arrivons quand ?

Le chauffeur se contentait de hocher la tête et de donner des réponses vagues.

— C'est loin. Delhi. Rish'kesh. Loin. Mais s'il vous plaît, faire un bon voyage. Vous sur vacances, oui ?

Enfin, la forêt s'éclaircit et laissa place à des champs, puis à des constructions.

— Rish'kesh arrivé, annonça le chauffeur.

Puis, sans avertissement, il quitta la route pour tourner dans une allée boisée.

Le Holy Ganges Hotel ressemblait à un immeuble de bureaux pourvu d'une entrée d'hôtel. Les murs extérieurs étaient d'un jaune terne et poussiéreux. Des rangées de fenêtres tristes tournaient leurs yeux aveugles vers la pelouse. Des pots de cactus fatigués encadraient un large perron qui menait à une double porte vitrée.

Le chauffeur prit l'argent de Zelda avec une inclinaison de tête et lui désigna l'hôtel.

— Le garçon va porter, dit-il en lui montrant son sac.

— Non, merci, je me débrouille.

Elle attrapa son sac par une bretelle et le passa sur son dos.

— Merci beaucoup. Au revoir.

Zelda sentit son regard réprobateur pendant qu'elle montait les marches. Elle se souvint alors des conseils de Rye : *Il faut toujours prendre un porteur. Ce n'est pas généreux de s'en passer. Ils ont besoin de travailler.* Gênée, elle jeta un coup d'œil derrière elle et vit un garçon squelettique courir vers la voiture. Il s'arrêta et resta interdit en la contemplant avec de grands yeux. Elle se détourna, penaude, et reprit son chemin.

Le hall était désert. Elle posa son sac à dos et patienta, appréciant l'air frais sur sa peau moite. Au bout d'un moment, elle se dirigea vers le comptoir éclairé par une lumière crue de néons. Un gros téléphone noir trônait au milieu du comptoir, qui se mit brusquement à sonner. Personne ne vint répondre. Il sonna, sonna. Puis, juste au moment où la sonnerie cessait, un homme accourut. Il regarda Zelda, puis le téléphone, comme s'il était surpris qu'elle n'ait pas décroché.

— J'ai une réservation, expliqua Zelda. Au nom de Zelda Madison.

— Oui, mem-sahib. Nous vous attendons. Hier. Mais pas de problème.

Il prit un gros registre, le posa sur le comptoir et l'ouvrit.

— Je fais préparer votre chambre. D'abord, je vous enregistre comme visiteur étranger. Passeport, s'il vous plaît.

Il leva la tête vers elle et la considéra.

— Vous venez de Delhi. Vous êtes fatiguée.

— Oui, c'est vrai.

Il appuya du plat de la main sur une sonnette et se tourna vers la porte. Le garçon arriva, ne sachant pas quoi faire de ses bras vides. Le réceptionniste lui tendit une clé accrochée à une grosse boule de cuivre, puis s'adressa à Zelda.

— Chambre spéciale, pour vous. Vue sur le fleuve.

— Merci. Il y a une douche ?

— Bien sûr. Même de l'eau chaude, j'espère.

Sous la douche, Zelda renversa la tête pour laisser l'eau couler sur son visage. Suivant les conseils de Rye, elle prit bien garde de fermer la bouche, imaginant les amibes qui grouillaient dans l'eau, à l'affût du moindre passage pour pénétrer dans son système digestif. Le savon de l'hôtel était rouge, petit et dur, et sentait les lavabos d'école. Elle se frotta tout le corps, puis se rinça et retourna dans sa chambre. Elle prit le téléphone et composa le numéro du service d'étage.

En attendant une réponse, elle se vit : Zelda en Inde, au téléphone, enveloppée dans une serviette à la façon d'une actrice américaine.

— Oui, dit-elle d'un ton qu'elle aurait voulu plus naturel, chambre 12. Pouvez-vous me faire monter une bouteille de Limca, s'il vous plaît ? Merci.

Elle s'arrêta, le téléphone encore à la main, et chercha le portefeuille où elle rangeait son passeport. Elle en sortit une petite carte de visite blanche. M. Ranjit Saha. 97 Veer Bhadra Road, Rishikesh 249201 – tél : 516. Elle se dépêcha de composer le numéro pour ne pas être tentée de préparer ce qu'elle allait dire. Elle se rappela les recommandations de Rye : *Ranjit est un vieil ami de la famille et il connaît tout le monde. Appelle-le dès ton arrivée.*

Elle sursauta quand une voix répondit.

— Allô ? Allô ?

Elle interrompit une longue phrase dont elle ne comprenait pas un mot.

— Je voudrais parler à M. Ranjit Saha, s'il vous plaît.

Silence.

— Ranjit Saha ? répéta Zelda.

— Pardon. Ranjit Saha n'est pas là, madame. S'il vous plaît, rappelez demain. Bonsoir.

La main de Zelda se crispa sur le combiné. Demain. Autant dire dans une semaine. L'idée d'attendre sans rien faire lui était insupportable. Pourtant elle n'avait pas le choix. La fin de la journée allait lui sembler interminable.

Elle s'assit sur le lit et regarda autour d'elle. Cette chambre d'hôtel n'avait rien d'indien. À moins de compter la vieille affiche d'un tigre du Bengale. L'animal contemplait tristement les conforts de l'Occident : une coiffeuse en mélaminé, un dessus-de-lit en brocart, un abat-jour à franges. Mais le tapis était taché, les murs salis au-dessus de la tête de lit, et des fils électriques dépassaient du pied de lampe.

Au moins, je suis enfin arrivée à Rishikesh.

Rishikesh… La ville des saints. Là où vivait Ellen.

« DE NOTRE CORRESPONDANT À RISHIKESH, INDE. » C'était la phrase imprimée en petits caractères sur le morceau de journal jauni.

LIBERTY ADULÉE PAR DE NOUVEAUX ADEPTES.

DE NOTRE CORRESPONDANT À RISHIKESH, INDE

Dix ans après la fuite de la danseuse américaine devenue superstar, dont la rumeur disait

Cet extrait, elle le connaissait par cœur, mot pour mot. Elle revoyait la forme irrégulière du journal arraché. Un grand continent sans angles.

Elle alla à la fenêtre et regarda le jardin fatigué, parsemé de fleurs rose vif. En se penchant, elle apercevait un petit bout de fleuve, gommé par une brume blanche. Les ombres étaient douces et longues, le jour baissait.

Des coups frappés à la porte l'arrachèrent à son poste d'observation. Elle enfila vite quelques vêtements et ouvrit. Un jeune homme souriant en uniforme bordeaux se tenait devant elle.

— Je suis quelqu'un, annonça-t-il.

— Pardon ?

— Je suis envoyé quelqu'un avec Limca.

Il entra, plateau en avant, la bouteille posée au milieu.

— Merci, dit Zelda.

Elle signa la note et lui donna un pourboire.

Il faut toujours donner des pourboires, avait recommandé Rye dans sa lettre. *Une roupie ou deux, pas forcément plus. Si tu ne donnes rien, tu verras que très vite plus rien ne se fera.*

Le garçon inclina la tête.

— Revenez, déclara-t-il d'un ton enjoué. Apportez le verre et ouvrez la bouteille.

La salle à manger ressemblait à un grand théâtre vide dont la scène, derrière une baie vitrée, avait pour toile de fond un décor romantique : de douces collines se dessinant sur un ciel pastel de soleil couchant, large cours d'eau argenté et immobile nimbé de brume. Le fleuve sacré, le Gange.

Zelda passa entre les tables vides pour atteindre les fenêtres. Là, elle appuya le front contre la vitre tiède et contempla le paysage à travers un nuage épais de moustiques agglutinés autour d'une lumière extérieure.

Un homme de haute taille, vêtu d'une toge orange, émergea de l'ombre du jardin et approcha du bord du fleuve. Dans ses mains, il protégeait une petite flamme jaune. Elle brûlait, droite dans l'air tranquille, et ne vacilla que lorsqu'il la balança lentement de droite à gauche. Il leva la tête vers les dernières lueurs du soleil couchant et entonna une prière. Sa voix filtrait à travers les vitres comme un écho lointain. Zelda essaya d'isoler des mots dans la mélopée, mais n'en distingua aucun.

— C'est la *puja*, l'heure de la bénédiction, dit une jolie voix derrière elle.

En se tournant, Zelda vit une jeune Indienne, vêtue d'un sari de soie chatoyante.

— Il vient faire la prière à l'aube et au coucher du soleil, expliqua la nouvelle venue qui s'exprimait avec un léger accent américain. C'est le prêtre de l'hôtel, le saint homme. Il offre le *prasad*, la bénédiction, au nom de tous les résidents.

— Le fleuve est magnifique.

La jeune femme inclina la tête en remerciement, comme si le mérite lui en revenait. Ensemble, elles regardèrent en silence le prêtre qui lançait des fleurs jaunes dans l'eau. En touchant la surface, celles-ci s'enfonçaient à demi, tournoyaient dans le courant puis finissaient par être emportées.

— Je vous laisse prendre votre dîner, dit la jeune femme indienne.

— Attendez !

Zelda tira de sa poche une enveloppe pliée en deux.

— Je voudrais vous poser une question.

La jeune femme parut surprise et attendit. Zelda sortit la coupure de journal pour lui montrer la photo d'Ellen.

— Je cherche cette personne.

— Mais c'est vous !

— Non…

— Alors votre sœur. Où est-elle ? À Rishikesh ?

— Je ne sais pas. Elle était à Rishikesh quand la photo a été prise, mais c'était il y a douze ans.

— Les étrangers vont souvent dans des ashrams, mais ils ne restent pas. Ils viennent en visite, et puis ils repartent. Il y a des cas à part, bien sûr. Certains restent un peu. Certains deviennent même *sannyasins*.

Elle regarda mieux la photo.

— *Sannyasin*..., répéta Zelda.

On parlait des *sannyasins* dans les livres sur l'Inde que lui avait prêtés Dana. Elle se souvenait des longues discussions au cours desquelles Dana et Cassie essayaient de deviner où était Ellen.

— Elle était encore influencée par l'époque hippie, avançait Dana. Elle est sans doute restée un peu, et puis elle a continué sa route. Je donnerais ma main à couper qu'elle est rentrée aux États-Unis depuis des années.

— Si elle était en Amérique, on aurait entendu parler d'elle, protestait Cassie. Elle était trop connue pour passer inaperçue. Je pense que Zelda a raison : elle est encore en Inde. Mais que veulent-ils dire par « Liberty adulée par de nouveaux adeptes » ? On dirait quelque chose de religieux, ou politique. Ou alors une organisation caritative... Peut-être qu'elle aide les pauvres...

Les discussions se terminaient toujours sur les mêmes points d'interrogation.

— Quoi qu'il arrive, concluait Cassie, c'est une magnifique aventure. Il faut t'en souvenir, Zelda. Au fond, c'est presque ça le principal.

La jeune Indienne inclina la photo vers la lumière et fronça les sourcils.

— Pourquoi votre sœur est-elle dans le journal ? Elle a commis un crime ? Elle est recherchée par la police ?

Zelda, qui se mordillait l'ongle, ne répondit pas. Au loin, montaient des voix et des bruits de tambour. Plus proches, des ustensiles s'entrechoquaient derrière les portes de la cuisine.

La jeune femme approcha la photo d'une lampe, et Zelda la suivit en silence, attendant qu'elle se prononce.

— Quand on devient *sannyasin*, on abandonne sa vie de famille pour toujours... On suit la Voie de l'éveil. Quelques étrangers y sont parvenus. Mais... pas elle, je pense.

— Pourquoi ?

La jeune femme pointa un long doigt mince sur une partie de la photo.

— Là, son vêtement. On dirait de l'étoffe indienne, très chère. De la soie de Bénarès. Les *sannyasins* portent tous du simple *khadi* tissé à la main.

— Mais, pour un étranger, il doit bien y avoir d'autres raisons de rester ici, protesta Zelda d'une voix tremblante.

— Peut-être. Moi, vous savez, je ne vis pas à Rishikesh. Je rends visite à ma sœur.

— Donc, si ma... si cette personne était ici, comment faudrait-il que je m'y prenne pour la trouver ?

— D'abord, le matin, il faut aller aux bains, aux *ghats*. Tout le monde y va pour la *puja*. Vous la verrez peut-être, si elle est pratiquante.

Elle s'interrompit car le serveur arrivait avec la carte. Il inclina la tête pour saluer les deux femmes, puis considéra d'un air grave la salle à manger vide. Il choisit une place au bout d'une longue table et fit signe à Zelda d'y prendre place.

La jeune femme la laissa en lui souhaitant bon appétit et repartit, un pan de son long sari soyeux passé sur le bras.

Zelda examina la salle : les tables étaient grandes, comme si c'était la coutume de venir dîner en groupe. Comme au club de golf de chez elle, où les insulaires avaient l'habitude de se retrouver dans une cacophonie de rires et de bavardages autour d'un bon steak maison et de champignons en boîte au beurre blanc. Drew, Lizzie et Sharn... même James, parfois.

James. Papa. Son visage : puissant, mince, hâlé. Humide d'embruns. Les cheveux soulevés par le vent, dressés sur sa tête en une couronne folle. Elle ferma les yeux pour contenir ses larmes. C'était le James d'autrefois, celui qu'elle avait connu et tant aimé. Elle s'efforça de retenir cette image, mais les interrogations se pressaient dans sa tête, formant un nuage noir qui masquait le reste et la mettait en rage. Il lui avait dit qu'Ellen était morte. Pourquoi ? Comment avait-il pu ? De quel droit ? Elle ouvrit la carte et contempla les mots étrangers : *puri badji. Kashmiri dum alu. Raita dahi.* Elle n'arrivait pas à se concentrer, les questions sans réponse la rendaient folle. Pourquoi ? Pourquoi ces mensonges, pendant de si longues années… Alors qu'Ellen était en vie. Sa propre mère…

Elle se remémora les photos d'elle, bébé, avec Ellen. Il fallait remonter dans le temps pour renouer le fil. Elle avait eu près de quatre ans quand Ellen était partie. Déjà assez grande pour se rappeler ce qu'elles faisaient ensemble, pour conserver des impressions. Mais c'était éphémère. Dans sa vie, elle avait souvent, comme à présent, essayé de faire resurgir des souvenirs enfouis. Mais elle n'en retirait chaque fois qu'une impression désagréable, un malaise indéfinissable. Comme si tout en voulant atteindre le passé, elle ne le voulait pas. De quoi avait-elle peur ? Sans doute de la mort d'une personne qui avait été sa mère, qu'elle avait connue en vie. Ce trou dans son passé l'avait toujours perturbée. Quelques années plus tôt, elle en avait parlé à Lizzie – après tout, Lizzie avait été témoin de son enfance, l'avait vue avec Ellen, était là lors de la disparition de sa mère.

— Elle t'a tellement manqué que tu as dû effacer tous tes souvenirs, avait supposé Lizzie. Et James voulait que tu l'oublies, aussi… Il interdisait qu'on te parle d'elle. Moi, je n'étais pas d'accord, et je ne le lui cachais pas. Je ne trouvais pas ça bien, et ce n'était pas bon pour toi. C'est parce qu'il était malheureux. Il me disait : « Maintenant, c'est toi sa mère, c'est ce qu'Ellen aurait voulu », avait-elle expliqué avec un sourire attendri.

Zelda ferma les yeux, prise d'une tendre nostalgie qui atténuait un peu sa rancœur. Lizzie avait tant fait pour elle. Et James, aussi… Il avait tenté de combler tous ses manques. N'empêche, un vide énorme trouait son passé, un abîme qui se creusait avec le temps. Cette faille laissait passer les vents froids du doute, du mal de vivre. Elle se visualisait comme une silhouette en carton, détachée de son fond, de son contexte. Rien ne la rattachait à ses origines, ou presque. Quelques rares indices, des lambeaux d'existence qu'elle recueillait comme de saintes reliques.

Le serveur, qui était revenu prendre sa commande,

l'interrompit. Elle désigna des plats au hasard et attendit qu'il retourne dans la cuisine. Dès qu'elle fut seule, elle replongea dans ses souvenirs, passant en revue les rares qui lui restaient d'Ellen, rassemblant tout ce qu'on lui avait jamais dit d'elle.

Ma mère. Ellen. Ellen Madison.

Danseuse.

Américaine.

Tuée dans un accident de voiture sur le continent. (Elle était partie faire des courses, mais James ne savait pas ce qu'elle avait acheté. Tu ne t'en souviens pas ? avait-elle insisté des années plus tard, espérant trouver la preuve que les dernières pensées de sa mère avaient été pour elle. Une peluche, un puzzle, une petite robe taille quatre ans…)

Elle est morte vite, disait James. Elle n'a pas souffert.

Une autre fois, il avait ajouté qu'elle était enterrée là-bas, sur le continent. Il avait voulu en finir le plus vite possible. Il n'aimait pas les cérémonies, les pierres tombales ; le souvenir d'Ellen survivrait dans le cœur de ceux qui l'avaient aimée.

Il ne restait rien, à part un papier. Un certificat de décès. Mais elle ne l'avait eu qu'à la mort de la grand-mère de Drew, qui s'était paisiblement éteinte dans son lit, dix ans plus tôt.

— Et maman ? avait demandé Zelda à James. Je peux voir son certificat de décès ? Drew dit que tout le monde en a un. Tu me le montres ?

Silence. Long soupir et regard bizarre.

— Bien sûr, bien sûr. Je vais t'en faire faire une copie. (Il semblait retrouver ses esprits à mesure qu'il parlait.) Je te ferai une photocopie que tu pourras garder. Je te comprends, Zelda. Tu as besoin de savoir, de voir.

Il avait tenu parole. Quelques semaines plus tard, il lui avait donné la photocopie promise.

Cause de la mort : hémorragie interne à la suite d'un éclatement de la rate et d'une perforation de l'intestin, due à un accident de la route.

Zelda avait lu et relu cette phrase. Horrifiée, elle avait relevé un visage blême.

James avait haussé les épaules, navré.

— En d'autres termes, elle s'est vidée de son sang.

Il avait ouvert une bouteille de bourbon et regardé par la fenêtre tout en remplissant son verre. Signe qu'il estimait le sujet clos et préférait demeurer seul avec ses pensées.

Seul avec ses mensonges.

Zelda regarda les couverts sur la nappe blanche, qu'elle manipulait machinalement. Les mots *Holy Ganges Hotel* étaient gravés sur le manche.

Tant de mensonges accumulés, et qu'elle avait religieusement conservés. Même un faux certificat de décès. Pourquoi ? Avait-il un tel besoin qu'Ellen n'existe plus ? Ou, simplement, était-il devenu prisonnier d'un mensonge né dans la douleur ? Il avait pu se laisser dépasser par les événements…

Et s'il avait menti sur tout ?

Un jour, à Noël, Zelda s'était armée de courage et avait osé lui demander de lui parler de la famille d'Ellen.

— Quoi, la famille d'Ellen ?

Il avait l'air étonné, comme s'il ne comprenait pas.

— Ma grand-mère et mon grand-père, de son côté.

Elle le fixait avec une telle obstination qu'il fut forcé de répondre.

— Oh, il n'y a pas grand-chose à dire.

— Quand même. Tu dois bien savoir quelques détails.

Un soupir.

— Ellen était fille unique. Sa mère, Margaret, avait divorcé peu de temps après sa naissance.

Puis, il reprit son livre.

— Et elle est comment, Margaret ? insista Zelda.

— Elle est morte. Je ne l'ai jamais rencontrée.

— Même pas à votre mariage ?

— Non, je te l'ai déjà dit. Il n'y avait que quelques amis au mariage, pas la famille. Surtout pas elle.

— Pourquoi, surtout pas elle ?

James ne répondit que par un grommellement et se pencha pour attiser le feu.

— Je veux savoir ! Je ne suis plus une gamine. J'ai presque seize ans.

James resta penché, comme s'il voulait dissimuler son visage pendant qu'il réfléchissait.

— Bon, finit-il par jeter d'une voix dure. Puisque tu y tiens, je vais te raconter. Tu vas te rendre compte que ce n'est pas toujours agréable de fouiller dans son passé familial, et que parfois il vaut mieux ne rien savoir du tout. Ellen n'a jamais voulu l'admettre, mais sa mère était une vraie perverse. Riche, égoïste et complètement tordue. Elle ne s'est jamais remise de l'abandon de son mari qui l'a quittée en lui laissant élever son enfant toute seule.

Il s'interrompit, et Zelda tenta un commentaire prudent :

— Ç'a dû être très dur pour elle.

— Tu parles ! En tout cas, rien à côté de ce qu'elle voulait faire subir au pauvre type. Tu penses s'il avait envie de vivre avec un enfant qui n'était pas le sien ! Le bébé avait été conçu en l'absence du mari.

— Quoi ?

— Tu as bien entendu. Le fruit de l'adultère. Et avec son meilleur ami ! Une double trahison… D'après ce que je sais, il ne supportait pas l'enfant parce qu'il adorait sa femme. La situation lui est devenue insupportable, alors il est parti. Margaret a reporté toute sa rancœur sur Ellen, comme on pouvait s'y attendre.

Le crépitement du feu monta dans le silence.

— Tu vois, ce n'est pas bien joli comme histoire.

— Pauvre Ellen. Elle a dû beaucoup souffrir quand elle a appris ça. C'est lourd à porter.

En se versant du bourbon, James fit tinter la bouteille sur le verre.

— Ne t'inquiète pas pour elle, Zel. Elle ne l'a jamais su. Je l'ai appris seulement il y a quelques années, à la mort de Margaret. Elle était soignée dans une clinique et elle a fait envoyer ses papiers à sa fille. Elles s'étaient perdues de vue, et je ne sais pas comment ils ont fait pour nous retrouver. Dans le temps, on pouvait disparaître, mais plus maintenant, depuis que les ordinateurs centralisent tout. Ils ont quand même eu du mal, et tout ça pour un tas de vieilles lettres.

Après quelques hésitations, il se leva et alla dans sa chambre. Il revint avec une enveloppe.

— Il y avait cette photo, dit-il en la lui tendant. Tu peux la garder, puisque ça te passionne tant.

Zelda la sortit. Elle vit un sourire et des yeux sombres, très intenses, qui ressemblaient aux siens. Elle comprit tout de suite.

— C'est lui. Son vrai père. Mon... grand-père.

Des mots étranges, qu'elle n'avait pas l'habitude de prononcer.

— Harlan, commenta James d'un ton vaguement moqueur. Son nom est écrit au dos.

— Il me ressemble... Il nous ressemble à toutes les deux, remarqua Zelda, fascinée.

— Ça ne m'étonne pas que Margaret lui ait envoyé ça, d'après ce que je sais d'elle, ricana James. Elle n'a pas pu mourir sans lui faire mal une dernière fois. Et tout ça camouflé sous un tas de fausses excuses et de remords hypocrites. Comment peut-on sincèrement regretter d'avoir été un monstre toute sa vie ? Pourquoi lui communiquer tout ça alors qu'elles ne s'étaient pas vues depuis des années ?

Il avait les poings crispés de colère.

— Mais pourquoi elles ne se voyaient plus ?

Zelda avait posé sa question d'une voix légère, l'air de ne pas y toucher, en espérant que James continuerait de parler.

— Je ne sais pas. Ellen est partie en pension. Elles ont pris leurs distances. Une danseuse n'a de temps pour rien dans sa vie. Il n'y a de place pour personne.

James regarda autour de lui et posa les yeux sur la fenêtre qui donnait sur la mer.

— C'est pour ça que nous avons dû venir ici. Je ne l'ai pas regretté un seul instant.

Les confidences s'étaient arrêtées là.

Pauvre Ellen. Accusée d'une faute qu'elle n'avait pas commise. Rejetée. Et qui n'avait même pas su pourquoi.

Le repas fut servi, fumant et coloré dans ses plats métalliques brillants. C'est à peine si Zelda s'en aperçut. Elle regardait au-dehors. La rivière s'assombrissait. La mère protectrice…

Ellen avait-elle beaucoup souffert de son passé ? La vérité aurait-elle une grande importance pour elle, si elle l'apprenait à présent ? Zelda pensa à la photo de Harlan – l'homme souriant – qu'elle gardait précieusement dans son sac à dos avec ses chèques de voyage et son passeport. Quand je la retrouverai, songea-t-elle, je lui raconterai tout, je la lui montrerai.

Elle sourit, imaginant leurs retrouvailles, elle, la fille perdue, surgissant de nulle part. La fille qui apportait à sa mère la clé de son passé, la lumière qui éclairait les sombres événements qui avaient marqué sa vie. Elle lui révélerait le nom de son vrai père, lui apprendrait la mort d'une mère qui avait voulu lui demander pardon.

Longtemps, Zelda tourna ses pensées dans sa tête tout en regardant la brume se déposer, voile de silence, sur l'eau. L'eau profonde et éternelle du Gange.

26

Dans la pâleur de l'aube naissante, tout semblait sombre et plat. Seules les guirlandes de fleurs ressortaient dans le décor gris orange intense des œillets d'Inde, rose vif des roses et jasmin blanc. Elles décoraient les stands qui bordaient la rue vers les bains. Ici et là, une ampoule nue brillait, jetant un rond de lumière jaune sur les petites piles d'encens, les serviettes bien pliées et les paniers remplis de bouteilles en plastique vides. Zelda avançait lentement, aspirant à pleins poumons l'air frais au parfum d'encens et de fleurs, sur un fond plus soutenu de poussière et d'odeurs animales.

Un double portail de fer gardait l'entrée des *ghats*. Les deux vantaux grands ouverts laissaient passer un flot continu d'hommes, de femmes, d'enfants, de moines et de mendiants. Zelda rejoignit leurs rangs. Tout en marchant, elle scrutait les visages, dissimulant son regard sous le bord de son chapeau. Tous avaient l'air indiens.

Parfois, elle avait un doute ; ses yeux se posaient sur une vieille femme aux cheveux blancs comme neige, ou sur un homme à la peau tavelée de rose clair. Une minute, elle oublia sa quête en voyant un homme vêtu d'un pagne orange, qui venait vers elle. Son thorax aux côtes saillantes était couvert de cendres colorées, et il tenait un trident métallique dans sa main noueuse. On distinguait à peine ses traits derrière la barbe broussailleuse et la jungle de ses cheveux, mais son regard perçant vous saisissait, incandescent. On aurait dit l'émissaire d'un royaume étrange et lointain. Elle se tourna à son passage, et le suivit des yeux jusqu'à ce qu'il se perde parmi les gens. Frappée par cette apparition, elle reprit son chemin vers le portail qu'elle passa, serrée dans la foule.

Le sentier passait entre deux rangées de cabanes. Dans chacune, une silhouette assise en tailleur trônait sur une estrade. Les hommes portaient des robes orange et avaient le visage teint de bandes de couleur ; les femmes étaient vêtues de blanc. Ils se penchaient sur des réchauds, pilonnaient et mélangeaient des poudres colorées. Zelda s'arrêta et observa un jeune homme qui s'arrêtait près de l'un de ces kiosques. Il se courba pour se faire poser un point rouge au milieu du front, joignit les mains, puis plaça quelques pièces dans une soucoupe métallique. Son regard rencontra celui de Zelda au moment où il se redressait. Elle se dépêcha de tourner la tête vers les arbres, mais sentit qu'il hésitait, la dévisageant avec insistance…

Elle continua d'avancer, cherchant toujours dans la foule, à gauche, à droite, à droite, à gauche, avant de s'immobiliser, surprise, devant un homme au visage très rouge encadré de cheveux blonds. Elle se fraya un chemin jusqu'à lui.

— Bonjour ! dit-elle avec un sourire.

Il avait de larges épaules, des biceps épais qui gonflaient les manches de sa chemise en jean. Il se tourna pour voir qui lui parlait, mais se contenta d'un petit hochement de tête et s'éloigna, sourcils froncés, très absorbé par les réglages de son appareil photo. Zelda reconnut cette réaction pour l'avoir souvent remarquée chez les visiteurs de l'île Flinders en été : ne me rappelez pas que je suis un touriste. Fichez-moi la paix. Je me mêle aux autochtones.

Elle atteignit un large parvis pavé qui s'étendait jusqu'à la rive. Du côté le plus éloigné de l'eau, la foule était moins dense, et elle s'assit sur une marche, le coude sur le genou, le menton sur la main. Un gros corbeau noir se dandina jusqu'à elle, donnant des coups de bec dans le vide. Non loin, un prêtre, debout au milieu d'un pavillon de pierre, psalmodiait des prières. Sa voix, claire et forte dans l'air immobile, flottait sur les mendiants endormis par terre et arrivait jusqu'aux baigneurs qui entraient dans l'eau grise du fleuve. De petites piles de vêtements parsemaient les berges. Des gens accroupis se séchaient entre les rochers, les femmes renouaient les longs tissus de leurs saris. D'autres revenaient sur le parvis, serviette passée sur le bras, portant des bouteilles en plastique remplies d'eau du Gange.

Sur un bloc de rocher au centre du parvis se dressait un groupe de dieux et de déesses taillés dans du marbre blanc. Ils se détachaient dans le ciel de cendres, leurs longues robes et leurs cheveux soulevés par le vent. Zelda fut étonnée de les trouver si familiers, comme des personnages de la mythologie grecque – noble port de tête, visage serein, peau lisse et fine.

Son regard fut attiré par une petite fille qui la contemplait de ses grands yeux sombres. Sur le point de lui sourire, Zelda eut un choc en voyant que les joues de l'enfant étaient transpercées de clous. Une pointe de métal sale de chaque côté, enfoncée dans la chair tendre. Ses cheveux emmêlés formaient d'énormes mèches feutrées qui descendaient sur des épaules maigres et couvertes de cicatrices. Un croisillon de lignes blanches balafrait sa peau, telles des traces de couteau ou de fouet.

— Donne roupie, donne roupie ! cria la petite en tendant un pot en terre cuite.

Zelda, muette d'horreur, resta paralysée.

— Roupie ! répéta l'enfant en secouant sa sébile.

Son sourire tirait sur les croûtes de ses lèvres et découvrait des dents de lait toutes blanches. Elle fit un pas vers Zelda qui recula vivement.

— Oui, oui, d'accord.

Elle plongea la main dans sa poche et en tira un billet. Des petits doigts griffus le lui arrachèrent, puis l'enfant s'enfuit, pliée en deux, son butin serré contre sa poitrine.

Quelle horreur ! Zelda réprima une nausée. Elle regarda sa main, sentant encore l'endroit où la peau sèche et chaude l'avait effleurée ; elle la frotta contre son jean, comme si des microbes abominables l'avaient contaminée.

Soudain surgit une nuée d'enfants squelettiques, en loques, bras comme des allumettes, immenses yeux noirs. Ils attendirent en silence, fascinés par sa poche. Zelda se leva et recula. Ils la suivirent, masse informe, dégageant une odeur de corps jamais lavés, de vêtements crasseux. Des mouches les accompagnaient, se collaient à leurs yeux et à leurs lésions purulentes. L'une d'entre elles se posa sur le visage de Zelda, froide et humide sur sa peau.

Elle porta la main à sa poche, essayant de se rappeler ce qu'elle avait. Pas grand-chose. Elle avait mis presque tout son argent dans un mouchoir qu'elle avait glissé dans sa bottine. Elle n'avait que de gros billets, pas de pièces. Et tant de mains se tendaient vers elle… Mal à l'aise, elle regarda autour d'elle pour chercher de l'aide. Derrière les enfants, elle remarqua des gens tournés vers elle. Un petit attroupement se formait ; les baigneurs abandonnaient leurs prières et le chemin du fleuve. Un long murmure se répandit, attira d'autres regards, d'autres visages. Vers quoi ? Zelda vérifia derrière elle, mais il n'y avait que les marches vides et les corbeaux. De l'autre côté, par-dessus les têtes, au-delà du Gange, s'étendaient de vastes forêts.

« C'est moi qu'ils regardent, se dit-elle, le cœur battant, mais tâchant de garder son calme. Moi ! Qu'est-ce que j'ai fait ? »

Le murmure se transforma en un bourdonnement sourd, assez puissant pour couvrir les prières du prêtre. Le rassemblement grossissait au fur et à mesure que les gens remontaient du fleuve, certains à peine secs, tout juste rhabillés.

Personne n'avait l'air inquiétant. Certains la désignaient du doigt, hochaient la tête, mais elle voyait surtout de la surprise, des expressions intriguées, comme si elle était tombée du ciel. Mais pourquoi ? Elle n'était qu'une touriste parmi tant d'autres…

Elle regarda ses pieds, ses vieilles boots fatiguées. Le bout de l'une portait une tache d'encre de seiche, en forme d'île. Les voix, les regards se refermaient sur elle, l'enfermaient. L'intérêt grandissait, se renforçait. Elle étouffait. Son cœur martelait sa poitrine, elle ne pensait plus qu'à s'enfuir. L'air lui manquait. Elle tourna les talons et dévala les marches, fit s'envoler les oiseaux, mais ne trouva qu'un mur, sans porte de sortie. Il lui fallut se résoudre à affronter la foule. Cependant, les gens s'écartèrent devant elle sans résistance. Elle s'obligea à avancer d'un pas tranquille et profita de la trouée ainsi formée.

« C'est là même chose que de passer devant un chien méchant, se dit-elle. Il faut faire comme si de rien n'était. »

Un bras se tendit brusquement pour attraper sa chemise. Zelda étouffa un cri et fit un bond de côté. Toute son attention se tendit vers le portail. Elle pressa le pas, courut presque. Un petit enfant se mit dans ses jambes, mais elle l'évita et continua.

Elle se dégagea enfin de la foule et ne sentit plus que le poids des regards dans son dos. Arrivée au portail, elle se rendit compte que ce n'était pas celui par lequel elle était entrée. Il menait à un deuxième parvis. Elle hésita, jeta un coup d'œil en arrière. Un visage clair attira son attention – une peau laiteuse de rousse, tachée de son. C'était une jeune femme vêtue d'un sari blanc, avec de grands yeux, gris comme l'eau du fleuve. Elle vit Zelda, mais évita son regard. Zelda courut vers elle. Au moment où elle allait l'atteindre, la silhouette drapée de ses voiles fit demi-tour et partit dans une autre direction.

Zelda s'attacha à ses pas, au bas du sari taché par la poussière, et au mouvement des sandales qui claquaient sur le pavé.

Tout à coup, elle se sentit libérée des regards ; les yeux se portèrent ailleurs, les visages se détournèrent. Elle faillit s'arrêter, car la force qui la poussait en avant avait disparu. Elle se trouvait soudain livrée à elle-même, de nouveau libre. Seul le mouvement régulier des sandales la fit continuer, l'entraîna en bas du parvis et le long d'un chemin de terre battue.

Une fois sortie des *ghats*, la jeune femme rousse traversa une rue encombrée et tourna dans une venelle. Là, elle s'arrêta. Zelda l'aborda.

— Heu... Je vous demande pardon de vous suivre, mais je...

La jeune femme ne réagissait pas, le regard perdu dans le lointain. Mal à l'aise, Zelda voulut néanmoins finir.

— ... je ne sais pas ce que j'ai fait... Sans doute quelque chose qu'il ne fallait pas. C'est peut-être parce que j'ai donné de l'argent à une petite fille. Elle avait... elle avait des cicatrices et des clous dans les joues.

Après coup, cela lui semblait à peine croyable.

La jeune femme plongea la main dans les plis de son sari et en tira un cahier et un crayon. Elle écrivit, vite mais très lisiblement. Quand elle eut fini, elle tendit le cahier à Zelda.

« J'ai fait vœu de silence. L'enfant est la fille d'un ascète. En acceptant les pénitences, elle renaîtra dans le corps d'un saint. Tu as eu raison de lui donner la bénédiction. »

Zelda avait l'impression que tout était bizarre, comme si elle était engluée dans un cauchemar. Elle se raccrocha aux yeux gris pour tenter d'oublier le reste.

— Mais alors, pourquoi les gens se sont-ils rassemblés autour de moi ? Qu'est-ce qu'ils disaient ?

Elle rendit le cahier à la jeune femme qui le reprit d'une main blanche pour lui répondre. Zelda lut à mesure qu'elle écrivait :

« Je ne parle pas hindi, alors je ne sais pas ce qu'ils disaient. Peut-être ont-ils reconnu une certaine qualité en toi. »

— Je ne comprends pas.

La jeune femme haussa les épaules.

« Nous contenons tous des parcelles de divinité en nous. Dans notre être profond », écrivit-elle avec un petit sourire.

Zelda la regarda, bouche bée, puis hocha poliment la tête et scruta la ruelle, se demandant quelle excuse elle pourrait bien trouver pour mettre fin à cette drôle de conversation. Il était encore trop tôt pour rappeler Ranjit, et elle n'avait pas d'autre piste.

— Je m'appelle Zelda, finit-elle par dire. Je viens d'arriver… à Rishikesh. Je cherche quelqu'un. Peut-être pourriez-vous m'aider ?

La jeune femme hocha la tête et reprit son crayon.

« Je m'appelle Anandi. Ça veut dire "joie". Je suis là pour t'aider. »

Elle attendit que Zelda finisse de lire, puis lui fit un grand sourire, un sourire espiègle qui l'illumina. Un instant, Zelda crut qu'elle allait éclater de rire et lui avouer qu'elle s'était payé sa tête. Mais non, elle jeta encore un coup d'œil à Zelda, et reprit son crayon.

« Je t'ai déjà vue. »

— Non, je ne crois pas. Je suis là depuis hier et je ne suis pas sortie de l'hôtel.

Anandi secoua de nouveau la tête, puis lui fit signe de l'accompagner.

Elles marchèrent l'une à côté de l'autre dans les rues. Au bout d'un moment, Zelda n'essaya plus de mémoriser le chemin qu'elles empruntaient : elle n'aurait qu'à retrouver le fleuve pour se repérer quand elle voudrait rentrer. Elle se dit qu'il valait mieux poser des questions auxquelles on pouvait ne répondre que par signes.

— Je n'ai pas rencontré d'étrangers près du fleuve. Enfin, un seul. Il y en a beaucoup, ici ?

Anandi montra le soleil, encore bas à l'horizon, et fit une mimique qui indiquait le sommeil.

— Les étrangers sortent plus tard ?

Anandi opina du chef.

— Alors j'aurais sans doute mieux fait d'attendre là-bas, remarqua Zelda en ralentissant.

Anandi fit non de la tête et désigna le bout de la rue.

— Tu es en Inde depuis longtemps ? demanda Zelda.

Anandi fit un petit signe qui voulait dire oui, sans la regarder.

— Tu es américaine ?

Regard en coulisse et haussement d'épaules évasif. Zelda se tut, gênée par la sonorité trop vibrante de sa voix ; la parole paraissait vaine, envahissante même.

Elles atteignirent un groupe de bâtiments bas, jaune clair, de construction moderne mais déjà vieillis, comme le Holy Ganges Hotel. Elles passèrent sous une arche de marbre sculptée de bas-reliefs, les volumes soulignés par la saleté. Cette structure, incongrue dans cette architecture, semblait avoir été importée d'ailleurs. Anandi montra un panneau peint à la main où était écrit : ASHRAM SHAKTIANANDA. Un autre panneau était accroché en dessous : « PARLEZ BAS ET PEU SVP, SEULEMENT SI NÉCESSAIRE. »

Anandi fit traverser l'enceinte de l'ashram à Zelda. Elles dépassèrent des groupes d'hommes portant des tuniques orange délavées, et quelques femmes vêtues, comme Anandi, de blanc cassé. Certains les saluèrent d'un signe de tête, mais la plupart avaient l'air perdus dans leurs pensées. Zelda se contraignait à marcher et à bouger lentement ; seule sa façon de dévisager les gens qu'elle croisait trahissait sa nervosité. Elle mourait d'envie d'agir : téléphoner à Ranjit, aller se renseigner au poste de police, n'importe quoi, pourvu qu'elle commence ses recherches. Alors qu'elles s'engageaient entre deux bâtiments, elles faillirent se cogner à un vieil homme qui claudiquait, tête basse, un ballot serré contre lui.

— Pardon, fit Zelda.

Elle allait continuer quand une chose surprenante retint son attention. Un bébé l'examina par-dessus l'épaule du vieillard voûté. Un chérubin aux boucles blondes, aux joues roses et aux yeux bleus qui brandissait un biberon sale empli d'un lait bleuté. Elle resta pétrifiée, jusqu'à ce qu'Anandi la prenne par le bras pour la tirer en avant.

— Ma mère est venue ici, expliqua Zelda. Je ne sais pas quand elle est arrivée, mais elle était ici il y a douze ans.

Elle parlait vite, comme si le bébé l'avait relancée.

— Je la cherche. Elle doit avoir environ quarante ans, et elle… elle me ressemble. Du moins, elle me ressemblait quand elle avait mon âge. Elle est américaine. Elle s'appelle Ellen Madison.

Anandi s'arrêta et prit son cahier.

« Ne t'inquiète pas. Tu vas trouver ce que tu cherches. »

Zelda lui prit l'épaule.

— Comment ? Tu la connais ?

Anandi eut un sourire énigmatique et reprit sa route.

Elles passèrent devant un bâtiment avec « RÉFECTOIRE » écrit au-dessus de l'entrée. La porte était grande ouverte, et des cliquetis métalliques et des mélopées en sortaient. Zelda s'arrêta pour regarder à l'intérieur. Les adeptes étaient assis par terre, en rangs, des assiettes en métal devant eux. Un tableau noir se dressait dans un coin, avec des phrases en hindi et en anglais : « Le repas d'aujourd'hui a été gracieusement offert par M. Madhu Sudhanan Nair, de Bombay, avec amour, en mémoire de ses parents. » Un homme avançait entre les rangées et versait dans les assiettes une bouillie qui ressemblait à de l'avoine brune. L'odeur de terre, de toile humide et chaude, réveilla la faim de Zelda tout en lui donnant la nausée.

Anandi continua jusqu'au grand bâtiment central, décoré de stuc moulé et peint de jolies couleurs claires. Avant d'entrer, Anandi tira son châle plus bas sur son front et retira ses sandales de cuir. Elle jeta un coup d'œil au chapeau de Zelda et hocha la tête en signe d'approbation, mais fronça les sourcils à la vue de ses boots.

— On ne va pas me les voler si je les laisse là ? s'inquiéta Zelda.

Elle les délaça, mal à l'aise. Laisser ses chaussures à la porte, c'était comme accrocher son sac à dos dans le bush. On se sentait toute nue, exposée à tous les dangers. Anandi lui fit un signe rassurant et attendit qu'elle prenne sa liasse de billets et ôte ses boots.

Elles entrèrent, pieds nus, silencieuses sur les dalles de pierre ; deux petites silhouettes dans un immense hall vide. De lourdes senteurs flottaient dans l'air. Les hauts murs blancs étaient agrémentés d'affiches peintes à la main, avec des phrases ornementées comme des versets de la Bible dans la salle du catéchisme :

Pense comme un génie, marche comme un géant, vit comme un saint.

L'attrait du plaisir et du pouvoir nuit à la paix spirituelle.

Seul celui qui sait obéir sait diriger.

Tout au bout se dressait un autel ; de l'encens brûlait devant la statue grandeur nature d'un homme portant une cape rouge. Anandi prit la main de Zelda et la fit approcher. Elle s'arrêta à quelque distance, s'accroupit, puis s'inclina pour toucher le sol avec le front. Ensuite, elle reprit le cahier afin d'écrire, ce qui fit glisser son châle en arrière et découvrit des boucles rousses. Zelda contemplait l'autel, mais ne parvenait à penser qu'à ses boots. Que ferait-elle si elle ne les retrouvait pas à la sortie ? Anandi releva la tête et lui tendit le cahier avec un regard limpide.

« Là, c'est notre maître, notre gourou. » Zelda dévisagea Anandi après avoir lu ces mots. Un sourire béat éclairait le visage d'Anandi. *« Sa sagesse est vraiment merveilleuse. Tu n'as pas besoin de poursuivre tes recherches. Tout ce que tu désires se trouve là. »*

Zelda fixait les lignes, étourdie par l'accumulation des formules. Des formules toutes faites qui lui remplissaient la tête.

Tout ce que tu désires se trouve là.

Courage, sois forte, reste toi-même.

Avec vous, pour vous, toujours.

Elle rendit le cahier à Anandi, et pendant que celle-ci se penchait de nouveau sur la page, elle se leva et partit vers la porte. Derrière elle, le crayon grattait la page, et il grattait toujours quand elle sortit dans la lumière éblouissante du matin.

La maison de Ranjit semblait déserte mais la porte s'ouvrit dès qu'elle frappa. Un homme en uniforme blanc la conduisit au bout d'un couloir sombre jusqu'à un salon très peu éclairé. Il proposa de prendre son chapeau, mais elle préféra le garder sur les genoux.

— M. Saha va bientôt venir, indiqua-t-il avant de la laisser.

Quand il fut reparti, Zelda s'adossa aux coussins de son fauteuil en osier qui craqua dans le silence. Un palmier en pot se dressait tout près d'elle. À travers les feuilles, elle essaya de distinguer les tableaux accrochés aux murs. On n'y voyait vraiment rien. Seules de très petites fenêtres s'ouvraient dans les parois, mais elles étaient masquées par de lourds rideaux de velours. Une horloge marquait les heures sur une cheminée festonnée de dentelle.

Un garçon entra, silencieux comme un chat. Évitant le regard de la jeune femme, il posa un verre de soda sur la table à côté d'elle, ainsi qu'une soucoupe d'amuse-gueule, puis repartit.

Elle avala quelques gorgées, s'inquiétant des recommandations de Rye qui l'avait avertie de ne jamais rien boire si elle n'avait pas ouvert la bouteille elle-même (et seulement celles avec des étiquettes imprimées). La boisson sucrée lui ayant ouvert l'appétit, elle prit quelques graines dans la soucoupe, qui s'avérèrent être des sortes de pois. Ils étaient si pimentés qu'elle se mit à tousser.

— Bienvenue à Rishikesh ! lança une voix calme dans son dos.

S'étranglant toujours, elle se tourna. Un homme dont elle apercevait à peine les traits dans la pénombre marchait derrière elle. Elle voulut se lever.

— Non, ne bougez pas, je vais m'asseoir avec vous.

Il prit place en face d'elle, se cala dans le fauteuil et posa les mains sur les genoux.

— Rye m'a écrit, annonça-t-il sans autre préambule. Il

paraît que vous cherchez votre mère qui est venue ici en 1981. Je dois vous dire qu'elle n'y est certainement plus. Elle a dû repartir depuis longtemps.

Il avança une main pour prévenir ses objections.

— Je vais vous expliquer. Dans les années soixante, soixante-dix, Rishikesh était très couru. Même les Beatles sont venus s'asseoir au pied du Maharishi. Peu de temps, il est vrai. Des vedettes de cinéma, aussi. Même des frères et des sœurs de vedettes de cinéma. Oui, nous étions à la mode ! Bien sûr, c'était pire à Goa, mais il y avait beaucoup de monde ici aussi. Des Américains, des Allemands, des Français. On venait de partout. Ils se disaient convertis, se promenaient à moitié nus, se droguaient, couchaient tous ensemble. Ici, dans notre ville sainte. C'était très déplacé. Et leurs enfants ! Un scandale ! Je vous assure, si votre mère est venue ici, remerciez le ciel qu'elle ne vous ait pas amenée.

Il s'interrompit, la respiration sifflante.

— Heureusement, reprit-il, les hippies sont presque tous partis. Ils ont retrouvé leur vie de nantis. Je suis sûr que votre mère est repartie aussi. Si elle est venue en 1981, c'était tout à la fin de notre heure de gloire. Ensuite, la ville s'est vidée.

— Mais j'ai vu des étrangers, protesta Zelda, au bord des larmes.

— Oui, oui. Il y a toujours de la curiosité pour les nouveaux gourous. Mais seuls les jeunes viennent, maintenant. Ils font leur tour du monde, entre le lycée et l'université, pour se forger des expériences. Quel âge aurait votre mère, à présent ?

— Quarante-quatre ans.

— Donc, si elle est restée, ça ne peut être que pour une seule raison : elle est devenue disciple dans un ashram. Certains de nos visiteurs recherchent sincèrement l'éveil spirituel. Si c'est le cas de votre mère, il ne faut plus compter sur elle. Elle a prononcé ses vœux et elle a abandonné sa vie d'avant, la vie matérielle. Elle a donc renoncé à vous aussi.

Le tic-tac de l'horloge monta dans le silence. Un coq poussa son cri au loin. Zelda porta son verre à ses lèvres, s'efforçant de paraître calme, même si sa main tremblait.

— Je ne pense pas qu'elle ait pris le *sannya*.

— Alors, malheureusement, elle n'est plus ici.

— Tant pis, soupira Zelda en essayant de prendre un ton léger. Je vais quand même chercher où elle a vécu. Quelqu'un se souvient peut-être d'elle et sait où elle est allée. Il faut bien que je commence quelque part.

Ranjit eut un rire.

— Mais ce n'est pas possible. Je suis désolé de vous décevoir. Les ashrams ne sont pas des universités américaines. Il y a un va-et-vient continuel. Certains vendent leur passeport pour acheter de la drogue. Ils changent de nom. Ils aiment beaucoup les noms de nos dieux ! Saraswati, Yuddhistra, Abhimanyu… Non, la seule chose que vous puissiez faire, c'est vous adresser à l'ambassade américaine à Delhi.

Un rai de lumière toucha la joue du vieil homme, et Zelda vit qu'il scrutait la pénombre pour voir comment elle réagissait. Elle tâcha de sourire.

— Il fait très sombre dans mon salon à cause des œuvres d'art, expliqua-t-il. Mes étoffes anciennes et mes tableaux en soie ont beaucoup de valeur. La lumière leur serait fatale.

Il désigna le verre de Zelda.

— Vous reprendrez bien un soda au citron ?

— Non merci.

— Vous êtes proche de Rye ? Je connaissais son père, enchaîna-t-il sans attendre la réponse. C'était quelqu'un de magnifique. Nous faisions de l'alpinisme ensemble.

Il s'interrompit, pris par ses souvenirs.

— Je participais à sa dernière expédition, l'ascension du Nanda Devi. Pour moi, ce sommet est devenu un monument à sa mémoire. Sa pierre tombale en quelque sorte. C'est normal… Il y est mort. Vous avez rencontré la mère de Rye ?

— Non. Je ne le connais pas bien du tout. Nous ne nous sommes vus qu'une seule fois.

La soirée chez Dana lui semblait très lointaine, à des années-lumière.

— Oui, commenta Ranjit d'un air docte. Parfois, une seule fois c'est suffisant, n'est-ce pas. Sa mère m'écrit pour me donner des nouvelles de Rye. C'est un bourreau des cœurs, je crois. Les femmes tombent toutes sous son charme, et lui, il ne s'intéresse qu'à la mer ! Encore, si c'était la montagne, je comprendrais ! Mais toute cette eau, quel intérêt ? Enfin bref… soyez prudente. Il ne faudrait pas qu'il vous fasse du chagrin.

La remarque piqua Zelda au vif. Sa recherche d'Ellen avait effacé tout le reste. Elle ne pensait plus à Rye, pas plus qu'à Drew, d'ailleurs, mais ce que venait de dire Ranjit la vexa beaucoup. Bourreau des cœurs. Conquise par quelques belles paroles sur ses yeux…

— Ne vous inquiétez pas pour moi. Je ne le trouve même pas sympathique. Je ne lui avais pas demandé de vous écrire, vous savez.

Elle se leva, et Ranjit eut un petit rire.

— Je vous ai mise en colère.

— Non, pas du tout, protesta Zelda d'une voix tremblante. Mais vraiment, je… je…

Ranjit se leva précipitamment à son tour.

— Excusez-moi, je ne voulais pas vous faire de peine. C'est seulement que Rye est…

— Je me moque de Rye ! Je veux juste retrouver ma mère.

Elle courut à la porte, mais lorsqu'elle l'ouvrit elle s'aperçut qu'elle s'était trompée, car elle tomba sur un patio ensoleillé qui jeta une lumière vive dans la pièce.

— Zut, maugréa-t-elle.

Elle se tourna et vit que Ranjit l'avait rejointe.

— Pardon, dit-elle, ce n'est pas la bonne porte.

— Attendez…

Il la fit tourner pour mieux la voir à la lumière. Éblouie, elle se frotta les yeux.

— Mon Dieu…

Il n'acheva pas et s'éloigna d'elle.

— Quoi ? Qu'est-ce qu'il y a ?

— Rien. Rien du tout. Un instant, j'ai cru… Mais ce n'est rien. Rasseyez-vous, je vous en prie. C'est bientôt l'heure du déjeuner, ajouta-t-il avec un sourire gêné. Ma femme est une admirable cuisinière.

— Je vous remercie, mais j'ai beaucoup à faire.

Elle se dirigea vers la deuxième porte, mais cette fois trébucha sur un guéridon et le renversa.

— Ne vous sauvez pas comme ça. Je pense tout de même pouvoir faire quelque chose, intervint Ranjit.

Zelda se tourna vers lui, ignorant le guéridon par terre, entre eux.

— J'ai des contacts dans les ashrams. Je peux poser des questions autour de moi, interroger les bibliothécaires. Quelqu'un se souvient peut-être de votre mère. Vous devriez venir vous installer chez nous. Vous n'êtes pas bien à l'hôtel. Rye m'en voudrait de ne pas vous avoir invitée. (Il joignit les mains, la suppliant presque.) Laissez-moi vous apporter mon assistance. Vous ne pouvez pas continuer seule.

— Merci…

Ce changement d'attitude l'étonnait beaucoup. Pourquoi cette soudaine envie de l'aider ? C'était très bizarre.

— Il faut que je retourne à l'hôtel d'abord. Je reviendrai cet après-midi.

— Ce n'est pas la peine ! Je peux envoyer quelqu'un chercher vos bagages.

Il fit quelques pas pour se placer entre elle et la porte.

— Il n'est guère raisonnable de vous promener seule dans Rishikesh. Je vous en prie ! Restez !

— Je serai prudente.

Elle le dépassa et sortit dans le couloir en remettant son chapeau.

— Bien, oui, dans ce cas, portez un chapeau. Il fait très chaud. Vous n'avez pas l'habitude. Il vous faut également des lunettes de soleil.

Sans rien dire, Zelda sortit ses lunettes de sa poche et se les mit sur le nez.

— Vous reviendrez rapidement, alors ? insista Ranjit.

— Oui, d'accord.

Le taxi l'attendait dehors. Ranjit se tenait sur le pas de la porte tandis que Zelda prenait place à l'intérieur du véhicule. Il lui fit de grands signes d'adieu.

Le soleil brûlant de midi écrasait la ville. Les marchands des stands, les conducteurs de rickshaw, les mendiants et les moines se regroupaient dans les rares coins d'ombre. Ici et là, quelqu'un bravait la chaleur pour asperger d'eau la poussière. Zelda regardait dans le rétroviseur pour essayer de croiser le regard du chauffeur de taxi. Quand il se rendit compte qu'elle voulait lui dire quelque chose, elle lui fit signe qu'elle avait soif et désigna les échoppes au bord du trottoir.

— Boire ? demanda le chauffeur. Boisson fraîche ?

— Oui, s'il vous plaît.

Il se gara et cria un ordre par la vitre ouverte à un garçon paresseusement appuyé au comptoir d'un petit stand. Le vendeur cria une question en retour en désignant la rangée de bouteilles colorées.

— J'y vais, intervint Zelda.

Elle choisit le soda jaune qu'elle connaissait déjà et paya. Ennuyé par le gros billet qu'elle lui avait remis, le garçon alla trouver le chauffeur pour faire la monnaie. Pendant ce temps, accoudée au comptoir, Zelda buvait. Pourquoi Ranjit avait-il changé d'attitude si brusquement ? Était-ce parce qu'il regrettait de l'avoir mise si mal à l'aise ? L'aiderait-il vraiment ? Pouvait-elle lui faire confiance ? Son cynisme le rendait presque impoli. Elle était bien naïve. Rye lui avait menti, avait fait du mal à James. Que pouvait-elle attendre d'un de ses amis ?

Elle reposa la bouteille. De belles fleurs attirèrent son attention : des guirlandes d'œillets d'Inde, tendues au-dessus d'images et de photos. Le premier cadre contenait la peinture d'une déesse à la tête auréolée d'une dizaine de bras en éventail. À côté, une photo, assez récente, d'un Indien souriant aux cheveux longs. Il portait de grosses lunettes de soleil carrées. Sur le verre qui protégeait la photo, on avait posé au milieu du front un rond de pâte rouge. À côté figurait une autre photo encadrée, à moitié dissimulée derrière les offrandes de fleurs. Le garçon, qui revenait, dégagea obligeamment le cadre. Zelda eut un coup au cœur.

C'était son visage, ses propres yeux sombres qui se fixaient sur elle, comme un reflet. Des sourcils hauts, en ailes de corbeau, le teint pâle. Le visage à la Charlie Chaplin, comme disait James. Noir et blanc.

— Nanda Devi. Nanda Devi, dit le garçon en pointant le doigt sur la photo.

— Nanda Devi ? répéta Zelda d'une voix tremblante.

Elle avait le tournis, elle se sentait partir, tout devenait brumeux.

Les lèvres sèches, elle parvint malgré tout à poser une question.

— Qui est-ce ?

Mais quoi, pensa-t-elle, c'est une sainte ? Une déesse ? C'était très étrange… Le visage respirait le calme, la sérénité. Le regard était bienveillant, les lèvres douces. Les mains paisibles.

— Rishikesh ? murmura-t-elle.

Le garçon hocha la tête tout en la secouant, une réponse d'une parfaite ambiguïté.

— Je la cherche ! Où est-elle ? Dites-moi !

Le garçon cria quelque chose au chauffeur de taxi. Ils échangèrent quelques mots puis rirent ensemble. Le garçon désigna la voiture, puis Zelda, puis la photo.

— Vingt roupies, dit-il. Aller. Nous aller.

Zelda n'en revenait pas.

— Vingt roupies pour… pour aller la voir ?

La garçon eut de nouveau son mouvement de tête

équivoque. Elle se pencha pour chercher son argent dans sa chaussure. Elle en extirpa sa liasse de billets, en prit deux et enfouit le reste dans sa poche. Il la regarda faire, les yeux ronds, puis, les billets serrés dans son poing, il courut vers le taxi. Il grimpa à l'avant tandis que Zelda reprenait place à l'arrière.

Alors que la voiture démarrait, le garçon se tourna pour la regarder. Il sourit de toutes ses dents et désigna ses lunettes de soleil.

— Donne.

Il mima le geste de se mettre un rond de couleur sur le front et éclata de rire.

— Moi très grand. Moi dieu !

Cela fit beaucoup rire le chauffeur.

— C'est loin ? interrompit Zelda. Longue route ?

Le chauffeur lui jeta un coup d'œil dans le rétroviseur et fit non de la tête.

— Pas loin.

Zelda enleva son chapeau et appuya sa tête contre la vitre. Elle ne savait plus du tout où elle en était. Ellen... honorée par des guirlandes de fleurs, comme une déesse... C'est pour ça que les gens ont cru me reconnaître, qu'ils me dévisageaient, près du fleuve... C'est pour ça que Ranjit Saha a changé d'attitude...

Après un court trajet à travers les rues encombrées, le taxi ralentit et s'arrêta. Un haut mur blanc couronné de plantes grimpantes leur faisait face. Au-dessus de cette bordure verte, on voyait l'étage supérieur d'un bâtiment crépi de blanc. Une longue ligne de fenêtres fermées par des volets donnait sur la rue, comme une école, ou un hôpital. Un portail étroit fermait l'accès à la propriété, avec ce simple panneau : MAISON DE LA MÈRE PROTECTRICE. ENTREZ SVP.

27

Un sentier dallé de marbre rose traversait une mer de gravier blanc, ratissée avec soin en lignes sinueuses. Une allée d'arbustes jetait en son milieu une étroite bande d'ombre. Seul le pépiement des oiseaux perchés sur les branches brisait le silence.

Zelda leva la tête pour inspecter la façade. Il y avait trois étages, tous pareils. Les volets bleus étaient fermés, sauf à une fenêtre du dernier étage. Là, un rideau à moitié tiré masquait la vitre, et un tissu, ou une serviette, était étendu sur le rebord. C'était le seul signe de vie. Zelda s'arrêta, inquiète, et regarda autour d'elle. La cour était très propre ; pas un papier par terre, pas de chaises longues, de vélos, ni de tasses abandonnées. On aurait dit que personne n'habitait là. Au loin pourtant montait un vagissement, un cri de nouveau-né.

Le sentier de dalles menait à une plate-forme pavée de marbre, agrémentée de statues grandeur nature. De loin, elles rappelèrent à Zelda celles qu'elle avait vues aux *ghats*, mais en approchant elle reconnut la tête inclinée et voilée d'une vierge Marie. Sur le visage de pierre se peignait une joie tranquille. Elle tenait l'enfant Jésus dans ses bras, nu, jambes en l'air. Près d'eux, une statue ancienne et abîmée d'un bébé indien dodu. Il riait et tendait un bras coupé au coude. À côté de lui se dressait la silhouette haute et élégante de la déesse aux bras multiples, ses longs cheveux sur ses épaules. La dernière statue faisait face à la porte d'entrée. Zelda approcha, puis s'arrêta en voyant une main brune et maigre passer par-dessus l'épaule de pierre pour essuyer une déjection d'oiseau avec un chiffon blanc.

— Excusez-moi ! cria Zelda.

La main disparut. Un Indien en uniforme bleu ciel émergea de derrière la statue et se tint tout raide à côté d'elle.

— Bonsoir, que puis-je faire pour vous ? demanda-t-il d'une voix mécanique.

Zelda le salua d'un signe de tête. Elle regarda la statue, puis la contourna pour mieux la voir. C'était comme si elle faisait face à un miroir. Un miroir étrange qui transformait le muscle en pierre et aspirait les couleurs de la vie pour leur donner une blancheur marmoréenne. Elles avaient la même taille, et elle eut l'impression qu'elles se comprenaient au premier regard. Zelda se pencha pour embrasser la joue froide.

— La Mère protectrice pas là, déclara l'homme en passant son chiffon sur le bras de pierre.

Il montra du doigt l'entrée du bâtiment, et Zelda remarqua alors l'imposante porte de bois, peinte et incrustée de cuivre, devant laquelle se tenait un paon. Sa poitrine bleue et ses longues plumes iridescentes se détachaient sur le sobre fond des murs.

— Papier ici, indiqua l'homme avec un mouvement de la main. Vous prendre papier.

Zelda monta rapidement les quelques marches basses qui conduisaient à l'entrée. D'un côté de la porte, elle trouva un réceptacle rempli de dépliants. Elle dut se pencher sur le paon pour en prendre un. Le papier bleu ciel était doux et épais. Un profil en relief d'Ellen, rehaussé d'or, en occupait le centre, comme celui de la reine d'Angleterre sur les timbres. La fine gravure figurait jusqu'aux mèches échappées de son chignon et les cils longs et épais.

Un parfum étrange parvint à ses narines quand elle l'ouvrit. Une odeur délicate, épicée, sucrée, mais légère et fraîche. Elle parcourut rapidement la page. « Programme d'été… Hébergement à Mussoorie… une demi-heure de route… vue sur la montagne… arrivée à Everest House… »

— OK ? cria l'homme qui essuyait les statues. Vous aller Mussoorie. Taxi. OK ?

— Elle est là-bas ? cria Ellen en retour.

— Oui. Là-bas, dit-il en désignant la chaîne de montagnes brumeuses au loin.

Zelda dévala les marches et courut jusqu'au taxi en coupant par le gravier sans se préoccuper des dalles de marbre. Le dépliant était chaud dans sa main, si chaud qu'elle en avait la paume moite.

La route en lacet gravissait la montagne. À chaque tournant, une multitude de panneaux publicitaires vantaient les mérites de suites pour jeunes mariés, d'appartements de luxe, d'hôtels, de restaurants, dans un anglais approximatif. Les couleurs, vives à l'origine, étaient ternies par la poussière de la route, qui les vieillissait et les banalisait. Sur les bas-côtés, entre les tournants, se dressaient des pancartes plus simples, des messages en noir sur fond blanc.

Le Risque Pour Tout Le Monde, Soyez Doux.

Évitez Accident.

Mieux Vaut Tard Que Jamais.

Les mêmes phrases reparaissaient à intervalles réguliers, signées du département indien de la sécurité routière. Zelda les lisait toutes, chaque fois, cherchant dans ces avertissements alarmants des indices qui lui donneraient des raisons d'espérer.

Mieux Vaut Tard Que Jamais.

Elle regarda le bord de la route. Les roues frôlaient le ravin. Elle se laissa retomber sur la banquette et ferma les yeux. Déjà, elle connaissait le dépliant par cœur. C'était une sorte d'emploi du temps des activités. Méditation. Yoga. Petit déjeuner, déjeuner, thé, dîner. Certains créneaux horaires étaient réservés au « programme » sans autre précision. Puis il y avait, à dix-neuf heures quarante-cinq tous les jours, dans la Grande Salle, un *satsanga* avec la Mère protectrice.

Avec la Mère protectrice… Zelda avait lu et relu cent fois ces mots. Aucun doute possible. À dix-neuf heures quarante-cinq, aujourd'hui, à Everest House, Ellen serait là.

Sous l'horaire du *satsanga* se trouvait une note en petits caractères : « Les visiteurs portant des vêtements bleus (y compris les jeans) ne seront pas admis. Les parfums, autres que Shahastra, sont proscrits. »

C'était tout, sans explications, sans informations sur l'endroit lui-même et sa philosophie. Le seul indice réel figurait en haut de la page. En lettres d'or, l'en-tête disait : Shahastra. La Voie de l'oubli.

Oubli. Un mot magique, calme, reposant. On retournait en arrière : d'abord on savait, et puis on ne savait plus. On oubliait que James était mort, visage enflé sur le plancher gris. On oubliait qu'il avait menti, et menti longtemps, pendant des années. On oubliait qu'Ellen n'avait pas été tuée dans un accident, mais qu'elle était partie. On oubliait tout, on se moquait du passé, on n'avait plus jamais envie de pleurer.

Zelda se pencha pour mieux voir la montagne se découper sur le bleu brumeux du ciel. Elle essaya de ne songer qu'à l'avenir, de laisser ses pensées douloureuses de côté. Elle se présentait à la porte d'Everest House. Un fantasme. Je suis venue te voir, disait-elle. Sa vraie fille. Sa seule vraie fille. Mais pourquoi « seule » ? Soudain, elle se dit qu'Ellen avait pu avoir d'autres enfants. Et si elle avait des demi-sœurs, des demi-frères, et un beau-père, pourquoi pas ?

Attention. Elle savait trop peu de choses. Fais-toi toute petite, comme aurait dit James. Fais-toi toute petite tant que tu n'as pas bien évalué la situation.

Elle repensa à Ranjit. Elle se souvint alors de Ranjit et de sa réaction quand il l'avait vue à la lumière, de son insistance pour qu'elle mette son chapeau et ses lunettes de soleil, et qu'elle revienne chez lui au plus vite. Il ne voulait pas qu'on reconnaisse en elle la fille de la Mère protectrice. Mais pourquoi ? se demanda-t-elle avec une vague appréhension.

La route était longue. Le bourdonnement du moteur lui emplissait la tête, chassait ses pensées. L'air qui entrait par la vitre ouverte devenait plus frais. Les arbres grandissaient, verdissaient. Enfin, des maisons commencèrent à apparaître : des petits cubes accrochés à une pente presque verticale. En dessous, le pied de la montagne plongeait dans une mer de brume.

— Savoy ? demanda le chauffeur.

— Quoi ? L'hôtel Savoy ?

— Oui, madame. Tout le monde va au Savoy.

Le Savoy. Ce nom évoquait de longs porte-cigarettes, des martinis et des couchers de soleil ; les stéréotypes des grandes histoires d'amour des romans de F. Scott Fitzgerald : *Tendre est la nuit*, *Les Heureux et les Damnés*, *Gatsby le Magnifique*. Zelda avait tout lu, tous les romans de Scott Fitzgerald, toutes les biographies qu'elle avait pu trouver sur lui à la bibliothèque de l'île. Cette passion datait du jour où elle s'était plainte de son prénom à James.

— Tout le monde se moque de moi à l'école !

— Je n'y suis pour rien. C'est ta mère qui l'a choisi. C'est le prénom de la femme de Scott Fitzgerald. Un écrivain de seconde zone. Mort depuis longtemps, comme sa femme. Elle était danseuse avant de se marier, c'est pour ça qu'Ellen s'intéressait à elle. Elle est devenue folle. Elle est morte dans l'incendie de l'asile où elle était enfermée.

Depuis cette explication, Zelda avait adoré son prénom parce qu'il avait été choisi par sa mère. Elle se voyait en tout petit bébé rose, serré contre son sein doux et tendre. Zelda et Ellen. La mère et son enfant.

— Mussoorie ! annonça le chauffeur.

Il tourna à gauche à une intersection et entra dans un marché animé. Des stands s'alignaient des deux côtés de la rue, proposant l'habituel mélange de vêtements indiens, de sodas de toutes les couleurs, de pellicules Kodak, de pulls en laine, de cadeaux et de souvenirs.

Zelda regarda sa montre.

— Je suis pressée.

Le chauffeur lâcha le volant en levant les mains pour indiquer son impuissance. La rue était bouchée par la foule : des couples avançaient la main dans la main ; une immense famille prenait la pose pour se faire photographier ; des hommes guidaient des charrettes à âne ; des coolies portaient d'énormes valises sur leur tête ; des petits garçons menaient des chèvres. Le taxi dépassa au pas une pâtisserie suisse, ainsi qu'un temple coiffé d'un dôme blanc, avant d'être de nouveau bloqué devant un grand bazar, le Kashmiri Emporium.

— Attendez-moi, j'arrive ! cria soudain Zelda.

Elle sauta de la voiture. Le chauffeur eut un sourire indulgent en la voyant courir à l'intérieur. Il sembla surpris de la voir ressortir à peine quelques minutes plus tard. Elle rapportait un châle marron foncé, ainsi qu'un pyjama indien assorti.

— Voilà, merci, souffla-t-elle en se penchant pour remettre son argent dans sa chaussure.

La voiture repartit. De grands arbres centenaires marquaient l'entrée de l'hôtel Savoy, indiqué par un vieux panneau. La voiture gravit lentement une côte et dépassa un bâtiment qui ressemblait à une gare de chemin de fer. Un homme en uniforme montait la garde à l'extérieur. Au-dessus de sa tête, une pancarte annonçait : « POSTE DE L'HÔTEL SAVOY. » Plutôt qu'une poste, c'était un poste frontière ; quand on l'avait dépassé, on pénétrait dans un autre monde, où des iris violets coloraient les talus et où les arbres formaient un épais tunnel de verdure. On voyait d'abord apparaître des tourelles vertes, puis une série de toits métalliques rouges aux pignons verts. Le taxi entra dans un parking en plein air qui s'ouvrait sur les courts de tennis, les jardins du salon de thé et de longues allées couvertes. Plus bas, dans une cour de gravier, des employés en uniforme vert balayaient de grands tapis rouges. Au-dessus de leurs têtes, un garçon se déplaçait avec agilité sur le toit métallique et accrochait des serviettes blanches à de longues cordes à linge, afin de les faire sécher au soleil.

Un vieux porteur avança d'un pas traînant vers la voiture et ouvrit la portière de Zelda.

— Bienvenue à l'hôtel Savoy, madame.

Il la salua gravement, se protégeant de l'indignité de la situation derrière sa courtoisie. Il n'accueillait que trop souvent des jeunes filles en jean, comme elle. Il devinait, sans même avoir besoin de regarder dans le coffre, qu'elle ne pouvait que transporter un sac à dos malmené. Ah ! Il était loin le temps des valises en cuir et des malles à coins métalliques ; les bagages des princesses anglaises, des chefs d'État indiens, des maharajas, des colonels et des dames de la bonne société.

Zelda évita son regard quand il souleva son sac à dos. Il prit les devants et la guida vers le hall.

La pièce, sombre et fraîche, était pourvue d'une rangée de guichets protégés par des grilles métalliques. Au-dessus de chacun, une plaque en cuivre indiquait : caisse, réservations, divers – comme dans les banques de westerns.

— Bonjour, dit une voix derrière le guichet des réservations.

Zelda approcha de la grille mais ne vit rien au travers.

— Je voudrais une chambre, s'il vous plaît.

— Vous avez une réservation ?

La voix désincarnée était masculine et aurait pu être indienne.

— Non, mais j'espérais que…

— Bien sûr, pas de problème. (Une main fit un geste, laissant percevoir l'éclat d'un anneau en or.) Nous garantissons des chambres en toute saison aux visiteurs d'Everest House. Nous disposons de plus de mille chambres. Nous pouvons répondre à tous vos besoins. Régimes alimentaires spéciaux, blanchisserie, taxis pour rejoindre Everest House, aller simple, ou retour avec attente.

— Mais comment savez-vous que c'est là que je vais ?

Il y eut un rire.

— Personne d'autre ne vient ici, à part les vacanciers indiens. Et quelques anciens colons anglais nostalgiques. Passeport, s'il vous plaît.

Zelda le poussa, ouvert, sous la grille. La photo n'était pas ressemblante. Surprise par le flash, elle avait un air effaré de kangourou pris dans les phares d'une voiture. La lumière avait écrasé ses traits et lui donnait une peau blanchâtre et luisante.

— Merci, tenez, pour vous.

Le passeport glissa vers elle, accompagné d'un dépliant bleu. Zelda reconnut le profil doré gravé sur le papier comme un sceau. Shahastra. La Voie de l'oubli.

— J'en ai déjà un, merci.

Une grosse clé de cuivre remplaça le dépliant.

— Chambre 69. Le garçon va vous montrer.

En achevant sa phrase, il appuya sur une sonnette.

Elle allait s'éloigner quand il la rappela.

— Attendez ! Vous vous appelez Madison ? C'est bien ça ? Je crois qu'il y a un télégramme pour vous.

Un froissement de papier se fit entendre dans l'ombre, puis une enveloppe bleue passa sous la grille.

— Tenez. Il est passé par Rishikesh, un M. Saha vous l'a fait suivre.

Zelda regarda le télégramme avec inquiétude, redoutant mille catastrophes. Elle le prit et ressortit de l'hôtel sans prêter attention au garçon d'étage derrière elle. Dehors, elle ouvrit l'enveloppe.

Expéditeur : Drew Johnstone.

Après avoir vu ce nom, elle lut la suite d'une traite.

CHÈRE ZELDA REVIENS STOP JE VEUX T'ÉPOUSER STOP DIS OUI ET LIZZIE PRÉPARERA LE MARIAGE STOP TU DOIS TE DÉCIDER TOUT DE SUITE STOP UNE FOIS POUR TOUTES STOP JE T'AIME STOP DREW

Zelda lut et relut ces quelques lignes, incapable d'en comprendre le sens.

Reviens. Je veux t'épouser.

Elle tenta de ranimer ses anciens rêves, de réveiller la chaleur qui la prenait dès qu'elle imaginait son avenir avec lui : ils construiraient une maison ensemble, un endroit à eux pour commencer leur nouvelle vie. Elle se voyait apprendre l'heureuse nouvelle à Lizzie qui pleurerait de joie en prenant sa nouvelle fille dans ses bras. Maintenant, tu as vraiment le droit de m'appeler maman, dirait-elle, comme elle voulait le faire depuis longtemps.

En vain. Tout cela lui semblait très loin, une scène dans la vie de quelqu'un d'autre. Zelda relut encore : « TU DOIS TE DÉCIDER TOUT DE SUITE STOP UNE FOIS POUR TOUTES STOP. »

Tu dois…

Elle se sentait coupable, mais aussi très en colère. Elle n'avait demandé qu'un peu de temps pour elle, afin de partir à la recherche de sa mère. Et déjà, il la poursuivait. Ce n'était qu'un bout de papier, mais elle en percevait tout le pouvoir. Drew voulait réaffirmer son emprise sur elle, la tirer en arrière vers le monde de son enfance, qu'elle connaissait si bien.

En relevant la tête, elle vit que le garçon l'observait. Il lui sourit, un sourire très blanc sur sa peau sombre.

— Bon… jour… madame. J'espère vous aimer Inde.

L'Inde. Zelda prit une profonde inspiration, soulagée qu'il y ait autant de distance entre elle et Drew. Elle était ailleurs, loin de chez elle. Elle faisait ce qu'elle voulait, et estimait n'avoir aucune obligation de rentrer ni aucun compte à rendre.

Courage, sois forte. Reste toi-même.

Elle plia le télégramme en huit et l'enfouit au fond de sa poche.

Le vieux porteur précédait Zelda et le garçon d'étage. Il était grand et maigre et avançait doucement, courbé sous le poids du sac à dos. Un escalier majestueux se dressait devant eux. Zelda jeta un coup d'œil sur le garçon dans l'espoir qu'il allait prêter main-forte au vieil homme, mais il balançait la clé au bout de son doigt, sans aucune intention de l'aider.

Ils passèrent devant une série de portes et de fenêtres, pour la plupart fermées par des persiennes. Une paire de jambes en jean, allongées par terre, dépassait d'une porte ouverte. Le porteur les enjamba sans ralentir. Le garçon d'étage fit de même. Zelda s'arrêta. Une femme blonde assise sur le pas de sa porte était en train de fumer.

— Bonjour, dit Zelda.

La femme fit un mouvement de tête et souffla sa fumée en l'air.

— Faites-leur vérifier vos toilettes avant de redescendre, conseilla-t-elle en levant lentement les yeux, comme si elle en avait à peine la force.

— Merci.

— Je vous en prie.

Un peu plus loin, le garçon ouvrit une porte vitrée et fit signe à Zelda d'entrer. Elle pénétra dans un salon à l'ancienne, avec une cheminée, un gros canapé, des fauteuils, une table basse et un grand secrétaire ciré. C'était un décor de vieille maison anglaise, mais réduit à sa plus simple expression. Pas de fleurs, pas de napperons en dentelle, pas de tableaux. Il n'y avait que les meubles et des tapis usés. Une tête de cerf mitée ornée de grands bois l'observait de son poste, au-dessus de la cheminée. La noble tête avait perdu de sa raideur au cours des ans, mais une main ingénieuse l'avait bricolée avec du fil de fer : lifting digne du bush australien.

— OK ? Bien pour vous ? demanda le garçon avec un grand geste de la main pour lui présenter la pièce.

— Ça me plaît beaucoup !

Elle adorait. On ne se serait pas cru dans un hôtel. On aurait dit une vraie maison ; on s'attendait presque à trouver des vêtements dans les commodes et des lettres dans le secrétaire.

— Mais… Heu… Et les toilettes ? demanda-t-elle avec un sourire gêné. Les toilettes fonctionnent ?

Elle passa dans la chambre derrière le garçon, la traversa et entra dans une salle de bains très claire, carrelée de blanc. Malgré les carreaux ternis et fendillés par le temps, et le fin grillage qui remplaçait les vitres, la pièce avait du charme avec son beau rideau à la fenêtre. Le garçon souleva le couvercle des toilettes poussiéreux et tira sur la chasse d'eau. La chaîne lui resta dans la main, et un filet d'eau descendit du réservoir. Le garçon secoua la tête tristement.

— Pas inquiéter. Réparer.

Il retourna avec Zelda dans le salon et attendit son pourboire. Quand il l'eut reçu, il partit, un sourire aux lèvres.

Le vieux porteur, qui s'escrimait à faire tenir le sac à dos sur le porte-valises sculpté, abandonna ses efforts et le posa par terre.

— Vous allez à Everest House ? s'enquit-il poliment, tandis que Zelda cherchait des pièces à lui donner. Nos visiteurs descendent chez nous principalement pour aller là-bas.

Zelda se tourna vers lui, surprise par son excellent anglais.

— Vous la connaissez ? Vous connaissez la Mère protectrice ?

— Bien sûr.

— Comment est-elle ? Vous l'avez rencontrée ?

— Certainement. Je la connais depuis des années. Elle résidait à Landour, à l'origine, dans une belle villa, avec un piano.

L'enthousiasme perçait à travers son attitude déférente, ses épaules se détendaient, ses mains se dénouaient.

— La Mère protectrice aidait tout le monde, les Indiens et les étrangers. Elle nourrissait, elle guérissait… elle prenait soin des gens.

Zelda étudia le visage illuminé de gratitude.

— Moi-même, une saison, j'étais trop malade pour travailler. Je suis monté chez elle. Tout le monde l'admirait. Vraiment, tout le monde l'aimait, sincèrement.

Il continua, emporté par son sujet, regardant à peine Zelda.

— Ensuite, elle est partie vivre à Everest House, avec tous les autres. Ils avaient besoin d'une maison plus grande, parce que beaucoup d'Occidentaux venaient, et qu'ils voulaient vivre avec elle. Mais… c'est trop loin à pied d'ici, alors nous ne l'avons pas vue depuis longtemps.

Zelda ôta ses lunettes de soleil, puis son chapeau.

— En hiver, quand il fait très froid, poursuivit-il, ils descendent à Rishikesh, où il y a un autre…

Il s'interrompit, la dévisagea, étudia ses traits, ses cheveux, son corps. Le silence se prolongea.

— Vous… Excusez-moi, mais vous lui ressemblez.

— C'est ma mère.

La surprise lui en fit perdre la parole.

— C'est ma mère, répéta-t-elle. Je suis sa fille…

Il demeura pétrifié un long moment, puis inclina brusquement la tête et sortit de la chambre presque en courant.

Zelda le suivit du regard, pensive. Des bribes de phrases lui revenaient : « Tout le monde l'admirait. Elle aidait les gens. Ils l'aimaient sincèrement. »

Ce qu'elle venait d'entendre la rassurait et lui faisait chaud au cœur.

Accroupie dans la baignoire vide, Zelda se lava rapidement à l'eau froide. Le froid lui donna de l'énergie et une impression de grande propreté. Ensuite, elle revêtit le pyjama marron qu'elle venait d'acheter et s'enroula dans le châle. Pieds nus, elle s'inspecta dans le grand miroir accroché à l'intérieur de la porte de l'armoire. Le tissu tissé à la main était un peu rêche et imprégné d'une odeur étrangère : senteur acide des teintures naturelles, vaguement mêlée à l'encens qui avait brûlé dans le bazar. Elle souleva le châle et s'en couvrit la tête, tira le tissu sur son front pour se masquer le visage. Ses joues disparaissaient, son menton était presque effacé. Le contraste de ses cheveux et de sa peau devenait moins frappant. Elle ne se reconnaissait plus.

Elle sortit la liasse de billets de sa bottine et fit le tour de la chambre, se demandant où cacher son argent. Puis, dans un tiroir du secrétaire, elle tomba sur une liste des services proposés par l'hôtel. « SVP ne laissez pas d'objets de valeur dans la chambre. Vous pouvez les déposer dans le coffre du directeur. Guichet "divers". » Elle regarda l'heure. Elle avait le temps de descendre et en profiterait pour commander un taxi.

Au moment où elle retournait dans la première pièce de la suite, la porte vitrée s'ouvrit. Trois employés en livrée verte entrèrent en procession. Elle eut droit à de petits saluts, mais à aucune explication. Le premier portait une pile de serviettes d'une blancheur immaculée, avec des rouleaux de papier hygiénique et des savons posés sur le dessus, le tout enveloppé d'une légère odeur de camphre. Le suivant était chargé d'un fauteuil en velours bien rembourré et d'une lampe ancienne. Le dernier disparaissait derrière d'énormes bouquets.

Zelda les observa sans rien dire tandis que, vifs et silencieux telle une équipe de machinistes qui changent le décor d'une pièce de théâtre entre deux scènes, ils transformaient les lieux. Un tissu de brocart recouvrit le canapé, une nappe de lin brodé embellit la table basse et la lampe fut installée près du fauteuil en velours et le baigna d'une lumière rosée. Les fleurs parachevèrent la transformation, disposées dans de grands vases sur toutes les tables et rebords de fenêtre : des iris, des azalées roses, de la glycine et du jasmin. Dès qu'ils eurent terminé, les trois employés disparurent. Aucune main ne se tendit pour réclamer de pourboire, pas un mot ne fut prononcé. Ils se contentèrent de lui lancer des regards chaleureux et éloquents, comme s'ils accueillaient une vieille amie.

La route d'Everest House était récente, large et lisse, mais ne desservait aucune habitation, aucune cabane, aucune ferme. Elle traversait une forêt dense et son épais sous-bois d'arbustes fleuris et de buissons enchevêtrés. Le jour baissait vite ; la brume qui masquait les lointains s'était épaissie et avançait en lourdes bandes grises avec la nuit.

Zelda tira sur le bord de son châle pour mieux se couvrir le visage. Elle se souvint d'Anandi et de son regard lointain et tâcha de l'imiter. Le chauffeur de taxi restait très discret. Il n'essayait pas de croiser son regard et ne lui avait posé aucune question, même quand le directeur de l'hôtel lui avait expliqué qu'elle souhaitait être déposée à quelque distance d'Everest House, pas trop loin, mais hors de vue de la maison, et qu'on revienne la chercher au même endroit deux heures plus tard. Il s'était contenté de hocher la tête et, quand il gara la voiture sur le bas-côté pour la laisser descendre, il se contenta de faire un petit signe, puis s'enfonça sur son siège pour l'attendre.

Zelda marcha vite jusqu'au tournant. À sa grande surprise, elle se sentait calme, mais n'arrivait toujours pas à élaborer de plan d'action.

Après le virage, elle s'arrêta. Elle se trouvait à la lisière d'un large amphithéâtre naturel qui se creusait devant elle, formant un bassin en demi-cercle dont l'extrémité rejoignait le ciel. Là, au bord de la falaise, se dressait un bâtiment blanc. Les colonnes de marbre et les pignons de la façade luisaient doucement dans la pénombre. Des lumières blanches brillaient aux fenêtres, vives et accueillantes. Zelda se douta qu'il s'agissait de la fameuse Grande Salle, l'endroit où se tenait le *satsanga*.

Elle tendit l'oreille pour mieux entendre le son ténu qui s'échappait du hall. C'étaient des chants ou des prières, accompagnés d'un rythme de tambours et de clochettes, un bruit doux mais puissant, comme un battement de cœur.

Dans la brise, son châle lui caressa la joue. Elle reprit sa marche et traversa un jardin naturel de buissons bas et de gros rochers blancs, bien tenu, mais à l'aspect sauvage. Cela lui rappelait quelque chose… Soudain, elle eut un coup au cœur. Cela ressemblait à l'île, avec ses roches ravinées par le vent et les hautes concrétions granitiques très anciennes : c'était le décor de sa vie, qui l'accueillait comme si elle rentrait d'un long voyage.

28

Une lune presque pleine éclairait le chemin. Zelda progressait avec précaution entre les rochers et les buissons, mais le bas de son châle s'accrochait sans cesse. Une odeur de sève verte montait des feuilles écrasées, et des corbeaux la surveillaient, immobiles.

En approchant du hall, elle aperçut d'autres bâtiments par-derrière, tout au long de la falaise. Ils n'étaient pas éclairés ; les fenêtres formaient des rectangles noirs dans les murs de pierre grise. Une haute grille les séparait du jardin minéral, de la route et de la forêt. Le hall jouait le rôle de maison de gardien : on ne pouvait pénétrer dans la propriété qu'en le traversant.

Lorsque Zelda trouva le chemin dallé qui menait à l'entrée, la musique et les chants avaient cessé. Elle n'entendait plus que le doux claquement de ses sandales.

Le portail en bois était fermé. De part et d'autre, des grappes de lampes à alcool répandaient une lumière jaune qui attirait des nuages d'insectes. Zelda leva les yeux vers l'arche décorée. La frise de fleurs, de paons et d'arbres était dessinée d'un trait élégant et constellée de pierres semi-précieuses, lapis-lazuli, jade, cornaline. On aurait dit un palais de conte de fées à la lisière d'une forêt infranchissable. Une illusion qui disparaissait sans doute au grand jour.

À la limite de la zone éclairée, un énorme meuble à chaussures était rempli de sandales, de boots, de tongs, de chaussons de soie et même de chaussures à hauts talons. Zelda ôta ses sandales et les coinça entre deux paires de Reeboks. C'était bizarre : il n'était pas encore dix-neuf heures, et pourtant les gens étaient déjà à l'intérieur. Il lui faudrait entrer seule, elle ne pouvait pas se perdre dans la foule. Elle ajusta son châle pour la centième fois, s'assurant qu'il cachait bien son visage, puis le serra contre elle pour se protéger du froid. Un paon trompeta non loin, cri bref mais effrayant. Comme en réponse, des chants s'élevèrent de nouveau dans le hall. Toutes ces voix la narguaient, sûres de leur bon droit, elles étaient chez elles, tandis que Zelda n'avait pas sa place ici et qu'elle était seule dans le noir.

Elle avança sous l'arche et poussa le portail bleu, une main sur chaque battant. Il ne bougea pas. Alors, elle remarqua une entrée plus petite, découpée dans l'un des côtés. Elle appuya la main sur cette porte qui s'entrebâilla, puis finit par s'ouvrir complètement, en silence. Happée en avant, elle passa le seuil. Enfin, elle était entrée…

À l'intérieur, il faisait frais et sombre et une lourde senteur sucrée et épicée flottait dans l'air : Shahastra, le parfum de l'oubli, avec son fond boisé de charbon brûlé. Elle se trouvait dans un vestibule qui ne contenait, sur le côté, qu'une table décorée d'un tissu, sur laquelle des objets étaient exposés : petits paquets d'encens et dés de charbon ; un panier de branches d'orchidée bleue et un autre de plumes de paon ; des cubes, comme ceux d'un jeu de construction, peints avec des fleurs, et portant de grosses étiquettes de prix, en roupies et en dollars. Elle s'arrêta devant la porte qui la séparait de la salle.

Les chants étaient tout proches, à présent. Un battement de tambour régulier roulait sous les voix puissantes et claires. Il devait y avoir beaucoup de gens. Zelda se rappela le chœur de trente personnes qui, sur l'île, chantaient des hymnes dans la chapelle et s'essoufflaient pour concurrencer les gémissements de l'orgue à pédale. Un tel volume ne pouvait venir que de centaines de poitrines.

Elle fut saisie d'angoisse. Elle fit un pas, tendit le bras... puis poussa la poignée. La porte s'ouvrit.

Il faisait sombre à l'intérieur et le chant montait tout autour d'elle. Elle resta paralysée devant une mer d'adeptes, assis en tailleur par terre, qui balançaient la tête et le buste au rythme des tambours.

— Par ici.

Un bras la prit doucement par la taille et l'orienta vers la gauche. Un autre la guida vers un espace libre à peine discernable sur le tapis.

Imitant les autres, Zelda s'assit en tailleur, dos droit, mains posées sur les genoux. Quand elle fut en place, elle dressa la tête de son mieux pour distinguer le devant de la salle.

Au fond, une lueur bleutée éclairait une petite scène. Sur une table au plateau de verre s'empilait un énorme tas de fleurs de couleur claire. Elle ne voyait rien d'autre. Tout le reste était dans l'ombre.

Soudain, la musique cessa. Les tambours stoppèrent net, et les dernières voix s'éteignirent. Dans le silence, la lumière monta doucement, provenant de plusieurs rangées de projecteurs accrochés au plafond. Zelda se mit à moitié sur les genoux, ignorant les regards irrités que lui jetait sa voisine. Maintenant, enfin, elle voyait...

À côté de la table trônait un fauteuil de verre, ou quelqu'un était assis en tailleur. D'abord, Zelda ne discerna qu'une silhouette, puis la lumière révéla les traits d'une femme : sourcils noirs, cheveux noirs, peau très blanche. Cette dernière fit un geste et lança un beau sourire de bienvenue. Elle balaya la foule du regard, en commençant par les gens les plus proches, pour s'éloigner ensuite vers le fond de la salle. Des soupirs et des murmures se propagèrent comme une vague sous son regard. Zelda retomba en position assise et courba la tête. Elle transpirait à grosses gouttes. Dans la cage rigide de son corps, son cœur battait à tout rompre. Une pensée martelait sa tête à un rythme affolant : c'est elle, c'est elle, c'est elle...

Il y eut un brusque froissement de tissus, un cliquetis de bracelets, et les participants se levèrent. Ils sortirent des travées et se rejoignirent dans le passage qui séparait la salle en deux. Beaucoup tenaient des fleurs : orchidées bleues aux longues tiges fragiles. D'autres, des cubes en bois, comme ceux qui étaient vendus dans le vestibule, des petits paquets, ou des papiers pliés.

Zelda suivit le mouvement et se laissa porter vers l'avant. Elle essayait de voir entre les têtes et les épaules, mais l'estrade restait cachée. En revanche, elle repéra un carré d'adeptes vêtus de bleu, sur le devant et un peu à l'écart des autres. Bleus différents, vêtements divers, mais sans trace d'une autre couleur. Une ligne de gardes du corps en tuniques bleu marine séparait ce groupe de la salle. Ils demeuraient assis par terre dans une immobilité parfaite, mais surveillaient la foule avec vigilance.

En approchant de l'autel bleuté, Zelda baissa la tête pour faire disparaître son visage sous son châle. Devant, les gens avançaient deux par deux jusqu'à l'estrade et attendaient leur tour. Elle leva les yeux pour voir ce qu'il fallait faire. Ils allaient vers le fauteuil de verre, inclinaient la tête et déposaient leurs offrandes dans deux grands paniers placés l'un à droite et l'autre à gauche. Ensuite, ils retournaient s'asseoir.

Quelqu'un se mit à côté de Zelda, et bientôt, ce fut à leur tour. Ils traversèrent l'espace vide devant l'estrade et se penchèrent sur les paniers. Zelda tendit sa main vide, passa sur le panier et l'approcha du trône. Elle voulait toucher le pied nu. Ses doigts tremblants avaient presque atteint leur but, frôlaient la peau, quand un bras jaillit pour la repousser.

— Non, laisse-la, ordonna la femme.

La voix était basse et calme, chaleureuse. Zelda la regarda, des yeux brillants d'espoir.

C'est moi...

Mais, quand leurs regards se rencontrèrent, elle éprouva un choc énorme. Ses yeux étaient bleus. D'un bleu profond et glacé.

La femme se pencha vers elle, sentant sa surprise. Elle eut l'air d'avoir peur.

Zelda n'arrivait plus à bouger. La personne qui l'accompagnait retourna à l'arrière, la laissant là, pétrifiée. Des murmures montèrent autour d'elle, mais elle n'entendait rien. Ce qu'elle venait de découvrir la glaçait jusqu'à la moelle. Ce n'était pas elle. Ce n'était pas Ellen.

Sur la scène bleutée, la femme se leva d'un bond. Tous les adeptes l'imitèrent. Elle se ressaisit vite. Son visage reprit son calme, ses lèvres, leur sourire tranquille. Les tuniques bleu marine du service d'ordre l'entourèrent et, se déplaçant latéralement face à la foule, l'accompagnèrent dans sa retraite. Le groupe traversa le devant de la salle, puis disparut sous une arche.

Après cela, Zelda se fondit facilement dans la foule ; sa mince silhouette drapée de son châle marron passait inaperçue. Elle se fraya un chemin vers l'arrière de la pièce et sortit dans le vestibule. Là, elle franchit à la hâte une porte qu'elle crut être celle du grand portail. Le battant claqua derrière elle et elle se retrouva dans un couloir sombre.

Tant pis. Elle continua, obnubilée par la supercherie qu'elle venait de découvrir. De loin, grâce à son maquillage, la femme ressemblait à Ellen, mais de près le subterfuge devenait apparent. Pourquoi siégeait-elle à la place d'Ellen ? Pourquoi la présentait-on comme la Mère protectrice ?

Elle dépassa une niche remplie de fleurs bleues, entourée de panneaux d'ivoire sculptés. Il y avait aussi des tableaux auxquels elle jeta un rapide coup d'œil. On retrouvait le style des statues de Rishikesh – un enfant dodu et espiègle, ainsi que la déesse couronnée de bras. Ces images étaient entourées de portraits de maharajas sur des éléphants parés de pierres précieuses, et de princesses indiennes aux seins nus.

Une porte à double battant l'arrêta. Zelda regarda en arrière. Que faire ? Poursuivre, ressortir ? Elle aurait aimé partir, seulement elle voulait comprendre. La statue de Rishikesh était bien celle d'Ellen, ainsi que la photo du stand. Le profil doré des dépliants bleus était le sien. Alors, si Ellen était la Mère protectrice, elle devait être quelque part... Il fallait la trouver.

Elle passa les portes qui se refermèrent sur elle. Elle était dans un pièce obscure où flottait une odeur d'épices rancies et de parfum Shahastra. La seule lumière venait des rayons de lune qui filtraient à travers les stores et d'une lampe bleue tout au bout. Zelda dut attendre que ses yeux s'habituent à la pénombre. Peu à peu, elle distingua une bande de tapis noir au milieu d'une salle rectangulaire. Dans l'ombre des côtés, des yeux brillaient, des visages blanchâtres montaient la garde, et des bras étaient figés dans des positions rigides.

Elle tâta le long de la porte pour chercher un interrupteur. Elle en découvrit un, qui alluma une série de spots encastrés dans le plafond. Elle put enfin regarder autour d'elle. La pièce était remplie de grandes poupées posées sur des gradins de part et d'autre du tapis central, presque jusqu'au plafond. On aurait plutôt dit des reproductions d'enfants, avec des têtes rondes et joufflues, des bouches boudeuses, des poitrines plates et de jolis vêtements. Des enfants inquiétants au regard angoissant. Des filles, pour la plupart.

Tout en avançant, Zelda les examina. Les poupées semblaient faites à la main, sculptées dans de l'argile blanche, puis peintes et habillées. Il n'y avait pas d'unité de style, et elles avaient probablement été réalisées par différents artistes. Certains corps étaient bien proportionnés et réalistes, d'autres difformes, maladroits. Les visages étaient particulièrement soignés : lèvres peintes par des mains habituées à appliquer du rouge à lèvres, cils formés par la brosse à mascara, joues délicatement passées au blush, modelé du visage mis en valeur. Les coiffures étaient également très travaillées, et de toutes natures, avec des cheveux naturels, des cheveux de ficelle, des cheveux peints. Blonds, bruns, bouclés, raides, courts, longs.

Zelda marchait en silence sur l'épais tapis, la respiration

rapide, le cœur battant. Des bruits vivants qui n'avaient pas leur place dans cette chambre pétrifiée. Elle ressentait une émotion profonde, comme si elle pénétrait dans une ancienne nécropole pleine de statues sacrées. Ou dans un cimetière tribal après l'exhumation de figurines à l'effigie des morts.

Les gradins étaient séparés de l'allée centrale par un cordon de velours que Zelda suivait avec la main. Les matériaux utilisés pour les vêtements étaient indiens, soies et cotons artisanaux, mais rebrodés et peints pour leur donner l'aspect de tee-shirts, de jeans, de sweat-shirts et de jupes – de vêtements ordinaires, pour enfants ordinaires, dans un monde ordinaire. Une poupée portait même un journal, écrit à la main sur des feuilles de papier de riz pliées. L'une tenait un chat, une autre un oiseau couvert de vraies plumes.

La collection devait avoir été rassemblée au cours d'une longue période, car les couleurs vives du début de la salle laissaient place à la grisaille de la poussière et à des toiles d'araignée.

La pièce se terminait par une porte à double battant jumelle de la première. Zelda s'arrêta, attirée par un petit visage noir et blanc très contrasté. C'était une petite fille en terre cuite blanchie, couverte de poussière. Elle portait un maillot de bain blanc, décoré d'un motif multicolore d'étoiles de mer et d'hippocampes. Ses cheveux noirs tombaient sur ses petites épaules, collés par grosses mèches comme s'ils étaient mouillés. Une serviette à rayures était accrochée à son bras replié. Elle avait les yeux noirs, bien que pâlis par le temps. Dans la lumière bleue de la lampe, on aurait dit qu'elle se sentait seule et qu'elle avait froid. En se penchant, Zelda vit à son poignet une gourmette en or. Elle tendit la main pour essuyer le prénom qui y était inscrit. En voyant apparaître la première lettre, elle se sentit mal. C'était un E, tracé d'une écriture élégante, puis venait la suite : LLEN.

Ellen.

Elle recula d'un pas pour mieux la voir. L'impression lui était étrangement familière. L'attitude de l'enfant, ses cheveux mouillés, son visage et, surtout, son regard. Cet amour teinté de peur. Ce sentiment ambivalent qui désirait et rejetait à la fois.

J'ai besoin de toi.

J'ai peur de toi.

Va-t'en.

Ne me quitte pas.

L'enfant représentait Ellen, mais, sans qu'elle puisse dire exactement en quoi, Zelda sentait qu'il s'agissait aussi d'elle. Elle eut envie de prendre la poupée dans ses bras, de l'envelopper dans sa serviette et de l'emporter, de la sauver. Mais ce ne serait qu'une relique de plus, un indice et rien d'autre.

Elle s'agrippait à présent si fort au cordon de velours que la torsade lui rentrait dans la paume. Rien ne lui semblait plus réel : la Grande Salle avec son arche et sa symétrie parfaite ; la pièce des poupées et Ellen enfant ; les couloirs et leurs beaux tableaux, leurs foisons de fleurs ; l'air parfumé. Tout se combinait pour créer une atmosphère de calme, de beauté et d'harmonie. Shahastra. La Voie de l'oubli. Un refuge pour se protéger de la vie, échapper à la douleur, aux mensonges, aux interrogations.

La perspective d'un tel repos de l'âme était séduisante, libératrice, mais pas entièrement. Derrière le soulagement subsistait un malaise. Comme une eau limpide et calme en apparence, au-dessous de laquelle se cacherait un tout autre univers, qui s'apprêterait à surgir des profondeurs pour se jeter sur vous.

Tout à coup, elle eut hâte d'échapper à cet endroit sinistre, aux poupées fantomatiques, et au parfum qui s'insinuait jusque dans les pensées.

Elle sortit et tomba de nouveau sur un couloir éclairé au bout. Mais, juste avant d'arriver à une sorte d'antichambre, le bruit d'une conversation lui parvint. Elle s'arrêta, se colla au mur et avança la tête pour voir.

— Sur celle-ci, nous posons toutes ensemble, expliquait

une voix de femme à l'accent américain. Les fondatrices. Là, c'est moi ; ici, Skye ; là, Kate ; et Ruth, derrière elle…

— Et là, c'est elle, interrompit une voix masculine.

— Oui. (Une pause.) Oui, c'est elle. La photo est un peu vieille mais elle n'a pas beaucoup changé. Nous n'autorisons plus les appareils photo, il faut donc se contenter des peintures si on veut quelque chose de plus récent. Mais quand on la voit, on est surpris. Elle a un visage…

— La photo a été prise ici ?

— Non, c'était dans la première maison, de l'autre côté de Mussoorie.

Zelda se pencha juste assez pour apercevoir deux personnes tournées vers un mur, devant une rangée de photos et de tableaux. La femme était grande et svelte, avec de longs cheveux blonds grisonnants. Elle portait un élégant sari vert d'eau dont la soie épaisse descendait jusqu'au sol de marbre en plis harmonieux. L'homme était en complet gris foncé.

— Et là, derrière elle, qui est-ce ? demanda-t-il en désignant le bord de la photo.

— Quoi ? Oh, ça ! ce n'est qu'un vieux serviteur indien. Je ne sais pas ce qu'il fabrique là. Je ne l'avais jamais remarqué.

Elle posa la main sur la photo pour le masquer.

— On devrait pouvoir recadrer pour le faire disparaître.

La femme se tourna vers son interlocuteur, ce qui permit à Zelda de la voir de face. Elle avait les yeux de la couleur de son sari, un visage de top model aux traits bien dessinés, à peine relâchés par l'âge.

— Et combien de temps pensez-vous pouvoir continuer comme ça ? demanda l'homme. (Pas de réponse.) Ziggy ?

— Je ne sais pas trop…

Elle se tourna de nouveau vers le mur et parla plus bas, ce qui obligea Zelda à tendre l'oreille.

— Skye tient très bien son rôle. Peut-être pourrons-nous peu à peu lui donner plus d'importance, lui forger son propre personnage et laisser l'autre… la laisser s'effacer des esprits. Graduellement, sans faire de vagues.

Un bras longiligne se leva, découvrant une montre sertie de brillants.

— Le *satsanga* doit être terminé. Nous devrions y aller.

Ils traversèrent la pièce et disparurent.

Cette conversation laissa Zelda songeuse. Ellen avait vécu ici, à Everest House, c'était clair. Mais maintenant, elle n'y était plus. Ses associées allaient continuer sans elle.

Tu savais que tu risquais de ne pas la trouver, se rappela Zelda. Tout le monde t'avait mise en garde : Lizzie, Drew, et même Rye. Elle repensa à l'écriture ferme et rapide : « Si tu ne la trouves pas en arrivant, que vas-tu faire ? Les gens ne restent pas au même endroit. En Inde, on se déplace. »

Elle s'approcha de la photo, mais avant de l'atteindre elle fut attirée par un autre cadre. C'était un pastel aux couleurs vives, dans le style indien sentimental. L'image représentait Ellen, la Mère protectrice, qui flottait dans un ciel bleu sans nuages. Elle avait l'air heureuse, paisible, dans un univers qui transcendait les traumatismes et la mort. On dirait les saints de Lizzie, se dit Zelda. Sainte Perpetua et sainte Félicité, le corps dévoré par les lions, mais héroïques, l'âme encore incandescente. Ou saint Christophe, le protecteur des voyageurs. Ou saint Jude, le saint des causes perdues. Ou même Antoine, le saint qui aide à retrouver les gens et les objets.

Avec vous pour vous toujours. Mais morte. Disparue.

Il fallait sortir, s'enfuir, avant que la déception ne la rende incapable d'agir.

La pièce où elle se trouvait menait dans le hall. Là, c'était la cohue. Ignorant les voix, les visages, elle se glissa entre les gens, tête baissée, rattrapant son châle qui s'arrachait. Elle franchit enfin le portail en bois, ignora le meuble à chaussures et fendit la foule regroupée devant la porte. Elle dévala le jardin minéral pieds nus, se cognant aux rochers, s'accrochant aux ronces. Elle coupa par la forêt et courut sur le tapis de feuilles humides entre les branches lisses, grisée par les senteurs d'humus et de champignon. Sauvée ! Enfin, le calme et le silence...

Le chauffeur de taxi sursauta quand elle cogna à la vitre. Il alluma les phares, et lorsqu'il vit son visage écorché, ses pieds nus et ses vêtements en désordre, il eut l'air d'avoir envie de la planter là. Vite, elle monta à l'arrière.

— Vous pouvez me ramener, dit-elle calmement. Je rentre à l'hôtel.

Il se tourna vers elle comme s'il attendait une explication.

— J'ai oublié mes chaussures, expliqua-t-elle avec un sourire forcé. Je suis passée par la forêt.

Peu convaincu, il démarra et roula vite, comme s'il voulait se débarrasser d'elle sans tarder.

— Pas bon, forêt, grommela-t-il après quelques minutes de silence.

Zelda ne répondit pas. Elle se tenait très droite sur son siège, du moins autant que le lui permettait un ressort cassé, et regardait la route devant elle.

La nuit fut bientôt éclairée par des feux de camp et les lumières du village. Le chauffeur freina brutalement pour éviter une vache errante. Du coup, il ralentit et continua sa route la main posée sur l'avertisseur. Zelda descendit sa vitre et respira la bonne odeur de fumée. Des rires montaient, ainsi que les voix tranquilles des familles qui vaquaient à leurs occupations du soir. Un jeune garçon rentrait ses chèvres le long d'un sentier.

Zelda posa la joue sur son bras. Elle aussi aurait voulu rentrer chez elle. Sentir l'odeur de laine mouillée qui séchait devant le feu. Entendre le sifflement de la vieille bouilloire noire sur la cuisinière et le grésillement du poisson dans la poêle. Tendre les jambes devant le feu. Partager plaisanteries et anecdotes autour d'un verre de bourbon.

Je rentrerai sur l'île, je rentrerai chez moi, se promit-elle. Je vivrai sur le bateau, je pêcherai la langouste, je mettrai de l'argent de côté pour acheter un terrain. Mais il y avait Drew... Elle ferma les yeux de désespoir. Tout avait changé.

Elle ne pouvait pas rentrer. Où aller, alors ? Ici, il n'y avait rien pour elle non plus…

Le chauffeur tourna dans l'allée qui menait à l'hôtel et dut piler net après quelques mètres. La petite route était pleine de monde : hommes, femmes, enfants. Ce n'étaient pas des clients, ni des employés de l'hôtel ; ils étaient maigres, vêtus de hardes, délavées. Ils portaient de longues guirlandes de fleurs orange, comme celles qui décoraient les stands des *ghats*.

Sans doute une procession religieuse, songea Zelda. Elle s'enfonça dans la banquette, heureuse que la nuit la protège des regards. La voiture avançait au pas, avec un ronronnement de moteur hypnotique. Elle aurait voulu que le trajet dure toujours, que le taxi la berce jusqu'au matin et lui évite toute pensée, toute nécessité d'agir, tout sentiment.

Impatient, le chauffeur klaxonna, ce qui chassa les gens sur les bas-côtés. Ils laissèrent passer la voiture sans un regard, serrés les uns contre les autres, tournés non pas vers la route, mais vers les lumières de l'hôtel qui brillaient à travers les buissons.

La grille était fermée. De l'autre côté, à une distance respectable, un garde en uniforme prétendait ignorer la foule. Il pivota vers le taxi en entendant le klaxon. Le chauffeur se pencha par la vitre ouverte et cria quelques mots. Le garde fit une réponse. Après une brève attente, un groupe d'employés en livrée arriva. Avec des cris et de grands gestes pour éloigner la foule, ils ouvrirent l'un des côtés du portail afin de laisser entrer le taxi.

Devant la réception, clients et employés échangeaient des remarques en contemplant l'attroupement à la grille. Zelda désigna l'extrémité la plus éloignée du parking, et le chauffeur ne se fit pas prier pour la faire descendre dans un coin bien obscur, sous un gros arbre. Il prit son argent et repartit sans un mot.

Zelda dut se remémorer pendant quelques secondes la configuration de l'hôtel. Elle découvrit un chemin qui évitait l'allée principale et regagna sa suite sans passer par la réception. Elle ne désirait qu'une chose, se retrouver dans le décor accueillant, comme on court se faire réconforter par une amie. Là, elle pourrait se reposer.

En approchant de sa porte, elle vit une guirlande posée sur le seuil. Elle s'arrêta, mais fut rassurée en constatant que les rideaux de la porte vitrée étaient tirés et cachaient la suite du couloir. Au moment où elle appuyait sur la poignée, elle se rappela qu'elle avait oublié de prendre sa clé, mais à sa grande surprise la porte s'ouvrit. Soulagée, elle entra et referma derrière elle.

Le salon sentait bon les fleurs. Il s'y mêlait une odeur d'encens, et elle distingua un petit point incandescent dans la pénombre. Elle laissa ses yeux s'accoutumer à l'obscurité, puis avança vers la lampe à abat-jour rose dont elle devinait la forme. Au moment où elle tendait la main pour allumer, elle entendit un mouvement.

— Qui est là ? s'écria-t-elle.

Un déclic, et le lustre s'alluma. Zelda se tourna avec un sursaut. Un vieil homme se tenait à la porte de la chambre à coucher. Il avait les cheveux blancs et la peau tannée comme le cuir. Il la dévisagea longuement, puis son visage s'éclaira d'un sourire lumineux et il lui tendit la main.

— Zelda. Zelda…, répéta-t-il lentement, comme s'il savourait son prénom. Enfin, vous êtes venue. Après tant d'années.

Muette de saisissement, elle le regarda. Ces mots l'apaisaient comme un baume, un vent tiède. Elle se laissa envelopper par leur douceur et attendit.

— Je prie pour votre venue depuis des années…

Il parlait bien, avec un très joli accent indien, d'une voix douce et basse, une vieille voix craquante comme des feuilles sèches.

— J'ai brûlé de l'encens pour que vous veniez. Je vous ai appelée dans mes rêves. Puis j'ai renoncé. Et maintenant, vous êtes là. Et vous…

Il laissa sa phrase en suspens et se contenta de la fixer en silence, calme en apparence, mais les mains nerveuses.

— Vous lui ressemblez tellement... Vous êtes son portrait, le jour de son arrivée !

— Qui êtes-vous ? demanda Zelda, la voix tremblante. Vous me connaissez ?

— Oui... Je suis le messager d'autrefois, Djoti.

Il hésita, comme s'il avait trop de choses à raconter et ne savait par où commencer. Il eut un soupir et reprit la parole, toujours souriant.

— Il y a tellement à dire. Trop. Je ne sais pas...

— Savez-vous où elle est ? coupa Zelda.

— Bien sûr. Je vais vous conduire jusqu'à elle.

Interdite, elle eut peur de laisser renaître trop tôt l'espoir. Elle voulut parler, mais Djoti l'arrêta d'un geste.

— La maison où elle vit est loin d'ici, à pied, à travers la forêt. Ce n'est pas possible la nuit. Demain matin, nous irons. Croyez-moi, ajouta-t-il avec gravité. C'est impossible avant demain.

— S'il vous plaît, ne me donnez pas de faux espoirs, je vous en prie.

Djoti lui toucha le bras, d'un geste bref mais rassurant.

— Vous la verrez. Vous êtes venue pour la voir. Après tout ce temps, il faut que vous vous retrouviez.

Un silence se fit. Des rires fusaient au loin.

— Je la croyais morte. J'ai appris qu'elle était encore en vie il y a seulement quelques semaines.

Des semaines qui avaient duré mille ans.

— Je sais. C'est votre père qui vous l'avait dit.

— Comment le savez-vous ? demanda-t-elle, soudain méfiante.

— J'étais le messager. Je portais les lettres, les télégrammes. Tout le courrier passait par moi. D'ailleurs, Ellen me...

— Les lettres ?

— Elle a écrit à votre père pour lui demander si elle

pouvait vous écrire. Elle voulait aller vous voir, aussi. Mais il n'a pas donné l'autorisation. Votre père n'a pas voulu.

Zelda respirait à peine, tendue vers l'explication que lui offrait le vieil homme. Djoti, sans doute gêné par l'intensité de son regard, fit quelques pas dans la pièce. Finalement, il prit un coussin, le serra contre sa poitrine et caressa le velours de sa main rugueuse.

— Il y a eu des papiers officiels, continua-t-il. Elle a été obligée d'accepter. C'était très dur pour elle. Elle ne voulait en parler à personne, mais à moi, elle a fini par tout me dire. Moi, j'ai une fille de son âge, expliqua-t-il avec un sourire. Elle vit dans un village loin d'ici. Si elle est triste, je veux que quelqu'un l'écoute, qu'on l'aide, il faut des amis. Comme j'ai des enfants, je comprends ce que c'est de perdre son enfant.

— Elle ne m'a pas perdue, objecta Zelda d'une voix sourde. Elle m'a abandonnée.

Djoti garda un instant de silence.

— Oui, c'est vrai... mais elle vous aimait. Elle vous aimait beaucoup, affirma-t-il en hochant la tête pour donner plus de poids à ses propos.

Zelda buvait ses paroles.

— Elle avait une photo de vous quand vous étiez petite. Prise le jour de votre anniversaire. C'était son trésor le plus précieux. Je crois que c'est la seule chose qu'elle a gardée, sa seule possession personnelle. Tout le reste, elle l'a abandonné pour devenir la Mère protectrice. C'était son choix. Un grand sacrifice. Je l'admirais, bien sûr, c'est ce que doit faire un grand maître, mais elle m'a beaucoup manqué. À vrai dire, je me suis posé des questions. Il ne me semblait pas que c'était bon pour elle. Pour elle, pour son accomplissement personnel, je veux dire.

— Expliquez-moi ce qu'elle est devenue... Je ne comprends pas. Je suis allée à Everest House pour la voir. Mais quelqu'un d'autre avait pris sa place.

— C'est une longue histoire.

Il lui fit signe de s'asseoir. Elle prit place dans le fauteuil en velours sans le quitter des yeux tandis qu'il s'installait sur le canapé, en face d'elle.

— Vous savez, les gens sont rassemblés devant l'hôtel depuis des heures pour voir la fille de Nanda Devi. Bien sûr, l'hôtel ne les laisse pas entrer.

— Je les ai vus !

Une foule en haillons... Les amis d'Ellen.

— Ils ne m'ont pas remarquée dans le taxi.

— Le directeur de l'hôtel ne voulait pas qu'ils se massent devant la grille. Il a raconté que vous aviez regagné votre chambre pour la nuit. Mais les gens espèrent tout de même que vous allez sortir. Et qui sait ? Vous sortirez peut-être.

— Ils attendent quoi de moi ? demanda Zelda sans enthousiasme.

— Ils veulent présenter leurs respects à la fille de Nanda Devi, rien de plus. Quand elle vivait ici, à Mussoorie, à l'autre bout du village, dans le lieu qu'on appelle Landour, elle a aidé beaucoup de gens. Il y a des enfants dehors qui seraient morts si Ellen n'avait pas donné à leurs mères de la nourriture, des médicaments, de l'argent. Des choses pareilles, ça ne s'oublie pas. Et puis elle est allée suivre des cours à l'ashram du temple et elle a appris leur langue. Elle a pu leur parler et les écouter. C'était leur amie. Ce sont eux qui lui ont donné ce nom de Nanda Devi. D'autres, qui parlaient anglais, lui en ont donné un autre : Mère protectrice. C'était il y a des années et des années. Les villageois ne l'ont pas vue depuis très longtemps, mais ils se souviennent bien d'elle.

Il s'interrompit puis reprit :

— Ensuite, quand elle est allée vivre à Everest House, elle n'est plus sortie. On ne la rencontrait plus au marché, ni dans les ashrams. On ne la croisait plus dans le village. Moi-même, je ne l'ai pas vue pendant très longtemps. Quand elle vivait à Landour, je travaillais pour elle, et j'ai continué encore quelque temps à Everest House. C'était avant l'ouverture de l'ashram de Rishikesh et avant qu'ils ne descendent tous dans la vallée pour l'hiver. C'est Ziggy qui l'a voulu. C'est Ziggy qui dirige tout. Elle a décidé que les visiteurs devaient obtenir des visas religieux. Cela leur permet de rester en Inde aussi longtemps qu'ils le souhaitent sans problèmes. C'est pour cette raison qu'elles ont ouvert l'ashram d'en bas, à Rishikesh, la ville sainte.

» Moi, je ne pouvais pas monter et descendre avec eux tous les étés et tous les hivers. J'étais trop vieux pour une vie agitée ! J'ai ma famille, aussi. Alors j'ai dû suivre un autre chemin.

Djoti s'arrêta, les yeux baissés sur ses mains qu'il croisait et décroisait sur ses genoux.

— Mais ce n'est pas la seule raison. Ziggy ne voulait pas de moi. Elle a tout fait pour qu'on ne m'emmène pas. Ellen, elle, oui, elle voulait que je vienne, ajouta-t-il, son vieux visage marqué par la tristesse. Mais, à cette époque, elle apprenait à laisser de côté ses aspirations personnelles. Seuls ses disciples comptaient. Elle donnait tout à ses élèves, et il ne restait plus rien pour elle. Et rien pour un vieil homme comme moi. Alors je l'ai perdue. Mais je ne l'ai pas oubliée. Je ne la voyais jamais. Sauf en image ! rectifia-t-il avec un petit rire. Vous savez, au marché, on vend des tasses avec son visage peint sur le côté. Et même des poupées ! Elles doivent avoir été faites dans un pays loin d'ici, parce qu'elles ont son visage, elles sont habillées en bleu, comme elle, mais elles ont les cheveux roux ! Ma femme, Prianka, a mis quelques roupies de côté pour en acheter une, mais je lui ai dit de s'en débarrasser. Elle n'était plus rien pour nous. Notre vieille amie, ce n'était plus elle. Elle est partie, j'ai dit. Nous avons assez de dieux comme ça !

Zelda sourit avec lui, soulagée par ces paroles simples. La sonnerie du téléphone la fit sursauter. Ils se regardèrent avec surprise, et ni l'un ni l'autre ne décrocha. Finalement, la sonnerie cessa. Djoti se pencha pour éteindre la lumière.

— Au cas où quelqu'un viendrait, murmura-t-il.

Dans le noir, les petits bruits semblaient plus forts, plus

nets. Djoti se cala de nouveau sur son siège dans un grincement de ressorts.

— Continuez, le pria Zelda.

— Donc, un jour, il y a peu de temps, un garçon est venu me trouver en disant que Nanda Devi était à l'hôpital. J'ai couru la voir, mais on m'a dit qu'elle n'était pas là. J'ai été messager une grande partie de ma vie, alors je sais comprendre ce qui se cache derrière les phrases. La vérité, c'était qu'elle avait été amenée à l'hôpital pendant la nuit. Personne n'avait le droit de la voir. Elle avait ses serviteurs pour sa toilette et sa cuisine. Les infirmières disaient qu'elle était très malade : dépression nerveuse, d'après le docteur. J'ai dit à Prianka, quelle idée de la mettre à l'hôpital pour les nerfs ! Ce n'est pas là que ça s'arrangera. Ces gens ne savent pas s'occuper d'elle ! Au bout de quelques jours, j'ai entendu dire qu'elle ne guérissait pas. Nous pensions beaucoup à elle, toute seule, au fond de son hôpital. Il fallait faire quelque chose. Alors nous l'avons volée ! lança-t-il avec bonne humeur. C'est ça, nous l'avons volée. Trois sadhus nous ont aidés. Il a fallu créer une petite inondation à l'hôpital pour éloigner les infirmières. Ensuite, les sadhus l'ont enveloppée dans un tissu, comme un mort, et ils l'ont emportée. Moi, je surveillais depuis la forêt. Ils ont eu beaucoup de difficultés. Ils voulaient courir, mais il fallait marcher lentement, comme des prêtres.

Zelda attendait la suite avec impatience.

— Nous l'avons emmenée dans une petite maison, en pleine montagne. Le pavillon de chasse du colonel Stratheden, qui est oublié depuis sa mort. Cela fait maintenant presque deux mois. Voyez, tout est expliqué : voilà pourquoi vous êtes allée à Everest House pour retrouver votre mère, et pourquoi elle avait disparu ! Envolée ! ajouta-t-il avec un rire. Elles veulent la retrouver, bien sûr. Elles ont demandé à tout le monde. Elles ont cherché dans tous les ashrams, les dharmshalas, les hôtels. Même à Delhi, à Calcutta. Même à

Goa ! Mon ami à la poste, il a tout vu ! Alors vous comprenez pourquoi elle ne peut pas rester ici.

Un nouveau mouvement de ressorts indiqua à Zelda qu'il changeait de position, et elle perçut la blancheur de son sourire.

— Voilà pourquoi vous êtes venue ! Voilà pourquoi vous êtes là !

La phrase, claire et haute, résonna dans la pénombre.

— Mais... elle va bien ?

Zelda reconnut à peine sa voix. Comment parler d'Ellen comme d'une personne réelle, accessible, toute proche ?

— Elle faisait des rêves. Pas des mauvais rêves, mais des rêves qui lui faisaient beaucoup de mal. Parce que, depuis des années, elle ne rêvait plus. Plus du tout. Elle a étudié le yoga longtemps, et les yogis savent contrôler leur esprit, même pendant le sommeil. Ellen avait ce pouvoir. Elle se contrôlait totalement. C'était grâce à cela qu'elle pouvait aider les étrangers qui venaient la voir. Et puis, je pense que son corps s'est trop fatigué. Elle ne pouvait plus manger, elle souffrait. Elle était épuisée, mais elle avait peur de dormir à cause de ses rêves. Elle perdait ses forces. Son esprit voulait retrouver sa liberté, et elle avait très peur. Alors, pendant des jours et des jours, elle se forçait à rester éveillée. C'est pour ça qu'on a dû l'emmener à l'hôpital. Là, on lui a donné des médicaments ! Ellen déteste les médicaments et les hôpitaux. Même l'odeur de désinfectant la rend malade. Elle a toujours eu horreur de tout cela, depuis que je la connais. J'ai été content de l'emmener. À la place des infirmières et des docteurs, elle a eu sa vieille amie Prianka. Elles se reposaient ensemble près du feu, dans le pavillon du colonel Stratheden. Prianka ne l'a pas quittée. Elle s'est occupée d'elle comme d'un bébé. Elle lui caressait les cheveux, lui préparait à manger, la nourrissait à la cuillère. Elle la massait. Prianka l'aime beaucoup. Et qui peut résister à l'amour d'une vieille femme ? demanda Djoti avec un nouveau rire.

» J'allais les voir dès que je pouvais, et elle m'a parlé de ses rêves. On aurait cru de vraies histoires. Dans certains, il y avait vous, Zelda. D'autres remontaient à son enfance, en Amérique. C'était surtout ceux-là qui lui faisaient peur. Elle pense que sa mère lui reprochait quelque chose. Elle pense qu'elle a fait du mal à sa mère, mais elle ne sait pas quoi. De quoi un enfant peut être coupable pour que sa mère le déteste ? Ce n'est pas possible ! J'ai dit à Ellen : Il faut penser à ta fille, Zelda. Parce qu'elle est encore là. Ta mère, peut-être qu'elle n'est plus sur terre...

Il quitta son siège. Sa silhouette sombre se découpa sur la fenêtre grise.

— J'avais raison, parce que vous êtes venue. Mais maintenant je vais vous laisser dormir. Demain, je reviens.

— Non ! s'écria Zelda en se levant d'un bond.

Djoti était le seul lien avec sa mère, la seule preuve qu'elle allait la retrouver. Elle lui attrapa le bras.

— Ne me laissez pas ici, je vous en prie.

— Mais il faut bien, protesta-t-il, surpris. On m'attend chez moi, et depuis longtemps.

— Emmenez-moi, supplia Zelda. Je peux dormir chez vous, n'importe où. Comme ça, nous serons ensemble et nous serons prêts à partir plus tôt demain matin.

Elle ralluma pour mieux le voir. Profitant de la lumière, il regarda tout autour de lui et eut un rire.

— Vous ne vous rendez pas compte ! Chez moi, c'est une cabane. Il n'y a pas l'électricité, pas de robinets avec de l'eau. Nous dormons par terre.

— J'ai toujours vécu dans une cabane, moi aussi ! La pluie passait sous les portes, et le vent rabattait la fumée dans la cheminée. Elle était très petite, et tellement près de la mer que mon père disait qu'on aurait pu pêcher de la fenêtre...

Elle essaya de sourire, mais ses lèvres tremblaient, et ses yeux se remplirent de larmes.

— Il ne faut pas pleurer, dit Djoti.

Tant de gentillesse eut raison de Zelda qui dut se détourner parce qu'elle ne pouvait plus retenir ses sanglots. Derrière elle, elle sentit l'embarras de Djoti. Elle l'entendit déambuler dans la pièce : il ramassait ses affaires et les remettait dans son sac à dos. Quand il eut fini, il le passa sur son épaule et l'attendit à la porte.

29

À l'approche de Landour, les sentiers forestiers étaient balayés, et des tas de feuilles mortes et de fleurs fanées se consumaient lentement sur les bords. Des flammèches odorantes voletaient dans l'air du petit matin, et les balayeurs, dont les feux trahissaient pourtant la présence, restaient invisibles.

Plus loin, au cœur de la forêt, le sentier devenait inégal et glissant, mais les mêmes fleurs coloraient le haut des arbres, et les oiseaux chantaient dans les branches. Djoti ouvrait la marche, mais se retournait continuellement pour voir si Zelda suivait.

— Attention à ne pas tomber ! recommandait-il.

Le sentier longeait un ravin qui plongeait presque à la verticale vers la vallée, sans rien pour se retenir.

— Il y a des gens qui tombent, même des chevaux. Il y a des morts.

Tout en montant, Djoti désignait de loin en loin des signes d'habitations : panaches de fumée, toits pointus, arbres étrangers. Il lui montra les ruines noircies d'une ancienne villa. Un jour, de jeunes amants, indiens de haute caste, s'étaient enfuis ensemble. Ils s'étaient réfugiés dans une belle demeure, mais la foudre était tombée et ils avaient péri brûlés. À présent, leurs fantômes hantaient les lieux et chantaient leur amour dans la nuit.

Le reste du temps, ils parlaient peu et ne mentionnaient pas

Ellen. Ce trajet était un interlude, une transition, une parenthèse de paix à l'abri des vents violents de la souffrance et du souvenir.

Au milieu de la matinée, alors que les dernières maisons de Landour avaient disparu derrière eux depuis longtemps, le chemin devint encore plus raide et tortueux. Bientôt, ils furent trop essoufflés pour prononcer un seul mot. Zelda s'arrêta pour enlever son pull et l'attacha autour de sa taille. C'était un vieux tricot aux coudes usés, mais dont elle aimait la couleur : bleu ardoise clair, comme un ciel d'hiver. À l'aube, tandis que Djoti et sa famille attendaient dehors qu'elle se change, elle avait cherché comment s'habiller. Elle avait d'abord choisi son pyjama marron, mais l'avait enlevé, préférant ne pas mettre de vêtements indiens. Elle avait sorti son jean de son sac à dos, ses boots, une chemise propre, un chapeau et le pull bleu. En les enfilant, elle s'était sentie réconfortée par le tissu doux du jean familier, par le poids de son ceinturon sur ses hanches. Autour du cou, elle avait noué la vieille écharpe de James, effrangée et délavée par le soleil. Elle ne se sentait plus voyageuse. Elle était redevenue la Zelda de toujours, la fille de James, la fiancée de Drew, de la baie des Nautiles.

Djoti avait froncé les sourcils en lui tendant une tasse de thé épicé.

— Vous êtes un garçon, maintenant ?

Mais il ne trouva rien à redire aux boots.

— La route est dure. C'est bien, pour marcher.

Lui-même allait pieds nus.

Il est vieux, se disait-elle pendant leur ascension, en contemplant le dos de Djoti. Tu devrais aller trois fois plus vite que lui. Et pourtant, elle avait un point de côté. Elle le fit passer en se massant. Puis elle compta ses pas, comme elle le faisait avec Drew quand elle craignait de se laisser distancer. Cinquante. Encore cinquante. Encore rien qu'une petite cinquantaine. Ainsi, on avançait sans s'en rendre compte. Si on voit trop grand, c'est épuisant, disait James. Pas plus loin que le bout de son nez, et l'on est arrivé.

Djoti stoppa brusquement et se tourna vers elle.

— Nous y sommes.

Zelda étudia les alentours.

— Où est la maison ?

— Là-bas, à travers les arbres. C'est là. Le pavillon de chasse du colonel Stratheden.

Elle regarda dans la direction de son bras tendu. Elle vit des troncs, des feuilles, des buissons, le ciel... Puis, noyées dans la végétation, lui apparurent les lignes droites d'un simple bâtiment en bois.

— C'est petit, expliqua Djoti, et le bois n'est pas peint.

Zelda sentit monter la panique : la fin du voyage venait trop tôt.

— Allez-y, ordonna Djoti gentiment. Je vous attends ici un moment.

— Non ! Il faut m'accompagner !

Intraitable, Djoti sortit de l'étroit sentier et lui fit signe d'avancer sans lui.

Le chemin, après un dernier tournant, aboutissait à une petite clairière. Au milieu se dressait une maisonnette en bois délavée par le temps, aux murs et au toit de bardeaux grossiers. Les volets étaient ouverts mais s'affaissaient sur leurs gonds. Des crânes de cerf, blancs, ornés de grosses ramures, étaient accrochés sur le devant. Au-dessus d'une porte de planches brutes, deux fusils rouillés pendaient, les canons croisés. Zelda traversa le jardin envahi par les ronces. En détachant l'une d'entre elles de sa manche, elle l'envoya rebondir contre un volet. Le bruit résonna dans l'air tranquille, rendant le silence encore plus angoissant.

Zelda se retourna, espérant que Djoti l'avait suivie – non, elle était seule. Elle continua, aspirée en avant par ce vide qu'il fallait remplir. Elle fit le tour du pavillon. Par une fenêtre ouverte, elle aperçut une corde sur laquelle des vêtements séchaient. Une chemise, un pyjama indien, du linge de corps, des chaussettes… Tout était bleu. Elle se dépêcha d'avancer, frappant les pieds par terre pour faire du bruit, pour s'annoncer, ne pas la prendre par surprise.

Au coin de la maison, elle s'arrêta. Une femme, de dos, travaillait un carré de terre, enveloppée dans ses longs cheveux noirs. Une voix s'éleva.

— Djoti ? C'est toi ?

Dans le silence qui suivit, la femme se retourna. Elle leva une main blanche pour s'essuyer le front, laissant une traînée de terre sur sa peau. La main s'arrêta pour protéger les yeux de la lumière trop vive.

Zelda trouva la force de parler.

— Non, c'est moi.

Haut dans le ciel, un oiseau poussa un cri. Un autre, au loin, lui répondit.

Elles échangèrent un regard, puis rompirent cette brève communion pour se détailler avec avidité avant de retrouver le contact des yeux. Un brouillard de larmes trembla entre elles. À petits pas, elles se rapprochèrent, danse délicate conduite par une musique muette.

Elles tombèrent à genoux l'une devant l'autre. La terre noire et généreuse les accueillit, les berça comme le sable d'une grève – une plage blanche sur une île lointaine – bien des années plus tôt. La chaleur du soleil les prit doucement dans ses bras, les caressa, les nourrit, source de l'existence – mère de la vie.

Remerciements

Je suis profondément reconnaissante à Roger Scholes, qui m'a accompagnée dans l'aventure de ce roman au cours d'un long voyage, sur terre, sur mer, et dans une forêt de documents...

Je tiens aussi à remercier mon agent, Jill Hickson, Nikki Christer et Madonna Duffy de Pan Macmillan Australia, ainsi que Kau Ronai et Clare Visagie pour leur aide précieuse.

Je dois également beaucoup à mes proches, amis, et famille, qui m'ont apporté un immense soutien.

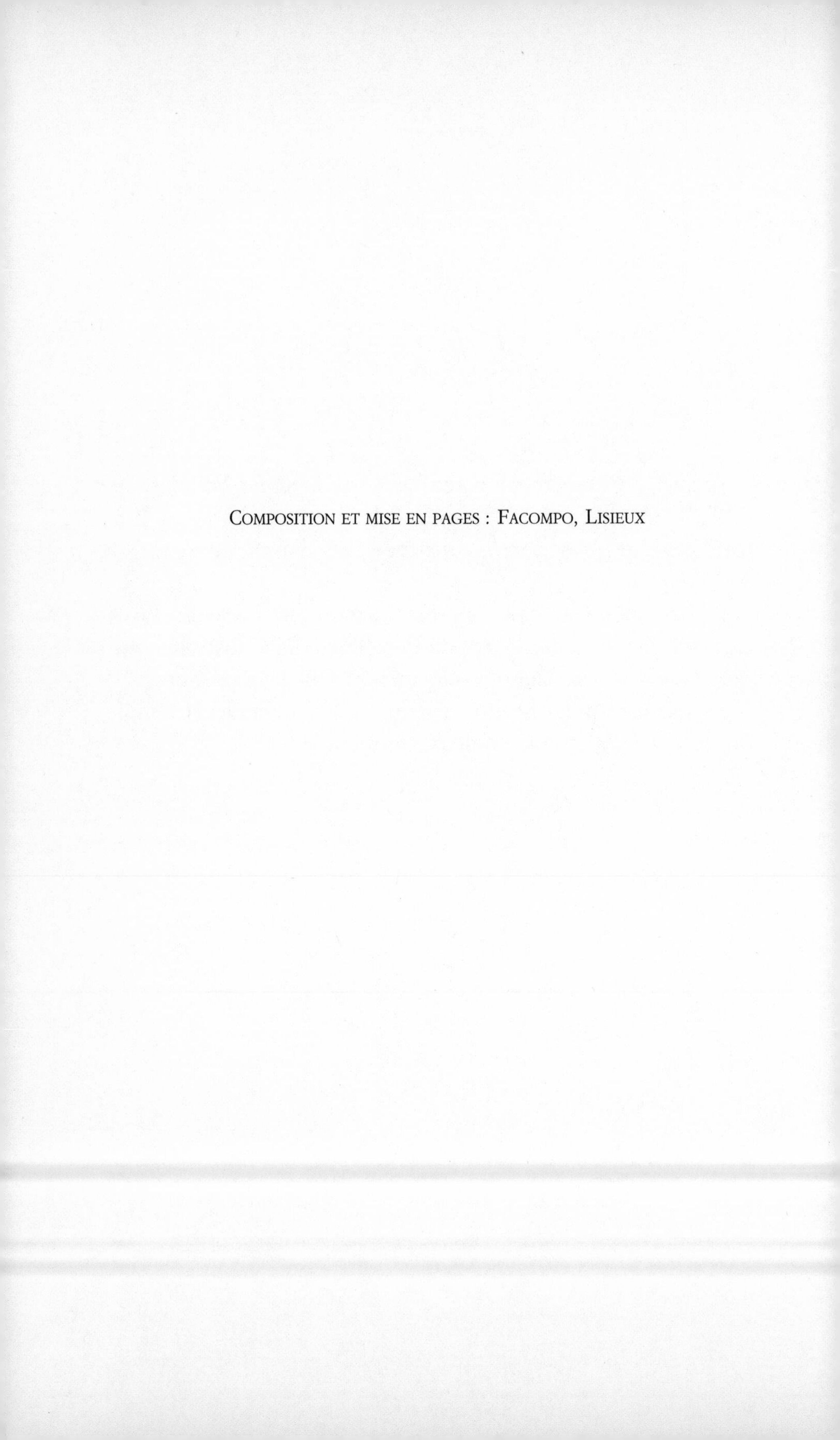

Composition et mise en pages : Facompo, Lisieux

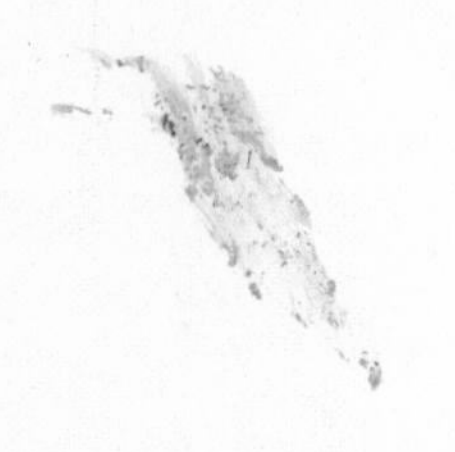

Transcontinental
IMPRESSION
IMPRIMERIE GAGNÉ

IMPRIMÉ AU CANADA